2008 农村小康蓝皮书

中国农村全面建设小康监测报告

国家统计局农村社会经济调查司 编

Department of Rural Surveys, National Bureau of Statistics

中国统计出版社
China Statistics Press

（京）新登字 041 号

图书在版编目（CIP）数据

中国农村全面建设小康监测报告.2008
/国家统计局农村社会经济调查司编
—北京：中国统计出版社.
ISBN 978-7-5037-5616-0

Ⅰ.中…
Ⅱ.国…
Ⅲ.农村－小康－建设－调查报告－中国－2008
Ⅳ.F323.8
中国版本图书馆 CIP 数据核字（2008）第 198383 号

中国农村全面建设小康监测报告－2008
作　　者/国家统计局农村社会经济调查司
责任编辑/许立舫
装帧设计/艺编广告·杨　超
版式设计/艺编广告·张　冰
图文制作/艺编广告·黄　晨
出版发行/中国统计出版社
通信地址/北京市西城区月坛南街 57 号
邮政编码/100826
办公地址/北京市丰台区西三环南路甲 6 号
网　　址/www.stats.gov.cn/tjshujia.
电　　话/邮购（010）63376907　　书店（010）68783172
印　　刷/科伦克三莱印务（北京）有限公司
经　　销/新华书店
开　　本/880×1230mm　1/16
字　　数/390 千字
印　　张/19.75
版　　别/2009 年 2 月第 1 版
版　　次/2009 年 2 月第 1 次印刷
书　　号/ISBN 978-7-5037-5616-0/F·2802
定　　价/148.00元

《中国农村全面建设小康监测报告—2008》顾问、专家指导委员会及编委会人员名单

顾　问

陈锡文　李炳坤　杜　鹰　唐仁健　陈晓华　丁学东　黄守宏　韩　俊　潘胜洲

专家指导委员会

主　任／马建堂

副主任／张为民

成　员／王国良　张晓山　钱克明　冯海发　宋洪远　赵殿国　饶克勤　汤晓文　赵　阳　孙梅君　秦　富

编 委 会

主　任／张淑英

副主任／盛来运　赵建华　徐志全　王萍萍

编辑人员／（按姓氏笔划排序）

王明华　且淑芬　刘建杰　阳俊雄　李永强　关　冰　刘旭玲　陈治平　张　毅　张延华

余新华　吴　伟　范小玉　侯　锐　柏先红　浦　捍　唐　平　阎　芳　黄加才　彭丽荃

执行编辑／侯　锐　柏先红　范小玉　刘旭玲

序　言

2008年是农村改革开放30周年。改革开放以来，农业和农村经济发生了翻天覆地的巨大变化。农产量稳步增加，农村基础设施明显加强，生产条件大大改善，农村居民生活水平和质量实现了由低到高的跨越式的提高。监测结果显示，2007年，农村全面建设小康社会实现程度达到42.1%，走完了农村全面建设小康社会2/5的进程，农村全面建设小康社会进入了中期阶段。但农民持续增收的难度加大，城乡差距、区域差距继续扩大，农村公共产品供给不足等制约了农村全面建设小康社会进程，应大力推进农村改革创新，积极发展现代农业，发展农村公共事业，稳步推进农村全面建设小康社会进程。

一、农业与农村经济发展取得辉煌成就，为农村全面建设小康社会奠定了坚实的基础

（一）农业生产快速发展

我国农村改革突破人民公社制度、实行家庭承包责任制后，生产力得到极大发展，为农村全面建设小康社会奠定了坚实的物质基础。一是粮食等主要农产品产量成倍增长。2007年我国粮食产量达到10032亿斤，比1978年增加近4000亿斤，增长65%；棉花产量达到762万吨，增加了2.5倍；油料产量达到2569万吨，增加了3.9倍；糖料产量达到12188万吨，增加了4.1倍。肉类产量增加了6倍多；水产品增加了9倍。二是主要农产品的人均占有量也有较大幅度提高，2007年粮食人均占有量380.5公斤，比1978年提高19.4%；棉花5.8公斤，增长1.5倍；油料19.3公斤，增长2.5倍；糖料93公斤，增长2.7倍；水果137.6公斤，增长18.9倍；水产品36公斤，增长6.3倍。粮、油、棉、水果和蔬菜等农产品全面稳定增长，为人民生活水平日益提高提供了物质基础。三是农产品品种和质量明显提高。改革开放以来，中国农业进入一个新的发展阶段，结构调整更加注重发展高产、优质、高效、生态、安全的现代农业，更加注重发挥各地农业的比较优势，更加注重农业的可持续发展。目前，我国主要农产品良种覆盖率和优质化水平明显提高，据农业部统计，2006年我国水稻、小麦、玉米、大

豆四大粮食品种优质率分别达到69%、55%、42%和66%，“双低”油菜籽的种植面积占到75%以上，畜禽、水产、果菜等鲜活农产品的优质率也有很大提高，无公害、绿色食品和有机食品发展迅速。

（二）农村基础建设不断加强

经过30年的发展，农村的基础建设有了很大的改观。特别是进入新世纪新阶段以来，中央坚持“多予、少取、放活”的方针，提出了建设社会主义新农村的重大历史任务，农村基础设施建设的规模和力度明显加大。一是农村交通、电力和文化卫生等基础设施快速发展。改革开放以来，中央一直高度重视乡村道路、农村电网、文化教育等关系农业和农村长远发展的基础建设。第二次农业普查结果显示，目前，全国通公路、电话、通电和能接收电视信号的行政村的比重均已达到95%以上，80%以上的乡镇有邮电所。文化教育、环境卫生和医疗机构也得到大幅改善，目前85%以上的村在3公里范围内有小学，98%以上的乡镇有医院、卫生院，72%的镇实施集中供水，37%的镇有垃圾处理站。二是农业生产条件大幅提高。据统计，全国农机总动力由1978年的11750万千瓦增加到2007年的75987万千瓦，增长了6.5倍；大中型拖拉机、联合收割机等分别从1978年的55.7万台、1.9万台提高到2007年的206.3万台和63.4万台；小麦、稻谷、大豆等大宗农作物机械作业面积大幅提高。以设施农业为代表的现代农业发展加快，设施农业、生态农业等高科技农业的发展促进了蔬菜、水果等农产品数量和质量的提高。三是农村市场体系建设取得初步成效。目前我国已初步形成了开放、统一、竞争、有序的农产品市场体系，适应社会主义市场经济发展要求的粮食流通体制初步建立；农产品市场主体已经从单一经营发展为农民、各种中介组织、国有流通企业等构成的多元化经营；流通渠道逐渐形成了零售、批发、期货等多层次并进；信息服务也正朝着不断满足生产者、经营者和消费者多方需要的方向发展。

（三）农村居民收入和生活水平大幅提高

随着市场经济发展、农村就业结构的变化和体制改革深化，农民收入来源市场化、多元化和非农化的趋势明显，农民收入格局发生了根本变化。

一是农民收入大幅提高，收入结构呈现新的特点。1979-2007年，农民人均纯收入由134元提高到4140元，扣除物价因素，平均每年增长7.1%。农民收入结构呈现家庭经营收入比重下降、工资性收入比重稳定上升、现金纯收入比重不断增长等全新特点。二是农村居民生活持续改善。1978-2007年，农村居民人均生活消费支出由116元提高到3224元，生活水平向全面建设小康社会目标迈进。农村居民消费结构不断升级。恩格尔系数从1978年的67.7%下降到2007年的43.1%，下降了24.6个百分点。发展和享受性消费支出快速增长，2007年农村居民文教娱乐、医疗保健、交通通讯的支出水平分别达到306元、210元和328元，在生活消费支出中所占比重比1980年分别提高了4.4、4.4和9.8个百分点。农村居民家庭生活逐步进入电气化、信息化时代。2007年每百户农村居民家庭拥有的电视机、电冰箱和洗衣机等耐用消费品分别达到106.5台、26.1台和45.9台，在传统耐用消费品稳步提高的同时，信息化设备在农村普及的速度加快，2007年，平均每百户拥有电话机、移动电话和计算机分别达到68.4部、77.8部和3.7台。三是农村贫困状况大幅改善。国家不断强化反贫困措施，扶贫事业取得了巨大成就。到2007年，贫困人口从1978年的2.5亿人减少到1479万人，贫困发生率从30.7%下降到1.6%。

（四）农村社会事业迈出新步伐

农村社会事业快速发展。特别是党的十六大、十七大以来，党中央、国务院坚持统筹经济社会发展，支农惠农政策不断加强。加快教育、卫生、保障等社会事业发展和改革，在教育方面，农村义务教育阶段中小学生全部免除学杂费和免费提供教科书，使1.5亿学生受益；在卫生方面，改造和新建1.9万所乡镇卫生院，为1.2万个乡镇卫生院配备了医疗设备。在社会保障方面，2007年农村新型合作医疗扩大到全国86%的县，惠及7.3亿的农业人口；在全国农村建立了最低生活保障制度，3566万农村居民纳入保障范围。

二、农村全面建设小康社会的难点和重点

总的来看，今后一段时期农村全面建设小康进程中的难点和重点集中表现在以下四个方面：

（一）农民持续增收的难度加大，城乡收入差距仍在扩大

按照全面建设小康社会的要求，到2020年农民人均实际收入水平要在目前的基础上再翻一番，要达到6000元（扣除价格因素后的实际收入）才能够使农民享有全面小康社会所要求的生活质量。据此测算，农民人均实际收入需要保持每年增长5%以上。虽然近年来农民收入增长加快，但从农民收入结构分析，农民增收的基础并不稳固，农民收入保持快速增长的难度加大。从家庭经营收入来看，受耕地等资源条件的制约，粮食继续增产的难度越来越大，这必然会给农民家庭收入带来不利影响。从工资性收入来看，近年来，农民工数量增长幅度减缓，依靠农民外出务工规模增加来提高农民收入的难度加大；同时工资性收入的增长也受到农民工自身技能和素质的限制。从转移性收入来看，财政转移支付占农民收入的比例较小，而且也受到分配体制和财政收入增长情况的制约。从财产性收入来看，农民拥有财产较少，创造条件增加农民财产性收入的难度较大。从城乡收入差距来看，城乡居民收入差距扩大的趋势尚未得到有效扭转。2000年城镇居民人均可支配收入是农民人均纯收入的2.8倍，到2007年扩大3.3倍；2000-2007年城镇居民人均可支配收入年均增幅达到10%，比农民人均纯收入增幅高4个百分点。目前还看不到这种差距发生转变的明显迹象。

（二）农业基础薄弱，保障主要农产品基本供给的难度加大

2007年农村资源环境方面的全面建设小康实现程度仅为7.1%，表明农业资源短缺和生态环境脆弱的矛盾突出。从自然资源来看，1996年到2006年，我国的耕地面积减少了1亿多亩。随着工业化、城市化的发展，善，但农村公共产品供给严重不足的局面并没有发生根本性变化。第二次全国农业普查表明，目前农村饮水困难和不安全的人群规模仍较大，有十

分之一的住户存在饮用水困难，仅有23%的住户饮用水经过集中净化处理；基础教育资源仍显不足，有幼儿园、托儿所的村比重不到三分之一；基本医疗服务不足，尚有26%的村没有卫生室，24%的村没有具备行医资格证书的医生，84%的村没有具备行医资格证书的接生员；环境卫生条件差，仅有15.8%的村实施垃圾集中处理和20.6%的村进行了改厕。农村税费改革后，基层政府和集体的公共产品供给能力下降，新的农村公共产品供给体制和机制尚未形成，改变农村落后局面难度较大。

三、加快农村全面建设小康社会的建议

（一）制度创新、结构调整和劳动力转移三轮驱动，促进农民持续增收

一是加快农村金融、公共财政、土地流转等制度建设为主要内容的改革，向制度创新要收入。二是通过调整结构，优化布局，通过提高农业的综合素质和效益，向农业的深度和广度要收入。三是进一步改善农民进城务工环境，逐步消除制约农民工转移就业的体制性和制度性障碍，推动农村人口流动和城镇化建设，扩大农民增收渠道。

（二）发展现代农业，提高农业综合生产能力，保障主要农产品的基本供给

我国已无法通过增加自然资源提高农业产量，只有通过发展现代农业，提高土地的生产效率和可持续发展，提高农业综合生产能力。加强以农田水利为重点的农业基础设施建设，努力改造中低产田，大力发展节水、节地农业，保护生态环境，提高现代农业的设施装备水平。加大农业科技研发的投入力度，完善农业技术推广服务体系，提升现代农业的科技支撑。优化布局，实施粮食战略工程，扶持主产区，建立一批核心产区，开发一批后备产区，确保国家粮食安全。

（三）统筹城乡发展，形成城乡经济社会发展一体化新格局

建立“三农”投入保障机制，加大财政支农力度。进一步完善农村信用社体制，鼓励支持规范民间农业金融的发展，大力发展农业保险。以缩小城乡差距和实现基本公共服务均等化为目标，建立覆盖城乡的公共财政

体制，建立健全农村公共产品供给体制和机制，逐步改变农村公共产品极度缺乏的现状，力保全面建设小康社会目标如期实现。

（四）加快产业转移，促进中西部地区农村经济社会加速发展

一是坚定不移地加大对西部开发的支持力度，尤其是继续加大对西部教育、卫生、社会保障的投入，在提供公共产品方面不能让东部与西部形成新的差距。二是加快培育西部优势产业，推动西部区域经济结构调整，对存在外部经济的产业，如生态环境建设和保护等，中央政府要建立必要的补偿机制，让受益地区分摊相应的保护成本。三是促进中部地区产业发展和结构优化，尤其要不断推动中部地区农村二三产业的发展，加快中部地区农村劳动力转移速度，不断培育农民增收的增长点。

目录

Contents

第四部分　社会主义新农村建设经验与案例

第五部分　统计资料

目录

Contents

第六部分　附录

1 第一部分 2007年农村全面建设小康社会进程

党的十七大发出了为夺取全面建设小康社会新胜利而奋斗的号召。监测结果显示，2007年，农村全面建设小康社会实现程度达到42.1%，走完了农村全面建设小康社会2/5的进程，农村全面建设小康社会进入了中期阶段。

一、全国农村全面建设小康社会进程

2007年，各地认真贯彻落实科学发展观，按照统筹城乡发展的要求，出台了一系列强农惠农政策。农村经济保持较快发展，农民生活质量稳步提高，农村社会事业加快发展。2007年，农村全面建设小康社会实现程度达到42.1%，比上年提高7.2个百分点，是党的十六大提出全面建设小康社会宏伟目标以来进展最快的一年。

（一）在农村经济发展方面，全面建设小康实现程度为36.3%，比上年提升6.8个百分点

在反映农村经济发展的三项指标中，2007年农民人均纯收入为4140元，比上年实际增长9.5%，是近十年以来增长最快的一年。农民可支配收入为3886元，扣除价格因素后为3325元（2000年不变价）。根据全面建设小康收入标准，农民可支配收入全面建设小康实现程度为29.6%，比上年增加5.5个百分点。2007年第一产业劳动力比重为40.8%，全面建设小康实现程度为61.3%，比上年有较大幅度提高。农村小城镇人口比重为23.3%，全面建设小康实现程度为38.4%，比上年提高6.8个百分点。

（二）在农村社会发展方面，全面建设小康实现程度为60%，比上年提升16.5个百分点

从社会发展的四项指标看：农村新型合作医疗发展很快，2007年末农村参加新型合作医疗的人数达到7.3亿人，农村合作医疗覆盖率为76.4%，全面建设小康实现程度为83%，比上年提高41.5个百分点。农村养老保险事业发展相对滞后，覆盖率为8%，全面建设小康实现程度为10.7%，比上年减少0.5个百分点。2007年每万个农村居民拥有的农业科研人员数为1.7人，全面建设小康实现程度为23.3%，与上年持平。农村居民收入分配的公平程度仍处在0.3-0.4的合理区间内，农村居民基尼系数为0.37，该指标的全面建设小康实现程度为100%。

（三）在农民生活质量方面，全面建设小康实现程度为53.1%，比上年提升6.6个百分点

农村消费结构持续优化，居住环境不断改善，信息化程度稳步提高，促进了农民生活质量的提高。从反映生活质量的四个方面看，2007年农村居民居住质量指数为43.5%，全面建设小康实现程度为44.7%，比上年提高7个百分点。农村居民文化娱乐消费支出比重为4.2%，全面建设小康实现程度为37.8%，比上年提高2.2个百分点。由于食品价格上涨，食品支出在消费结构中所占比重略有上升，农村居民恩格尔系数为43.1%，全面建设小康实现程度为65.6%，比上年下降1.1个百分点。农村信息化建设取得新进展，2007年农村居民的信息化程度为50.7%，全面建设小康实现程度为70.9%，比上年提高14.7个百分点。

（四）在农村人口素质方面，全面建设小康实现程度为15%，与上年持平

农村人均受教育水平是一个影响社会主义新农村建设进程和统筹城乡发展的关键因素。2007年全国农村劳动力文盲率为6.3%，小学和初中文化程度的农村从业人员占78.7%，高中以上文化程度所占比重仅为14.9%。从反映人口素质的监测指标看，农村人口平均受教育年限不到8年，仅相当于初中二年级的水平，平均受教育年限指标的全面建设小康实现程度为18.8%。

（五）在农村民主法制方面，全面建设小康实现程度为76%，比上年提升1.7个百分点

从反映民主法制的两项指标看，农民对村务公开的满意度进一步提高，但对社会安全的满意度没有提高。2007年农民对村政务公开的满意度为79%，全面建设小康实现程度为80%，比上年提高3个百分点。农民对社会安全的满意度为78%，全面建设小康实现程度为72%，与上年持平。

（六）在资源环境方面，全面建设小康的实现程度为7.1%，比上年提高3个百分点

从反映资源环境的三项指标来看，2007年森林覆盖率为18.2%，全面建设小康实现程度为26.2%。万元农业GDP用水量为1900立方米，全面建设小康实现程度为63.6%，比

2007年农村全面建设小康实现程度

指 标	单 位	全面小康值	实际值 2007年	实现程度（%） 2007年
A、经济发展				36.3
人均可支配收入	元/人	＞6000	3325	29.6
第一产业劳动力比重	%	＜35	40.8	61.3
小城镇人口比重	%	＞35	23.3	38.4
B、社会发展				60.0
农村合作医疗覆盖率	%	＞90	76.4	83.0
农村养老覆盖率	%	＞60	8	10.7
万人农业科研人员数	人	＞4	1.7	23.3
农村居民基尼系数		0.3-0.4	0.37	100
C、人口素质				15.0
平均受教育年限	年	＞9	7.7	18.8
平均预期寿命	年	＞75	69.5	0.0
D、生活质量				53.1
恩格尔系数	%	＜40	43.1	65.6
居住质量指数	%	＞75	43.5	44.7
农民文化娱乐支出比重	%	＞7	4.2	37.8
农民信息化程度	%	＞60	50.7	70.9
E、民主法制				76.0
对村政务公开满意度	%	＞85	79	80
农民社会安全满意度	%	＞85	78	72
F、资源环境				7.1
常用耕地面积变动幅度	%	＞0	-0.1	-43.3
森林覆盖率	%	＞23	18.2	26.2
万元农业GDP用水量	立方米	＜1500	1900	63.6
综合实现程度				42.1

注：平均预期寿命为2000年人口普查数，这个指标的数据在有最新数据公布的年份进行更新。森林覆盖率为第六次全国森林资源清查数。农村合作医疗覆盖率、农村养老覆盖率、农民社会安全满意度和对村政务公开满意度等指标根据典型调查推算。

上年提高1.8个百分点。2007年耕地面积净减少40.7千公顷（61万亩），耕地面积减少幅度比上年下降，但常用耕地面积变动幅度全面建设小康实现程度仍为负值。

综上所述，2007年农村全面建设小康社会的总体特点是：农村合作医疗覆盖率大幅提高，农村社会发展方面的全面建设小康进程提升最快；农村经济、农民生活质量方面的全面建设小康进程保持较快增速；农村人口素质和资源环境等方面全面小康进程相对缓慢；从农村全面建设小康的18项指标来看，农村养老覆盖率、农村人口平均受教育水平等指标的全面建设小康实现程度较低。

二、分地区农村全面建设小康社会进程

（一）总体上看，东部地区全面建设小康进程快于中、西部地区，西部地区略快于中部地区

2007年东、中、西部地区农村全面建设小康实现程度分别为62%、38.1%和15%，分别比上年提升7.3、7.1和7.2个百分点，中、西部地区农村全面建设小康提升速度分别比东部地区低0.2个百分点和0.1个百分点，西部地区农村全面建设小康提升速度略快于中部0.1个百分点。

（二）从结构上看，东、中、西部地区差距主要体现在人口素质、经济发展和生活质量方面

在人口素质方面，东部和西部农村全面建设小康实现程度的差距为83.1%，中部和西部差距为66.9%，提高中、西部地区农村人口受教育水平是一项长期而艰巨的任务。在经济发展方面，东部和中、西部农村全面建设小康实现程度的差距分别为41.6%和64.9%，以平均每年进程5%估算，发展差距在8年以上；在生活质量方面，东部和中、西部农村全面建设小康实现程度的差距分别为27.2%和43%，发展差距在5年以上。

（三）从全面建设小康社会的进程看，中西部地区如期实现农村全面建设小康社会目标有较大难度

2007年东部地区全面建设小康实现程度为62%，已经走完了农村全面建设小康进程的2/3的路程，估计再过8年左右可基本实现全面建设小康目标。中部地区全面建设小康实现程度为38.1%，走完了三分之一的全面建设小康路程。西部地区实现程度仅为15%，农村全面建设小康社会刚刚起步，加快中、西部落后地区全面小康进程，缩小东、中、西部差距，是实现农村全面建设小康社会的难点和重点。

三、分省（区、市）农村全面建设小康社会进程

（一）上海、北京、天津、浙江农村全面小康实现程度达到80％以上，走完了农村全面小康社会建设四分之三以上的路程

2007年，上海、北京、天津和浙江农村全面小康实现程度分别达到90%、89.3%、

87.3%和81.2%，进入农村全面小康社会建设的后期。其共同特点是经济发展、人口素质和生活质量等方面实现程度很高，走完了全面小康85%以上的路程。特别是上海郊县除资源环境方面实现程度较低外，其它方面实现程度均已达到95%以上。浙江的农业和农村经济在实施战略性结构调整中稳步发展，走出了一条独特的农村工业化和城镇化道路，第一产业劳动力比重逐年下降，小城镇人口比重则呈逐年上升趋势。农村经济实现了又好又快发展。这些地区主要在社会发展和资源环境方面还存在一些薄弱环节：农村保障制度建设还不完善；耕地大量被占用，资源环境保护任务较重，这些均是下一阶段全面小康社会建设的难点和重点。

（二）江苏、广东、山东、福建和辽宁农村全面小康实现程度在50%以上，走完了农村全面小康社会建设一半的路程

2007年，江苏、广东、山东、福建和辽宁农村全面小康实现程度分别达到68.7%、64.8%、64.7%、59.7%和57.6%，其共同特点是经济发展较快，农民生活质量有较大幅度提高。但这些省份农村全面小康社会建设仍存在农村社会发展水平相对落后，人口素质相对较低、资源环境保护任务较重等薄弱环节。

（三）吉林、河北、黑龙江、湖南、湖北、江西、海南、山西、内蒙古、河南、安徽、陕西、重庆、四川和广西农村全面小康实现程度在25%以上，走完了农村全面小康社会建设1/4的路程

2007年，吉林、河北、黑龙江、湖南、湖北、江西、海南、山西、内蒙古、河南、安徽、陕西、重庆、四川和广西农村全面建设小康实现程度分别为49.1%、48.2%、44.8%、42.8%、41.9%、40.1%、35.7%、34.8%、34.3%、33.2%、32.5%、31.7%、30.6%、30%和27.1%，这些省份农村全面小康建设有了起步良好，但这些地区经济发展、社会发展、人口素质和生活质量都亟待提高，农村教育落后，农村社会保障水平低，农村生活条件差仍是这些省份全面建设小康社会的难点。

（四）全国尚有6个省（区、市）农村全面小康实现程度小于25%；西部有三个省份实现程度低于10%

新疆、云南和宁夏农村全面小康实现程度分别为20.8%、20.7%和15.2%，农村全面建设小康社会有了良好开端。贵州、青海和甘肃农村全面小康实现程度分别为6.7%、5.9%和5.6%，农村全面小康社会建设刚刚起步。由此可见，农村全面建设小康社会最大的难点在西部，最艰巨的任务在西部。

2 第二部分　专题报告

一、农村居民收入

据对全国31个省（区、市）6.8万个农村住户的抽样调查，2007年农村居民人均纯收入4140元，比上年增加553元，增长15.4%，扣除价格因素影响，实际增长9.5%。

（一）工资性收入保持较快增长

2007年农村居民的工资性收入人均1596元，比上年增加221元，增长16.1%。工资性收入的增加额占全年农村居民纯收入总增量的39.9%，比上年下降20.3个百分点。

在工资性收入中，务工收入人均1008元，比上年增加157元，增长18.4%。其中，本地打工收入人均357元，比上年增加60元，增长20.3%；外出务工收入人均651元，比上年增加97元，增长17.5%。

外出务工收入增加主要是因为工资水平提高。农村常住户中，2007年外出务工劳动力占劳动力的比重为21.3%，比上年提高0.3个百分点；外出务工劳动力平均在外就业时间8.5个月，增加1.7%；外出务工的月工资水平1060元，比上年提高12%。

（二）家庭经营收入是增收的最主要来源

2007年农村居民家庭生产经营纯收入人均2194元，比上年增加263元，增长13.6%，增速提高8.8个百分点。家庭经营纯收入的增加额占全年农村居民纯收入总增量的47.6%。家庭经营收入大量增加主要是由于第一产业经营收入大幅增长所致。

农村居民家庭经营第一产业纯收入人均1745元，比上年增加223元，增长14.7%，增速提高 11.1 个百分点。其中，农业纯收入人均 1304 元，增加 115 元，增长 12.5%，增速提高 6.8 个百分点；牧业纯收入人均 335 元，增加 70 元，增长 26.2%，增速提高 32.5 个百分点。

农村居民家庭从事二、三产业生产经营纯收入人均 449 元，比上年增加 39 元，增长 9.5%。其中，从事第二产业生产经营得到的纯收入人均 138 元，增加 16 元，增长 13.2%；从事第三产业生产经营得到的收入人均 311 元，增加 23 元，增长 8%。

（三）财产性收入增速提高

2007 年农民的财产性收入人均 128 元，比上年增加 28 元，增长 27.6%。增加较多的是租金收入和股息、红利收入，其中租金收入人均 29 元，比上年增长 15.9%，股息和红利收入人均 17 元，比上年增长 36.5%。

（四）转移性收入保持较快增长

2007 年农民得到的转移性收入人均 222 元，比上年增加 41 元，增长 23%。增加较多的是政府提供的农业生产补贴（包括粮食直补、良种补贴和购置更新大型农机具补贴收入）、离退休金及养老金、扶贫款等。其中，粮食直补收入 38 元，比上年增加 13 元，增长 54.4%。

专栏　安徽小岗村 18 位农民的创举

小岗村位于安徽凤阳县东部，距县城 40 公里，隶属小溪河镇，由小岗、大严两个自然庄组成。1978 年以前的小岗村（“大包干”发源地的小岗自然庄或村民小组）是凤阳县有名的“吃粮靠返销、用钱靠救济、生产靠贷款”的“三靠村”，当时全村没有一间砖瓦房，许多农户的茅草屋破烂不堪，二十户人家不论户大户小，基本上都是一无所有。1978 年末，中国农村经济改革正在酝酿破茧之中。11 月底的一个夜晚，小岗村队干部召集全村人开会讨论生产问题，做出了包产到户的大胆决定，18 位农民以“敢为天下先”的胆识，立下了分田到户的“生死状”。会议结束后，小岗村将耕地、牲畜和农具按人头包到了户。大包干冲破了人民公社“一大二公”体制的桎梏，将土地所有权和经营权分离，使农业生产的权、责、利紧密地结合在一起，农民真正成为土地经营的主人，从而充分调动了广大农民的积极性。1979 年秋收，小岗村的粮食总产由 1978 年的 1.8 万公斤猛增到 6.6 万公斤，人均收入由上年的 22 元跃升为 400 元。这一变化不仅结束了小岗村 20 多年吃“救济粮”的历史，而且上缴国家粮食 3200 多公斤。党中央尊重农民的首创精神，十一届三中全会以后，在党中央的支持和大力倡导下，家庭联产承包责任制逐步在全国推开，到 1981 年，全国大部分农村地区都实行了家庭联产承包责任制。小岗人穷则思变，拉开了中国农村波澜壮阔的改革序幕，由此载入史册。

二、农村居民生活

（一）2007 年农村居民生活消费增长特点

1、生活水平稳步提高

受收入水平较快增长影响，2007 年全国农村居民生活消费水平持续提高，生活质量不断改善。农村居民人均生活消费支出 3224 元，比 2006 年增加 395 元，扣除价格因素影响，实际增长 8.1%。农村居民消费支出呈现如下主要特点：

（1）食品支出。农村居民食品支出人均 1389 元，比 2006 年增加 172 元，增长 14.1%。其中，在外饮食支出人均 190 元，比 2006 年增加 25 元，增长 15.4%。

（2）衣着支出。农村居民衣着支出人均 193 元，比 2006 年增加 25 元，增长 15.1%。其中，购买服装支出人均 130 元，比 2006 年增加 17 元，增长 15.2%。

（3）居住支出。农村居民居住支出人均 574 元，增加 105 元，增长 22.4%。其中，建房支出人均 192 元，增加 29 元，增长 18.0%；购买住房支出人均 49 元，增加 24 元，增长 97.3%；住房装修支出人均 47 元，增加 9 元，增长 24.9%。

（4）家庭设备用品及服务支出。农村居民用于购买家庭设备用品及服务的支出人均 149 元，比 2006 年增加 23 元，增长 17.8%。其中，购买日用品支出人均 54 元，比 2006 年增长 9.3%，购买家具类支出人均 27 元，比 2006 年增长 15.5%，购买机电设备支出人均 46 元，比 2006 年增长 34.1%。

（5）交通及通讯支出。农村居民的交通及通讯支出人均 328 元，比 2006 年增加 40 元，增长 13.7%。其中，购买交通工具支出人均 80 元，比 2006 年增长 25.4%；交通费支出人均 55 元，比 2006 年增长 7.0%；购买通讯工具支出人均 31 元，比 2006 年增长 9.8%；通讯费支出人均 105 元，比 2006 年增长 10.4%。

（6）文教娱乐支出。农村居民用于文教娱乐用品及服务的支出人均 306 元，比 2006 年增加 1 元，增长 0.2%。文教娱乐支出增长缓慢主要是农村居民学杂费支出大幅度下降。2007 年农村居民学杂费支出人均 170 元，比 2006 年减少 20 元，减少 10.5%。

（7）医疗保健支出。农村居民用于医疗保健的支出人均 210 元，比 2006 年增加 19 元，增长 9.8%。其中，医疗费支出人均 119 元，比 2006 年增加 13 元，增长 12.4%；购买药品支出人均 85 元，比 2006 年增加 5.5 元，增长 6.9%。

（8）其他商品和服务支出。农村居民用于其他商品和服务的支出人均 74 元，比 2006 年增加 11 元，增长 17.6%。其中，其他商品支出人均 40 元，比 2006 年增长 24.2%；其他服务支出人均 34 元，比 2006 年增长 10.7%。

2、生活质量持续改善

2007 年农村居民收入水平的持续提高，推动了农村居民生活质量的持续改善。主要特点有：

（1）主要食品消费量有增有减。2007 年农村居民消费粮食人均 200.8 公斤，比 2006 年减少6.2公斤，下降3.0%；消费蔬菜人均99.0公斤，比2006年减少1.5公斤，下降1.5%；消费肉类人均20.5公斤，比2006年减少1.8公斤，下降7.9%.消费肉类减少主要是消费猪肉人均减少了2.1公斤；消费禽蛋人均4.7公斤，比2006年下降5.6%；消费奶及奶制品人均3.5公斤，比2006年增长11.8%；消费水产品人均5.4公斤，比2006年增长6.9%；消费瓜果人均19.4公斤，比2006年增长1.8%；消费坚果人均1.0公斤，比2006年增长15.8%。

（2）居住条件和居住环境持续改善。2007年农村居民人均居住面积31.6平方米，比2006年增长3.2%，其中60.0%的农户人均居住面积大于25平方米，提高2.2个百分点。钢筋混凝土结构住房面积人均12.6平方米，比2006年增长6.5%，居住在钢筋混凝土结构住房中的农户占32.7%，比2006年提高1.2个百分点。砖木结构住房面积人均14.8平方米，比2006年增长1.4%，居住在砖木结构住房中的农户占59.4%，比2006年下降0.4个百分点。

从居住条件看，一是住房卫生条件持续改善，使用水冲式卫生厕所的农户占16.4%，比2006年增长12.0%，无厕所的农户占7.9%，比2006年减少10.5%。二是使用清洁能源的农户增加较多，使用清洁燃油、燃气和电的农户占25.7%，比2006年增长84.2%；使用沼气的农户占3.1%，比2006年增长17.2%。三是饮用水更加卫生，饮用自来水的农户占41.3%，比2006年增长6.4%，而饮用浅井水、江河湖泊塘等非卫生水的农户减少3.5%。四是住房外部环境改善，有39.0%的农户住宅外有水泥或柏油状路面，增长20.2%；有24.4%的农户住宅外有石头或石板等硬质路面。

（3）主要耐用消费品拥有量明显增加。2007年平均每百户农村居民家庭拥有彩色电视机94.4台，比2006年增加5.0台，增长5.5%；洗衣机45.9台，增加3.0台，增长6.9%；电冰箱26.1台，增加3.6台，增长16.2%；摩托车48.5辆，增加3.9辆，增长8.8%；电话68.4部，增加4.3部，增长6.7%；移动电话77.8部，增加15.8部，增长25.4%；空调8.5台，增加1.3台，增长17.3%；抽油烟机8.1台，增加1.1台，增长15.9%；微波炉6.0台，增加1.1台，增长23.0%；热水器17.9台，增加3.2台，增长21.7%，其中具有节能功能的太阳能热水器7.7台，占热水器的44.0%；此外，平均每百户农村居民家庭拥有生活用汽车1.2辆，比2006年增长5.4%；家用计算机3.7台，比2006年增长34.7%。

（二）近5年农村居民消费增长特点及趋势

1、消费支出全面增长

（1）生活消费八大方面全面增长。2002~2007年，农村居民人均生活消费支出由1834元提高到3224元，增长75.8%；年平均增长11.9%；扣除物价因素，年均实际增长8.0%。在农村居民生活消费的八个方面中，2007年农村居民消费的食品、衣着、居住、家庭设备用品的人均支出水平分别达到1389元、193元、574元和149元，比2002年分别增长了63.7%、84.2%、91.2%和85.6%；交通通讯、文教娱乐、医疗保健、其他几个方面的消费水平分别达到328元、306元、210元和74元，比2002年分别增长了1.6倍、45.3%、1.0倍和28.7%。

（2）高、低收入组农户生活消费差距略有缩小。按农户收入5等分分组的农村居民消费水平（未考虑价格因素影响）分析，2002~2007年，不同组农户消费水平均有提高，其中的低收入组农户生活消费增长更快，高、低收入组农户生活消费差距略有缩小。2002年，低收入组农户人均生活消费支出为1006元，到2007年提高到1851元，增长83.9%。这期间，中等收入组农户人均生活消费支出由1645元提高到2938元，增长78.6%；高收入组农户人均生活消费支出由3500元提高到5994元，增长71.3%。若以低收入组为1比较，2002年高收入组与低收入组的消费比为3.48:1，到2006年消费比缩小为3.24:1（详见表1）。

表1　　2002年和2007年按农户收入5等分分组的生活消费水平比较

（单位：元/人）

	全　国	低收入户	中低收入户	中等收入户	中高收入户	高收入户
2002年	1834	1006	1310	1645	2087	3500
2007年	3224	1851	2358	2938	3683	5994
2007年比2002年增减	1390	844	1048	1293	1596	2494
2007年比2002年增长（%）	75.8	83.9	79.9	78.6	76.5	71.3

（3）不同地区农村居民消费水平普遍提高。2007年东部10省、中部6省、西部12省和东北3省地域农村居民人均生活消费支出分别为4281元、2938元、2527元和3180元，比2002年分别增长73.2%、77.2%、75.6%和86.1%。若以西部12省区农村居民的消费支出为1，西部、东部、中部和东北地域农村居民生活消费的比率2002年为1:1.72:1.15:1.19，到2007年变动为1:1.69:1.16:1.26。

2、消费结构不断优化

2002~2007年，随着农村居民整体生活的提高，农村居民生活消费结构向着逐渐降低生存性消费比重、不断提高享受和发展性消费比重变化，基本生存资料中的食品支出比重逐渐缩小，其他享受和发展性消费支出比重不断提高，消费结构持续优化。

（1）恩格尔系数下降到43%。2002~2007年，农村居民消费构成中满足基本生活需要的吃的比重、即农村居民消费的恩格尔系数呈现出较为明显的逐年下降态势。恩格尔系数由2002年的0.4625下降到2007年的0.4308，下降了3.2个百分点。

（2）服务性支出比重提高。农村居民生活消费支出中，服务性支出由2002年的人均528元提高到2007年的950元，占生活消费支出的比重由28.8%提高到29.5%，提高了0.7个百分点。

（3）发展性和享受性消费比重提高。在农村居民生活消费支出中，交通通讯、文教娱乐、医疗保健等发展性和享受性消费的支出比重稳步提高。2007年农村居民用于这三项消费的支出比重分别为10.2%、9.5%和6.5%。三项支出比重合计比2002年提高了2.1个百分点，其中交通讯支出比重提高最快。2007年农村居民的交通通讯消费的支出水平比2002年高1.6倍，支出比重比2002年提高3.2个百分点。文教娱乐支出比重下降2.0个百分点，主要是学杂费支出比重下降所致。如表 2 所示。

表 2　　2002~2007 年全国农村居民生活消费支出结构

（单位：%）

	2002 年	2003 年	2004 年	2005 年	2006 年	2007 年
生活消费支出构成（%）	100.0	100.0	100.0	100.0	100.0	100.0
1. 食品	46.2	45.6	47.2	45.5	43.0	43.1
2. 衣着	5.7	5.7	5.5	5.8	5.9	6.0
3. 居住	16.4	15.9	14.8	14.5	16.6	17.8
4. 庭设备、用品及服务	4.4	4.2	4.1	4.4	4.5	4.6
5. 交通通讯	7.0	8.4	8.8	9.6	10.2	10.2
6. 文教娱乐用品及服务	11.5	12.1	11.3	11.6	10.8	9.5
7. 医疗保健	5.7	6.0	6.0	6.6	6.8	6.5
8. 其他商品和服务	3.1	2.2	2.2	2.1	2.2	2.3

（4）现金消费支出比重提高。2002~2007 年，农村居民生活消费现金支出由 1468 元提高到 2767 元，增长了 88.5%，现金消费支出占生活消费总支出的比重由 2002 年的 80.0% 提高到 2007 年的 85.8%，提高了 5.8 个百分点。其中，用于购买食品的现金支出由 2002 年的 511 元增加到 2007 年的 968 元，增加 457 元，食品现金支出占食品总支出的比重由 2002 年的 60.2% 提高到 2007 年的 69.7%，比 2002 年提高 9.5 个百分点；居住现金支出由 2002 年的 272 元增加到 2007 年的 540 元，居住现金支出占居住总支出的比重 2007 年达到 94.1%，比 2002 年提高了 3.7 个百分点。

3、生活质量进一步提高

2002~2007 年，随着消费品市场的日益繁荣和消费环境的不断改善，农村居民消费选择性增加，生活质量趋优，主要有五大特征：

（1）高品质食品消费增加。2002~2007 年，农村居民食品消费的基本特征是：消费水平提高，在家饮食支出比重下降，在外饮食支出比重提高；消费质量改善，肉、蛋、奶、水产品等消费量增多，膳食结构向营养、科学型发展。

2007 年农村居民食品消费支出水平人均 1389 元，比 2002 年增长了 63.7%，其中，农村居民在家饮食支出在这期间下降，而在外饮食支出则不断增加。平均每个农村居民用于在家的饮食支出额由 2002 年的 759 元提高到 2007 年的 1199 元，占食品支出的比重由 89.4% 下降到 86.3%；农村居民人均在外饮食支出由 2002 年的 90 元提高到 2007 年的 190 元，占食品支出的比重由10.6%提高到13.7%，提高3.1个百分点。

与2002年比较，2007年农村居民的粮食、蔬菜、食油、食糖消费量有所下降，但肉、蛋、奶、水产品等具有较高质量的消费数量增加。五年间，人均粮食消费量减少了38公斤，蔬菜消费量减少了12公斤，食油消费量减少了2公斤，食糖消费量减少了0.6公斤；与此同时，人均消费肉禽及其制品增加了1.9公斤，增长了10.4%；蛋类及蛋制品增加了0.1公斤，增长了1.3%；奶和奶制品增加了2.3公斤，增长了2.0倍；水产品增加了1.0公斤，增长了23.0%。从膳食结构总体看，农村居民的膳食结构正在发生变化，食品消费的水平和质量有了较全面的改善。

（2）衣着成衣化趋势明显。2007年农村居民衣着消费193元，其中用于购买成衣的支出人均130元，比2002年增长1.1倍，占衣着消费支出的67.2%，比2002年提高了8.9个百分点。购买成衣人均2.4件，比2002年增长70.4%。

（3）居住环境持续改善。与2002年比较，2007年农村居民人均居住面积31.6平方米，增长19.2%，其中有60.0%的农户人均居住面积大于25平方米，提高11.8个百分点。钢筋混凝土结构住房面积人均12.6平方米，增长63.8%，居住在钢筋混凝土结构住房中的农户占32.7%，比2002年高出3.0倍。砖木结构住房面积人均14.8平方米，增长6.6%，居住在砖木结构住房中的农户占59.4%，下降6.4个百分点。

从居住条件来看，一是住房卫生条件改善，住房有水冲式卫生厕所的农户比2002年增长96.2%，无厕所的农户比2002年减少34.1%。二是使用清洁燃油、燃气和电的农户比2002年增长1.8倍。三是饮用自来水的农户比2002年增长26.9%，而饮用浅井水、江河湖泊塘等非卫生水的农户减少13.5%。四是住房外部环境改善，2007年有39.0%的农户住宅外有水泥或柏油状路面，比2004年增长62.3%；住宅外为其他路面的农户户数比重比2004年减少了19.7%。

（4）交通和通讯支出大幅度增长。随着农村居民收入水平的增长，农村居民对资讯和信息的要求越来越高，对交通的方便和舒适越来越重视，交通和通讯支出快速增加。2007年农村居民的交通及通讯支出人均328元，比2002年增加200元，增长1.6倍，年均增长20.6%，在农村居民生活消费八项支出中增速最快。在购买的交通通讯用品中，平均每百户2007年新购摩托车3.9辆，比2002年增长37.4%，支出额增长37.5%；新购买手机15.8部，增长4.5倍，支出额增长2.6倍。

（5）主要耐用消费品普及率提高。2007年农村居民家庭年末平均每百户拥有彩色电视机94台，比2002年增加34台，增长56.1%；洗衣机46台，增加14台，增长44.5%；电冰箱26台，增加11台，增长76.1%；摩托车49辆，增加20辆，增长72.9%；电话机68部，增加28部，增长67.7%；移动电话78部，增加64部，增长4.5倍；影碟机42台，增加23台，增长1.3倍；空调9台，增加6台，增长2.7倍；生活用汽车1.2辆，增加0.8辆，增长1.9倍；家用计算机3.7台，增加2.5台，增长2.2倍。

专栏　　农村联产承包责任制

农村联产承包责任制是指农户以家庭为单位向集体组织承包土地等生产资料和生产任务，以户为单位从事农业生产的农业生产责任制形式。其基本特点是在坚持土地等基本农业生产资料集体所有的前提下，实行所有权与经营权分离，把土地承包给农户分散经营，承包户根据承包合同规定的权限，独立做出经营决策，并在完成国家和集体任务的前提下分享经营成果。家庭联产承包责任制主要有包干到户、包产到户等形式，一般做法是将土地等按人口或劳动力比例根据责、权、利相结合的原则分给农户经营。家庭联产承包责任制是中国农民的伟大创造，是农村经济体制改革的产物。党的十一届三中全会以后，我国农村经济体制改革逐步展开，改革的重点就是推行家庭联产承包责任制，在党中央的积极支持和大力倡导下，家庭联产承包责任制成为我国农村的基本经营制度。家庭联产承包采取了统一经营与分散经营相结合的原则，既发挥了集体统一经营的优越性，又调动了农民生产积极性，是适应我国农业特点和当前农村生产力发展水平以及管理水平的一种较好的经济形式。1992年10月，中共十四大指出:“要把家庭联产承包为主的责任制，统分结合的双层经营体制，作为一项基本制度长期稳定下来，并不断充实完善。”中共十六大强调指出，坚持党在农村的基本政策，长期稳定并不断完善以家庭承包经营为基础、统分结合的双层经营机制，有条件的地方可按照依法、自愿、有偿的原则进行土地承包经营权流转，逐步发展规模经营。

三、农村贫困情况

据对全国31个省（区、市）6.8万个农村住户的抽样调查，2007年末农村绝对贫困人口1479万人，比上年减少669万人；初步解决温饱但还不稳定的农村低收入人口2841万人，比上年减少709万人。

（一）绝对贫困人口和低收入人口标准

根据农村居民生活消费价格指数，2007年农村绝对贫困人口标准由上年的693元调整为785元；低收入人口标准由上年的958元调整为1067元。

（二）绝对贫困人口和低收入人口大量减少

根据2007年绝对贫困人口和低收入人口标准测算，2007年末，农村绝对贫困人口1479万人，比上年减少669万人，下降31.2%，贫困发生率为1.6%，降低0.7个百分点。低收入人口2841万人，比上年减少709万人，下降20%，低收入人口占农村人口的比重为3.0%，比上年下降0.7个百分点。绝对贫困人口和低收入人口合计为4320万人，比上年减少1378万人，下降24.2%，占农村人口的比重为4.6%，下降1.4个百分点。

分省来看，两部分人口合计减少较多的省（区、市）主要是河南减少293万人、四川减少160万人、贵州减少131万人、陕西减少128万人、安徽减少104万人，广西减少100万人。

（三）、西部地区仍是贫困人口主要集中地

分地区看，在2007年末的农村绝对贫困人口中，东、中、西部地区分别为141万人、461万人和878万人，贫困发生率分别为0.4%、1.4%和3.8%。东、中、西部地区的绝对贫困人口分别比上年减少了127万、244万和298万，西部地区减少最多。在2007年末的农村低收入人口中，东、中、西部地区分别为335万、.793万和1713万人，占各地区农村人口的比重分别为0.9%、2.4%和7.4%，东、中、西部地区低收入人口分别比上年减少了94万、342万和274万。

2007年末，东、中、西部地区农村绝对贫困人口占全国农村绝对贫困人口的比重分别为9.5%、31.2%和59.3%，西部地区所占比重进一步提高，比上年上升了4.6个百分点。东、中、西部地区低收入人口占全国低收入人口的比重分别为11.8%、27.9%和60.2%，西部地区所占比重比上年上升了4.3个百分点。

四、农村贫困地区教育情况

根据国家统计局对全国592个扶贫开发工作重点县（以下简称扶贫重点县）贫困监测抽样调查，2007年农民人均纯收入为2278元，比上年增加350元，增长18.1%，扣除物价因素实际增长11.5%，增速超过全国农村平均水平2个百分点。

（一）工资性收入稳定增长

2007年扶贫重点县农民人均工资性收入784元，比上年增加140元，增长14.8%，增速比全国农村平均水平高5.3个百分点。在工资性收入中，本乡地域内收入304元，较上年增加55元，增长15.3%，外出从业收入403元，较上年增加72元，增长15.1%。工资性收入实际增速连续三年超过10%。

（二）家庭经营收入对收入增长贡献最大

2007年扶贫重点县农民人均家庭经营纯收入1306元，比上年增加162元，增长7.8%，增速高出全国农村平均水平0.6个百分点。家庭经营对纯收入增长贡献率为46.3%，在各项收入来源中对收入增长贡献最大。

农民人均家庭经营第一产业纯收入为1149元，比上年增加145元，增长8%，增速基本与全国农村平均水平相当。其中：种植业收入816元，增加88元，增长5.9%；牧业收入254元，增加46元，增长15.5%。牧业收入的大幅回升是畜禽产品价格大幅上涨所至。

农民人均家庭经营第二产业纯收入为38元，比上年增加4元，增长7.2%；农民人均家庭经营第三产业纯收入为119元，比上年增加13元，增长5.6%。

（三）政策性转移收入大幅增长

2007年扶贫重点县农民人均转移性纯收入为136元，比上年增加28元，增长18.9%。近年来，国家加强对“三农”扶持力度，粮食直补、退耕还林还草、扶贫、低保等惠农政策和措施得到推广和落实，农民得到的各种政策性收入明显增长。其中：退耕还林还草补贴人均46元，粮食直补人均21元，其他政策性转移收入人均17元，分别比上年增加8元、7元和5元，增长13%、41.5%和33.1%。

（四）现金纯收入保持较快增长

2007年扶贫重点县农民人均纯收入中，现金收入1735元，比上年增长16.2%，所占纯收入比重较上年提高了3.1个百分点。

专栏　　农民工

农民工是我国经济社会转型时期的特殊概念，是指户籍身份还是农民、有承包土地，但主要从事非农产业、以工资为主要收入来源的人员。狭义的农民工，一般指跨地区外出进城务工人员。广义的农民工，既包括跨地区外出进城务工人员，也包括在县域内二、三产业就业的农村劳动力。农民工是我国现代化建设的一支新型劳动大军。改革开放以来，随着我国工业化、城镇化进程加快，越来越多的农村富余劳动力转移到城市（镇）和乡镇企业就业，在这个过程中形成了农民工这个特殊的社会群体。根据第二次全国农业普查结果，2006年农村外出务工劳动力为1.3亿人，农民工流动就业以青壮年劳动力为主，农民工总体文化程度不高。农民工就业的特点是就业流动性强，有的在农闲季节外出务工、亦工亦农；有的长期在城市居住、生活和工作，已成为产业工人重要组成部分。农民工虽然尚未成为城市居民，但与农民也有很大的不同，生产生活方式、思想文化观念、已受到城市现代文明的熏陶。农民工的大量涌现，为社会创造了财富，为农村增加了收入，为城乡发展注入了活力，为国家现代化做出了重大贡献。农民工的出现和发展，使中国国情的产物，将长期存在于现代化事业的进程中。正确认识和高度重视解决农民工问题，是建设中国特色社会主义事业中的一个重大的历史性课题。

五、贫困地区收入情况

根据国家统计局对全国592个扶贫开发工作重点县（以下简称扶贫重点县）的贫困监测调查，2007年扶贫重点县儿童在校率提高，学生书本费、学杂费支出持续下降，社会助学捐助逐年增加。

（一）7－15岁儿童在校率提高

2007年扶贫重点县7-15岁儿童年末在各类学校就学人数占该年龄段人数的96.4%，比上年提高了1.1个百分点。其中，7-12岁儿童在校率为97.7%，比上年提高了0.7个百分点；13-15岁儿童在校率为94.4%，比上年提高了1.5个百分点。与2004年相比，三年来，7-12岁儿童在校率提高2个百分点，13-15岁儿童在校率提高3.7个百分点。

（二）学生书本费、学杂费支出继续大幅度下降

2007年扶贫重点县义务教育阶段的小学和初中学生仍需要交纳少量的书本费，个别地方的择校学生或上私立学校的学生都需要交纳一定的学杂费用，部分学校要交学校统一购买学习辅导材料的费用，此外还有班费、水电费、文体费、课外辅导费等。

2007年扶贫重点县农村平均每个小学生的学杂费和书本费（包括上述费用）为106元，比上年减少27元，下降20.3%；初中生为269元，比上年减少63元，下降18.9%。与2004年相比，三年来，小学生人均书本费、学杂费支出下降43.3%，初中生人均书本费、学杂费支出下降34.9%。

（三）社会捐助逐年增加

调查结果表明，近年来，在全民关心、支助教育的和谐环境下，接受社会捐助的学生比重在逐年增加，但比重仍然偏低，2004年为4.6%，2005年为8%，2006年为9.5%，2007年为9.6%。社会捐助增加和农民收入提高，有助于学龄儿童入学率提高和在校率巩固。2007年国家扶贫重点县7-15岁儿童的失学率由上年的6.6%下降到5.5%，而由于经济原因失学的儿童比重也由上年27.4%下降到24.4%。

专栏

取消农业税

据史料记载，农业税始于春秋时期鲁国的“初税亩”，至今已有2600年的历史。进入新世纪新阶段，党中央、国务院开始了以减轻农民负担为中心，取消“三提五统”等税外收费、改革农业税收为主要内容的农村税费改革。2000年在安徽开始试点的税费改革主要是取消乡统筹、农村教育集资等专门向农民征收的行政事业性收费和政府性基金、集资，取消屠宰税，取消统一规定的劳动义务工，调整农业税和农业特产税政策。从2004年开始，改革进入深化阶段，国务院开始实行减征或免征农业税的惠农政策，取消了牧业税和除烟叶外的农业特产税，对种粮农户实行直接补贴、对粮食主产区的农户实行良种补贴和对购买大型农机具户的农户给予补贴，推进乡镇机构改革、农村义务教育和县乡财政体制改革。到2005年底，全国有28个省份全部免征了农业税，全国取消了牧业税。2005年底，十届全国人大常委会第十九次会议通过决定，自2006年1月1日起废止《农业税条例》，标志着中国农民的命运开启了一个不同以往任何历史时期的崭新阶段，中国延续了2600多年的“皇粮国税”走进了历史博物馆。2006年全面取消农业税后，与农村税费改革前的1999年相比，中国农民每年减负总额将超过1000亿元，人均减负120元左右。全面取消农业税表明中国在减轻农民负担，实行工业反哺农业、城市支持农村方面取得了重要突破。

六、农业投入与产出

2007年，党中央、国务院坚持统筹城乡发展和多予少取放活的方针，各地不断加大工业反哺农业、城市支持农村的力度。在资源约束增强、市场压力加大和灾情偏重发生的情况下，农业与农村经济继续保持平稳较快发展。全年粮食总产量突破1万亿斤，连续五年增产；农民人均纯收入突破4000元；农产品价格高位运行。

（一）农业投入及特点

1、国家固定资产投资用于农村的增量明显提高

2007年，全社会固定资产投资用于农村的投资为19860亿元，比上年增加3195亿元，增长19.4%。固定资产投资用于农村的增量比上年提高279亿元。农村投资中，非农户投资14736亿元，增长20.9%；农户投资5123亿元，增长15.5%。在城镇投资中，第一产业投资1466亿元，比上年增加364亿元，增长31.1%，增幅提高0.4个百分点。

2、财政、金融投入稳步增长

2007年中央和地方继续贯彻“多予、少取、放活”方针。中央财政用于“三农”的支出达到4318亿元，比上年增加921亿元。其中，粮食直补142亿元，增加10亿元；良种补贴40.7亿元，增加3.7亿元；农机补贴6亿元，增加3亿元。另外，国家还对柴油、化肥等实施综合直补。为保证基层政权正常运转和农村义务教育的需要，从2006年起，国家财政将每年安排支出1030多亿元，其中中央财政转移支付每年将达到780多亿元，地方财政每年将安排支出250多亿元。加快推进新型农村合作医疗制度建设，2007年把试点范围扩大到全国40%的县，中央和地方财政对参加合作医疗农民的补助标准由20元提高到40元，中央财政为此增加支出42亿元。国家继续对主要粮食品种实行保护价收购政策，2007年小麦（三等，下同）最低收购价为每50公斤白小麦72元、红小麦69元；早籼稻、中晚籼稻和粳稻最低收购价分别为每50公斤70元、72元和75元。2007年农村金融合作机构（农村信用社、农村合作银行、农村商业银行）人民币贷款余额3.1万亿元，比年初增加5085亿元，增长19.6%。

3、农村劳动力资源与就业

根据第二次全国农业普查结果，2006年末，农村劳动力资源总量为53100万人。其中，男劳动力26989万人，占50.8%；女劳动力26111万人，占49.2%。从文化程度看，农村劳动力资源中，文盲3593万人，占6.8%；小学文化程度17341万人，占32.7%；初中文化程度26303万人，占49.5%；高中文化程度5215万人，占9.8%；大专及以上文化程度648万人，占1.2%。从实际从业来看，农村从业人员47852万人，占农村劳动力资源总量的90.1%。其中，在第一产业从业的占70.8%；在第二产业从业的占15.6%；在第三产业从业的占13.6%。从农村劳动力流动来看，农村外出从业劳动力13181万人。其中，男劳动力8434万人，占64%；女劳动力4747万人，占36%。外出从业劳动力中，在第一产业从业的劳动力占2.8%；在第二产业从业的劳动力占56.7%；在第三产业从业的劳动力占40.5%。

表3 **农村从业人员总量及构成**

	全 国	东部地区	中部地区	西部地区	东北地区
农村从业人员总量（万人）	47852	17652	13043	13927	3230
第一产业（%）	70.8	52.4	76.8	86.3	80.1
第二产业（%）	15.6	28.8	10.6	5.2	7.8
第三产业（%）	13.6	18.8	12.6	8.5	12.1

4、农业资源投入情况

2007年，政府继续加强对土地资源的管理，全年建设占用耕地18.83万公顷。灾毁耕地1.79万公顷。生态退耕2.54万公顷。因农业结构调整减少耕地0.49万公顷。土地整理复垦开发补充耕地19.58万公顷。当年净减少耕地4.07万公顷。全年水资源总量24690亿立方米，比上年减少2.5%；人均水资源1873立方米，减少3.0%。全年总用水量5760亿立方米，比上年减少0.6%。其中，农业用水减少2.2%。全年完成造林作业面积520万公顷，完成造林成活面积371万公顷，其中人工造林完成256万公顷。新增综合治理水土流失面积3.9万平方公里，新增实施水土流失地区封育保护面积3.3万平方公里。全年农作物受灾面积4899万公顷，上升19.2%。其中，绝收575万公顷，上升6.2%。。全年新增有效灌溉面积107万公顷，新增节水灌溉面积136万公顷。

5、种植业结构继续调整

在主要农作物中，除油料种植面积减少外，其它主要作物种植面积均呈增加态势。初步统计，2007年，农作物总播种面积为15436万公顷，比上年增加131万公顷左右。粮食播种面积继续扩大，粮食种植面积10564万公顷，比上年增加68万公顷；棉花种植面积593万公顷，增加11万公顷；油料种植面积1132万公顷，减少42万公顷；糖料种植面积180万公顷，增加23万公顷；蔬菜种植面积1733万公顷，增加69万公顷。

6、农户生产投入增速减缓

据对全国31个省（区、市）6.8万个农村住户的抽样调查，2007年农户生产投入人均907元，增加72元，扣除价格上涨因素影响，实际增长2.1%，增速下降2.9个百分点。农业生产投入增速提高，农户农业生产投入人均706元，增加62元，增长9.7%，比上年同期提高4.2个百分点。其中：种植业生产投入人均401元，增加19元，增长4.9%；林业生产投入人均5.7元，减少0.2元，下降2.5%；畜牧业生产投入人均268元，增加40元，增长17.4%；渔业生产投入人均31元，增加4元，增长15.6%。畜牧业生产投入增速回升主要是由于价格上涨。其中，购买仔、幼畜的价格上涨59.7%；购买育肥周转畜的价格上涨72.9%；购买仔、幼禽的价格上涨幅度达到128.8%；购买仔、幼小动物的价格上涨68.7%。非农产业生产投入增速下降，农户非农产业生产投入人均

95元，增加5元，增长5.8%，增速下降2.2个百分点。其中，第二产业生产投入人均34元，增加2元，增长6.9%；第三产业生产投入人均60元，增加3元，增长5.1%。购置生产性固定资产支出增速下降，农户购置生产性固定资产支出人均105元，增加4元，增长3.6%，增速下降7.2个百分点。粮食主产区农户生产投入增速高于全国平均水平，粮食主产区农户生产投入人均1010元，增加90元，增长9.7%，增速比全国平均水平高1.1个百分点。

7、农业生产资料购买价格上涨

据对全国31000个农户和农业生产经营单位购买农业生产资料的价格调查，2007年我国农资市场购销两旺，农民实际购买价格上涨12.2%。化肥价格上涨3.1%。受上游原材料和能源价格上涨的影响，氮肥价格比上年上涨2%，磷肥、钾肥、复合肥价格分别上涨3%、3.7%和3.6%。农药价格上涨4.2%。杀虫剂、杀菌剂价格分别上涨4.8%和4.6%，除草剂价格上涨3.1%。农用薄膜价格上涨5%。农用柴油价格上涨5.2%。由于国内市场供给偏紧，农用柴油、机油价格分别上涨5.2%和6.6%。柴油价格上涨带动农机作业费上扬，机播作业费比上年上涨6.8%，机收作业费上涨7.5%，排灌费上涨3%。农业用电价格持平略涨0.1%。种子价格上涨2.7%。分品种看，小麦种子价格比上年上涨5%，稻谷种子上涨4%，玉米种子上涨2%。饲料、仔猪价格大幅上涨。玉米价格比上年上涨16.1%，豆饼价格上涨11.5%，酒糟价格上涨4.9%。仔猪价格大幅上涨56.7%。

（二）农业产出及特点

总的来看，2007年农业生产表现为三大特点：粮食连续第四年增产、农林牧渔产出平稳增长、农民纯收入增长加快、农产品价格保持高位运行。

1、农业经济稳定增长

据统计，2007年全国农林牧渔业总产值48893亿元，按可比价格计算，比上年增长3.9%，农林牧渔业增加值28627亿元，增长3.7%。其中，农业产值24659亿元，增长3.9%；畜牧业产值达到16125亿元，增长2.6%。渔业产值4458亿元，增长4.9%；林业产值1862亿元，增长6.9%。

2、主要农产品产量保持增长格局

据统计，全年粮食产量50160万吨，比上年增加356万吨，增产0.7%，这是继2004年以来连续第五年增产，粮食产量再次突破1万亿斤，是2007年农业生产的一个亮点。其中，夏粮产量11737万吨，增产0.7%；早稻产量3152万吨，增产0.4%；秋粮产量35272万吨，增产0.8%。全年棉花产量762万吨，比上年增产1.2%。油料产量2569万吨，减产2.7%。糖料产量12188万吨，增产16.5%。烤烟产量218万吨，减产3.5%。茶叶产量117万吨，增产13.6%。

全年肉类总产量6866万吨，比上年减少3.2%。其中，猪肉减少7.8%；牛、羊肉分别增长6.4%和5.2%。全年水产品产量4748万吨，增长3.6%。全年木材产量6974万立方米，比上年增长5.5%。

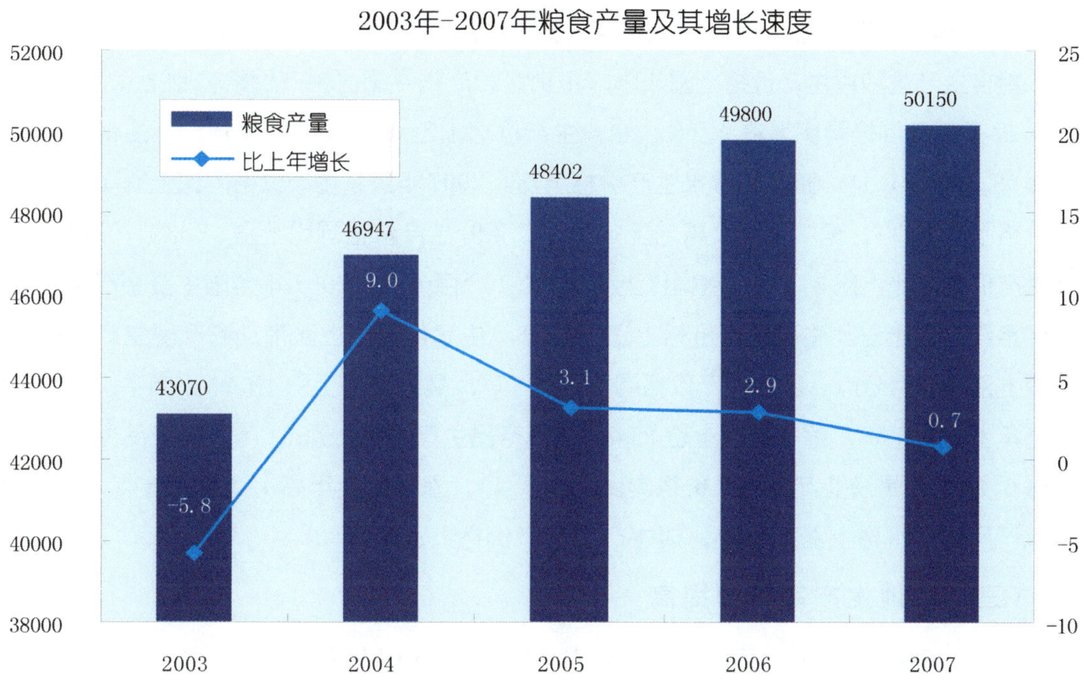

3、农村居民人均纯收入加快增长

据对全国31个省（区、市）6.8万个农村住户的抽样调查，2007年农村居民人均纯收入4140元，比上年增加553元，扣除价格因素影响，实际增长9.5%。主要特点：一是工资性收入保持较快增长。2007年农村居民的工资性收入人均1596元，比上年增加221元，增长16.1%。工资性收入的增加额占全年农村居民纯收入总增量的39.9%，比上年下降20.3个百分点。二是家庭经营收入是增收的最主要来源。2007年农村居民家庭生产经营纯收入人均2194元，比上年增加263元，增长13.6%，增速提高8.8个百分点。家庭经营纯收入的增加额占全年农村居民纯收入总增量的47.6%。家庭经营收入大量增加主要是由于第一产业经营收入大幅增长所致。三是财产性收入增速提高。2007年农民的财产性收入人均128元，比上年增加28元，增长27.6%。增加较多的是租金收入和股息、红利收入，其中租金收入人均29元，比上年增长15.9%，股息和红利收入人均17元，比上年增长36.5%。四是转移性收入保持较快增长。2007年农民得到的转移性收入人均222元，比上年增加41元，增长23%。增加较多的是政府提供的农业生产补贴（包括粮食直补、良种补贴和购置更新大型农机具补贴收入）、离退休金及养老金、扶贫款等。其中，粮食直补收入38元，比上年增加13元，增长54.4%。

4、农产品价格上涨

据对全国31000个农业生产经营单位的生产价格调查，2007年全国农产品生产价格比上年上涨18.5%。分类别看，种植业、林业、畜牧业和渔业产品生产价格同比分别上涨9.8%、4.4%、31.4%和8.1%。粮食、油料、生猪生产价格同比大幅上涨。主要特点：一是种植业产品生产价格同比上涨9.8%。粮食生产价格同比上涨10.3%，其中谷物、豆类、薯类生产价格同比分别上涨9%、22.6%和9%。在主要粮食品种生产中，小麦价格上涨5.5%；稻谷价格上涨5.4%，玉米价格上涨15%，大豆价格上涨24.2%，从不同区域来看，粮食主产区粮食生产价格上涨11%，主销区和产销平衡区生产价格分别上涨8.6%和9%。棉花生产价格同比上涨9.6%。油料生产价格上涨33.4%，油菜籽、花生价格分别上涨38.5%和21.1%。蔬菜和水果生产价格上涨。2007年蔬菜生产价格同比上涨6.9%，水果价格上涨1.3%。糖料生产价格与上年持平。茶叶生产价格同比上涨12.3%。二是畜产品生产价格同比上涨31.4%，涨幅比上年高37.1个百分点。2007年全国主要畜产品生产价格全线大幅上涨。生猪生产价格上涨45.9%。生猪价格的上涨带动农产品生产价格总指数上涨9个百分点。家禽生产价格同比上涨17%，禽蛋价格上涨15.9%。肉牛生产价格比上年上涨17.5%，活羊价格上涨21%。毛绒产品生产价格上涨6.7%。奶产品生产价格上涨6.2%。三是渔业产品生产价格同比上涨8.1%，涨幅比上年高4.2个百分点。其中：海水产品生产价格上涨10.1%，淡水产品生产价格上涨6.8%。

（三）耕地生产率继续提高

2007年粮食、糖料、蔬菜和水果等农产品价格均有不同程度上涨，拉动种植业产品价格总体上涨，加上粮食、棉花和油料的单产水平都有不同程度提高，单位面积种植业产值比上年增加。初步统计，2007年，平均每公顷播种面积生产的农作物种植业产值达到13644元，比2006年增加1087元，增长8.6%。按播种面积计算的单位面积产量，粮食每公顷4721公斤，比上年提高379公斤，增长8.7%；棉花每公顷1126公斤，比上年提高120公斤，增长10.7%；油料每公顷2219公斤，比上年提高68公斤，增长3.2%。糖料每公顷61224公斤，比上年提高501公斤，增长0.8%。

（四）农业投入与产出的变化趋势

2008年中央一号文件《关于切实加强农业基础建设进一步促进农业发展农民增收的若干意见》（以下简称“中央一号文件”）提出了按照形成城乡经济社会发展一体化新格局的要求，突出加强农业基础建设，积极促进农业稳定发展、农民持续增收，努力保障主要农产品基本供给，切实解决农村民生问题，扎实推进社会主义新农村建设的总要求。2008年中央及地方财政及社会资金将切实加大“三农”投入力度。强化农业基础，必须引导要素资源合理配置，推动国民收入分配切实向“三农”倾斜，大幅度增加对农业和农村投入。

1、进一步加强农业投入的新格局。2008年的中央一号文件具有较高的含金量，文件强调了“三个继续高于”原则：财政支农投入的增量要明显高于上年，国家固定资产投资用于农村的增量要明显高于上年，政府土地出让收入用于农村建设的增量要明显高于上年。耕地占用税新增收入主要用于“三农”，重点加强农田水利、农业综合开发和农村基础设施建设。可以预见，强农惠农政策得到巩固、完善、强化。农业补贴制度不断完善，对农业的支持保护得到强化。继续加大对农民的直接补贴力度，增加粮食直补、良种补贴、农机具购置补贴和农资综合直补。

2、农业基础设施得以改善。中央一号文件指出，加强以农田水利为重点的农业基础设施建设是强化农业基础的紧迫任务。必须切实加大投入力度，加快建设步伐，努力提高农业综合生产能力，尽快改变农业基础设施长期薄弱的局面。可以预见，小型农田水利建设将得到加强。大型灌区节水改造投资将大幅增加，节水灌溉面积加快增长。病险水库得以除险加固。加强耕地保护和土壤改良将得到加强。推进农业机械化加快推进。生态建设继续加强。

3、主要农产品基本供给能力提高。中央一号文件指出，确保农产品有效供给是促进经济发展和社会稳定的重要物质基础。必须立足发展国内生产，深入推进农业结构战略性调整，保障农产品供求总量平衡、结构平衡和质量安全。可以预见，粮食安全问题继续得到高度重视。 “菜篮子”产品生产进一步加强。农业产业化加快发展。农产品市场调控能力得到加强和改善。

4、农村基本公共服务水平逐步提高。中央一号文件指出，要推进城乡基本公共服务均等化，加快发展农村公共事业，提高农村公共产品供给水平。提高农村义务教育水平。2008年对全部农村义务教育阶段学生免费提供教科书，提高农村义务教育阶段家庭经济困难寄宿生生活费补助标准，扩大覆盖面。在全国普遍建立新型农村合作医疗制度，提高国家补助标准，加强农村卫生服务网络建设和药品监管，完善农村最低生活保障制度，这些都将扩大农民受益面，促进农村社会事业加快发展。

七、农村区域经济发展

促进城乡统筹的区域发展是中国发展的重要战略之一，区域经济纳入“十一五”规划中，且注重区域经济的定位规划和协调发展成为“十一五”规划的重要特点。中国农村是一个最为重要的区域，它覆盖我国大多数的国土面积和人口，农村区域发展是我国发展的基础和关键。当前我国正积极推进社会主义新农村建设，为农村区域经济发展提出新的课题。2007年，我国农业农村延续和发展了近几年来的好形势，农村区域经济出现了一些新的变化和特点。

（一）2007年农村区域经济发展状况及其主要特点

表4 **东、中、西部地区农业总产值及区域构成**

	2000年	2001年	2002年	2003年	2004年	2005年	2006年	2007年
东部地区（亿元）	12126	12803	13311	14389	17074	18483	19155.7	22428.2
中部地区（亿元）	8409	8835	9242	9901	12636	13753	14153.7	17019.8
西部地区（亿元）	4381	4542	4838	5402	6453	7038	7506.5	9292.6
东部地区（%）	48.7	48.9	48.6	48.5	47.2	47.1	46.9	46.0
中部地区（%）	33.7	33.7	33.7	33.3	34.9	35.0	34.7	34.9
西部地区（%）	17.6	17.4	17.7	18.2	17.8	17.9	18.4	19.1

（注：2000—2005年为公报数，2006—2007年为年报数）

1、中、西部地区农业增速快于东部地区

从反映农业生产水平的农业总产值和人均农业总产值来看，东、中、西部地区的差距仍然比较大。初步预计，2007年东、中、西部地区农业总产值达到22428.2亿元、17019.8亿元和9292.6亿元，环比增速分别为17.1%、20.3%和23.8%。由于西部地区农业总产值高速增长，因此西部地区农业总产值占全国的比重比上年上升0.7个百分点；中部地区所占比重上升0.2个百分点；而东部地区农业总产值增长速度低于去年，所占比重下降0.9个百分点。

2、东、中、西部地区农民收入之间的差距明显缩小

根据国家统计局对全国31个省（区、市）6.8万个农户的抽样调查，2006年东、中、西部地区农民人均纯收入分别为5504.9元、3896.9元和2908.8元，分别比上年增长13.3%、17.0%和17.0%。与2006年相比，增速都有所上升，东、中、西部地区增速分别上升3.3个百分点、5.9个百分点和8.9个百分点，东部地区与中西部地区农民人均纯收入差距缩小，中、西部地区之间的差距略微有所拉大（表5）。

表5　　**东、中、西部地区农民人均纯收入水平及差距**

（单位：元/人）

	2000年	2001年	2002年	2003年	2004年	2005年	2006年	2007年
东部地区	2993.6	3266.7	3376	3616.6	3986.8	4417	4859	5504.9
中部地区	2029.9	2165.2	2265	2382.0	2726.6	2999	3331	3896.9
西部地区	1556.5	1662.2	1771	1883.7	2090.8	2300	2487	2908.8
东部比中部高（%）	47.5	50.9	49.1	51.8	46.2	47.3	45.9	41.3
东部比西部高（%）	92.3	96.5	90.6	92.0	90.7	92.0	95.4	89.3
中部比西部高（%）	30.4	30.3	27.9	26.5	30.4	30.4	33.9	34.0

从农民收入构成上看，三大区域之间存在着很大的差异，主要体现在工资性收入和家庭经营性收入上，转移性收入和财产性收入区域差异不明显。东部地区，2006年与2007年工资性收入占农民人均纯收入的比重分别为46.5%、46.3%，家庭经营性收入占比分别为45.1%、44.8%，从时间走向上呈现出工资性收入和家庭经营性收入二者并重的趋势，甚至前者比重会超过后者。可中部和西部地区，工资性收入占农民人均纯收入的比重却大大低于家庭经营性收入，其中2006、2007年的工资性收入和家庭经营性收入占总人均收入的比重在中部地区分别为33.5%、34.1%和60.2%、58.6%；在西部地区分别为31.8%、32.3%和60.0%、59.0%。这说明中西部地区的农民收入依然以家庭经营性收入为主。东、中、西部地区的转移性收入和财产性收入占人均纯收入的比重，近几年来都有所增加。

农民收入结构虽然存在显著的地区差异，但收入结构的变化趋势在三大区域内是一致的，其中家庭经营性收入的比重则呈现不断减少的趋势，而工资性收入的比重都呈现不断增加的趋势，转移性收入、财产性收入的比重也呈现增长的趋势。

东部地区与中、西部地区农村居民生活消费水平差距较为明显。2007年，东、中、西

部地区农村居民人均生活消费支出分别为4059.47元、2984.41元和2423.07元，与上年相比，东、中、西部地区增幅分别达到12.5%、15.2%和15.3%。

表6　　2000—2007年东、中、西部地区农民收入构成状况

年 份	收入来源构成（%）			
	工 资	家庭经营性收入	转移性收入	财产性收入
东 部				
2000	40.0	53.9	2.3	3.8
2001	41.6	52.1	2.3	4.1
2002	43.5	50.0	2.6	4.3
2003	44.1	49.0	3.0	3.9
2004	43.4	49.3	3.3	4.1
2005	45.2	47.0	3.2	4.6
2006	46.5	45.1	3.4	5.0
2007	46.3	44.8	3.8	5.2
中 部				
2000	26.7	69.3	1.3	2.7
2001	27.5	68.4	1.4	2.8
2002	29.2	66.6	1.3	2.9
2003	30.5	65.1	1.8	2.6
2004	29.0	66.1	1.7	3.2
2005	31.0	63.2	2.1	3.8
2006	33.5	60.2	1.9	4.4
2007	34.1	58.6	2.4	5.0
西 部				
2000	24.4	69.9	2.1	3.6
2001	25.7	68.3	2.0	4.0
2002	26.7	66.9	2.0	4.4
2003	28.1	65.3	2.4	4.3
2004	27.4	66.1	2.2	4.3
2005	28.6	64.0	2.2	5.2
2006	31.8	60.0	2.4	5.9
2007	32.3	59.0	2.4	6.2

3、东部与中西部地区非农产业发展差距继续扩大

据农业部初步预计，2007年全国乡镇企业预计完成增加值68000亿元，同比增长14.06%，其中工业增加值占乡镇企业增加值七成以上。东部地区乡镇企业增加值达到 亿元，比上年增长19.2%，高于全国平均水平5.1个百分点，而中、西部地区仅分别增长16.4%和16.2%，增幅继续低于东部地区。东中西部乡镇企业增加值占全国的比重分别为67.15%、27.04%和5.81%，与上年同期相比，东部地区的比重上升0.55个百分点（表7）。

农产品加工业作为乡镇企业重要的优势特色产业，虽然受出口减少和国内市场准入门槛提高的影响，下半年增长速度有所回落，但全年总体仍然呈现快速增长的态势。预计全年全国乡镇规模以上农产品加工业完成增加值10600亿元，同比增长16.42%。农产品加工业已成为乡镇工业的主要行业和重要增长点。

自2006年以来乡镇企业出口虽然面临贸易摩擦增多、人民币升值压力增大等因素影响，乡镇企业的外贸环境剧烈变化，出口形势较为严峻，部分省市出口增幅较低，少数省甚至出现负增长，但出口大省江苏、浙江、广东、山东等省的出口一直保持较快而又稳定的增长，带动了全国乡镇企业出口的较快增长。

表7　**东、中、西部地区乡镇企业增加值及区域构成**

	2000	2001	2002	2003	2004	2005	2006	2007
东部地区（亿元）	16456	18315	21062	24280	27680	33524	38300	45662
中部地区（亿元）	8660	8193	9447	10288	11654	13992	15800	18387
西部地区（亿元）	2040	2848	1877	2119	2481	3018	3400	3951
东部地区（%）	60.6	62.4	65.0	66.2	66.2	67.0	66.6	67.2
中部地区（%）	31.9	27.9	29.2	28.0	27.9	27.5	27.5	27.0
西部地区（%）	7.5	9.7	5.8	5.8	5.9	5.5	5.9	5.8

4．中、西部地区农村固定资产投资增长速度均快于东部地区

2007年，东、中、西部地区农村固定资产投资额分别为13244.6亿元、4155.7亿元和2424.8亿元，与上年相比，分别增长15.3%、28.2%和27.7%（表8）。

表8　**东、中、西部地区农村固定资产投资及区域构成**

	2000	2001	2002	2003	2004	2005	2006	2007
东部地区（亿元）	4275	4566	5120	6554	7866	9408	11518	13244.6
中部地区（亿元）	1547	1693	1832	1987	2307	2801	3332	4155.7
西部地区（亿元）	874	953	1059	1213	1276	1469	1549	2424.8
东部地区（%）	63.8	63.3	63.9	67.2	68.7	68.7	70.2	66.9
中部地区（%）	23.1	23.5	22.9	20.4	20.2	20.7	20.3	21.0
西部地区（%）	13.1	13.2	13.2	12.4	11.1	10.6	9.5	12.2

（注：2000—2006年为公报数，2007年为年报数）

（二）农村区域经济发展差距的成因

1、自然资源

从自然资源组合特点来看，东部地区水热条件好，一年两熟，生物资源丰富，旱涝少。中部平原多，耕地少，低产地多，旱涝多。西部山地丘陵多、干旱、瘠薄，草地多。从开发性资源组合来看，东部沿海滩涂多，但能源矿产资源稀缺，西部能源矿产资源丰富，中部情况不一。 区域农业发展的自然禀赋是造成区域差距的外部性自然原因。各地差别巨大的自然条件和各种资源条件，直接影响农村发展，势必造成农村经济的地域分异。 但是，现代农业的发展所依赖的不仅仅是自然禀赋，更多是需要资本、科技、物质等的投入。

2、区域农业政策的倾斜

国家区域农业政策的倾斜度，是区域农村经济发展差距扩张的后天性因素。我国的改革开放政策实行的是由沿海向内地的推进战略。 改革开放的先发效应使东部地区率先接受了市场经济的观念，市场经济体制的引入反过来极大地促进了非国有经济的发展，激发了经济活力，推动改革的深入。 于是，广大的内地从一开始就与沿海地区在改革开放和市场化水平方面形成了较大的差，这一差距对不同地区农村发展进程产生了巨大影响，沿海与内地的经济发展处在不同的起跑线上，沿海省份与内地省份相比，在发展的机会与投入回报上，都处在比内地省份有利的位置上。这种由于国家长期实行非均衡的国民待遇区域政策，过多地对东部地区实行优惠、倾斜，导致区域差距和非均衡性问题更加突出。

3、体制与市场

区域经济体制环境差距。是导致和加剧区域经济差距的重要原因。 我国的经济体制改革是以实现经济市场化为导向的，通过逐步推行由传统的计划经济体制向市场经济体制的转轨，充分发挥市场的资源配置作用。在具体实施过程中，采取了渐进式的区域推进模式，即先在沿海地区进行个别试点，取得经验，然后再向内地省区推进。这种渐进式的区域推进模式导致我国区域市场化程度产生明显差异，东部地区经济的市场化程度不断提高，经济发展的竞争力大为增强，经济发展步入了快车道，相比之下，中西部地区经济体制改革步伐缓慢。

（三）促进农村区域经济协调发展的政策建议

1、充分发挥区域比较优势，优化农业区域化布局

按照“因地制宜、发挥比较优势，市场导向、产业化经营， 分工协作、统筹协调，积极引导、整体推进，适度规模、保护生态环境”的原则。从战略上引导农业在东、中、西部地区的优化布局与合理分工合作。以发挥区域比较优势为出发点，推动农业生产现代化为手段，大力培育区域农业优势产业和优势产品，构建现代农业产业链，形成农业区域化布局和专业化分工；深度挖掘各区域特色资源潜力和市场优势，发展区域特色农业，形成特色优势产业带；建立区域分工协作的互动机制，形成以东带中、西三大区域优势互补、协调互动、共同发展的区域农业发展格局，促进区域农村经济实现协调、均

衡发展。

2、统筹区域发展规划，建立区域利益调整机制

农业和工业的协调发展是走向现代化的必由之路，要以非农产业的发展带动农业现代化的发展，从而促进整个农村经济的发展。在推进东、中、西部农业经济协调发展的基础上，伴随着产业的升级优化，逐步将东部地区一部分以资源消耗为主的劳动密集型产业向中、西部转移，加快中、西部地区农村非农产业的发展，特别是加大中西部的投资力度，提升中、西部地区农村经济的综合发展水平，鼓励和引导各地农民利用各种组织形式发展乡镇企业和县域经济。鼓励扩大就业和发展农产品加工业，鼓励支持个体私营等非公有制经济发展，加大西部大开发和振兴东北老工业基地建设的支持力度，继续实施中部崛起、加快环渤海经济圈和京津冀城市带发展以及促进〞泛珠三角〞区域经济合作等措施。

3、注重人力资源开发， 积极推进科技创新

要想让欠发达地区经济在中国经济发展中扮演重要角色， 高素质的人力资源是其根本。因此， 必须重视培育人力资源， 形成各种人力资源发展措施。同时科技创新在一个国家或地区的经济发展中也起到了决定性作用。区域经济发展具有继承性， 随着经济成长阶段的变化和市场经济的迅猛发展， 原有优势的发展已不能完全适应今天的发展， 而必须充分发挥原有优势积累起来的资金、人才、产品和市场等先天之利， 培植适应未来经济发展的新的增长点， 科技创新的作用便在这一过程中显现出来。要实现区域经济和社会的可持续发展， 积极推进科技创新， 利用科技手段达到协调发展就显得十分必要。

4、实施中西部农村基础设施建设优先战略，加快农村城镇化建设

重点建设中西部的水利、交通、信息、农村教育、科技能力、市场体系等。要正确处理中西部生态建设与其他基础建设的关系，改变生态建设等于一切、退耕还林高于农村生活质量等有悖于全面小康建设的政策和做法。将植被建设与水、路、电、田、村、镇等统筹安排。

八、农村产业结构与就业结构

2007年农业在稳步发展的同时，内部结构调整。种植业比重提高，畜牧业比重下降。农村产业结构中，第一产业增加值占农村第一、二、三产业增加值的比重下降，非农产业比重上升。

（一）农村产业结构的变化及主要特征

1、农业结构的变化及主要特征

2007年国家继续加强了良种补贴、测土配方施肥补贴等支农惠农政策的实施力度，各地区农业生产平稳发展，初步统计，2007年第一产业增加值达28910多亿元，按可比口径计算，比上年实际增长3.7%。农业内部结构有所调整，种植业比重提高，畜牧业比重下降。

表9 **农林牧渔业增加值构成**

（单位：%）

	1997	1999	2000	2001	2002	2003	2004	2005	2006	2007
农业	62.3	61.7	59.5	59.3	58.8	55.6	55.7	55.3	56.1	55.9
林业	4.2	4.3	4.5	4.3	4.4	4.8	4.3	4.2	4.5	4.4
牧业	23.9	23.5	24.9	25.6	25.9	26.8	28.1	28.2	26.8	27.2
渔业	9.6	10.5	11.1	10.8	10.9	10.3	9.8	10.1	10.2	9.5

* 从2003年起农林牧渔业增加值包括农林牧渔服务业增加值，本表的各业比例是按包括农林牧渔服务业增加值在内的所有第一产业增加值计算的。

(1) 种植业成为拉动农业增长的主要动力。2007年种植业增加值达15550多亿元，可比(实际)增长3.8%，对农业增幅的贡献超过50%。种植业拉动农业的主要原因是粮食的稳步增产和棉花、糖料较大幅度的增产。2007年全国粮食播种面积持平略增，比上年增加60多万公顷，增长0.6%。由于2006年气候条件好，棉花单产水平提高，在棉花播种面积保持稳定的基础上，棉花产量提高5%，棉花主产省新疆的棉花产量增长超过20%。油料种植面积继续减少，产量下降。糖料在种植面积和单产双增的作用下，产量提高14%。水果近年来在市场价格好、城乡居民消费增加的影响下，面积和产量均稳步发展。蔬菜种植面积2007年虽然略减，但较好的气候条件使蔬菜单产增长2.6%，蔬菜产量持平略增。

(2) 畜牧业对农业增幅的贡献大幅下降。2006年下半年以来，受前期养殖效益低的影响，主要畜产品产量增速减缓，特别是生猪生产进入周期谷底。到2007年生猪价格大幅度上涨，但生猪散养农户对养猪的风险心存余悸，补栏不积极，生猪生产严重滑坡，出栏下降，畜牧业产值较上年增幅继续大幅度回落。2007年畜牧业增加值在家禽恢复性增长的情况下，仅增长2.1%，拉动农林牧渔业增加值增长0.7个百分点，对农业增幅的贡献大幅下降。

(3) 渔业发展平稳。近年来我国开展了渔业资源增殖放流活动，积极促进资源养护，2007年渔业捕捞量减少，水产品养殖业增速趋缓。2007年水产品市场较为平稳，渔业增加值达2800亿元左右，增长4.9%，拉动农林牧渔业增加值增长0.5个百分点。

(4) 林业继续发展。2007年部分地区林权改革，开展退耕还林监测，进一步稳定林农种植积极性的政策出台，苗木培育和管理加强；林产品市场需求增加，林产品价格上涨，林产品产量增加。初步统计，2007年林业增加值1100多亿元，比上年增长6.2%。

2、非农产业结构变化及其特征

预计2007年全国非农产业增加值68000亿元，同比增长14.1%，完成工业增加值47800亿元，占非农产业增加值的比重为70.4%，同比增长14.2%；工业产销率达94.7%，同比提高0.3个百分点，产销衔接良好；全年实现营业收入280000亿元，同比增长14.1%；利润总额17000亿元，增长14.6%；上交税金7200亿元，增长14.7%；各月经济运行平稳，月度间没有明显起伏，经济效益增幅快于生产性指标增幅。

农产品加工业已成为非农产业的主要行业和重要增长点。农产品加工业作为非农产业重要的优势特色产业，虽然受出口减少和国内市场准入门槛提高的影响，下半年增长速度有所回落，但全年总体仍然呈现快速增长的态势。预计，2007 年全国非农产业规模以上农产品加工业完成增加值 10600 亿元，同比增长 16.4%；其中食品工业（包括农副食品加工业、食品制造业和饮料制造业）增加值 3300 亿元，同比增长 16.5%，农产品加工业增加值占规模工业的比重达到 31.5%。

第三产业发展加快，农村非农产业结构更趋合理。随着我国工业化进程的加快和社会主义新农村建设的稳步推进，服务业等第三产业成为各地党委政府引导发展的重点和投资发展的热点。投资第三产业特别是农村旅游服务业的力度加大，以观光、旅游、度假和农村流通业为主要内容的新型农村服务业发展迅速，在沿海发达地区和大中城市郊区农村，统一进货、统一配送的农村商业空前繁荣。预计，全国非农产业中第三产业实现增加值 15000 亿元，同比增长 14.1%，比工业增幅高出 0.3 个百分点，第三产业增加值占非农产业的比重由上年的 22.0% 上升到 22.2%，提高 0.2 个百分点。

农村非农产业增加值构成见表 10。

表 10　**农村非农产业增加值构成**

（单位：%）

<table>
<tr><th>年 份</th><th>工 业</th><th>建筑业</th><th>交通运输</th><th>商饮服务</th></tr>
<tr><td>1995 年</td><td>76.3</td><td>9.1</td><td>5.7</td><td>8.9</td></tr>
<tr><td>1997 年</td><td>78.4</td><td>8.1</td><td>3.7</td><td>9.8</td></tr>
<tr><td>1998 年</td><td>71.1</td><td>8.2</td><td>6.2</td><td>14.5</td></tr>
<tr><td>1999 年</td><td>68.9</td><td>8.2</td><td>6.4</td><td>16.5</td></tr>
<tr><td>2000 年</td><td>69.3</td><td>7.7</td><td>6.1</td><td>16.9</td></tr>
<tr><td>2001 年</td><td>67.6</td><td>7.9</td><td>6.3</td><td>18.2</td></tr>
<tr><td>2002 年</td><td>70.3</td><td>7.1</td><td>5.6</td><td>17.0</td></tr>
<tr><td>2003 年</td><td>70.9</td><td>7.2</td><td>5.5</td><td>16.4</td></tr>
<tr><td>2004 年</td><td>70.9</td><td>7.0</td><td colspan="2">22.1</td></tr>
<tr><td>2005 年</td><td>71.2</td><td>6.9</td><td colspan="2">21.9</td></tr>
<tr><td>2006 年</td><td>71.0</td><td>6.9</td><td colspan="2">22.0</td></tr>
<tr><td>2007 年</td><td>70.4</td><td>7.4</td><td colspan="2">22.2</td></tr>
</table>

* （1）农村非农产业增加值数据为农业部统计乡镇企业增加值中扣除农业部分后得来的；（2）2004 年 –2007 年商饮服务业和交通运输业做为合计项计算。

3、农村一、二、三产业结构变化及其特征

2007 年农村经济发展平稳，在农村经济中的一、二、三产业比重与上年基本相同。2007 年农村增加值中，第一产业受畜牧业生产下滑的影响，农业增加值增速较 2006 年下降 1.3 个百分点，占一、二、三产业的比重为 29.4%，比 2006 年下降 0.2 个百分点；第二产业中工业增速较上年有所提高，所占比重为 55.0%，上升了 0.2 个百分点；第三产业比重为 15.6%，与上年相同（表 11）。

表 11 **农村各业增加值构成**

(单位: %)

年 份	第一产业	第二产业	第三产业
1997	48.5	44.5	7.0
1998	40.5	47.2	12.3
1999	37.0	49.6	13.4
2000	35.3	50.4	14.3
2001	32.8	51.9	15.3
2002	30.5	52.9	16.6
2003	28.3	54.9	16.8
2004	33.1	52.1	14.8
2005	32.6	52.6	14.8
2006	29.6	54.8	15.6
2007	29.4	55.0	15.6

* 为保持历史数据可比性，本表第一产业增加值未包括农业服务业。

农村工业增速提高主要在于规模工业对农村非农产业的支撑带动作用。规模以上工业（年销售收入 500 万元以上企业）实现增加值 33700 亿元，同比增长 16.7%，比规模以下工业增幅快 6.7 个百分点，占工业增加值的比重达 70.6%。规模工业实现总产值 146000 亿元，销售产值 140500 亿元，产销率达 96.2%；实现利润 7450 亿元，同比增长 15.7%；上交税金 3200 亿元，同比增长 16.7%；出口交货值 23830 亿元，同比增长 20.1%，占全部乡镇企业出口的 78.9%。

农村二、三产业增速提高的主要原因在于国家实施了一系列战略任务，为其发展营造了良好的宏观环境。近两年，国家制定出台了一系列政策措施，鼓励扩大就业和发展农产品加工业，鼓励支持个体私营等非公有制经济发展，加大西部大开发和振兴东北老工业基地建设的支持力度，实施中部崛起、加快环渤海经济圈和京津冀城市带发展以及促进“泛珠三角”区域经济合作等重大战略措施，有力地促进了农村非农产业持续平稳增长。浙江省实施了“万家培育千家成长”的小企业培育计划和小企业成长计划；山东省实施了围绕促进中小企业成长“一条主线”，实施小企业培育、中小企业成长、特色产业提升“三项计划”的发展战略；江苏、山东、广东、河南、湖北、河北、辽宁、吉林等省组织开展了以促进企业成长为主要内容的中小企业成长工程。江苏、浙江、湖北、吉林等省推进财政“省管县”措施，极大地调动了发展农村非农产业的积极性，有力地促进了县域经济的发展。

（二）农村产业结构与就业结构的偏差

2007 年农村就业结构仍是第一产业比重稳步下降，第二、三产业比重稳步提高的格局。农村劳动力就业结构与农村经济结构之间的偏差缩小。

1、农村就业结构

近两年，国家和社会对农民工问题给予了更多的重视，就提高农民工素质、改善农民工就业环境、保障农民工合法权益等方面出台了一系列政策措施。2007 年全国乡镇企业从业人员预计将突破15000万人，比上年增加400-410万人，与上年基本持平，占全国农村劳动力的比重达到28%左右。其中净增个体工商户65万个，吸收就业110多万人；新建投产企业20多万个，大约能安排300万人就业。农村第一产业劳动力继续向第二、三产业转移。2007年农村劳动力中从事农业的劳动力所占比重比2006年继续稳步下降，从事非农产业的劳动力比重平稳上升。在非农产业中，第二产业就业比重继续上升，第三产业的就业比重继续下降。

2、农村产业结构与就业结构间的偏差

2007年农村三大产业增加值结构与就业结构之间的总偏差缩小，其主要原因是农村第一产业产值结构与就业结构偏差缩小。虽然2007年农业增幅受种植业、畜牧业生产影响，较2006年趋缓，但是主要农产品价格的大幅上涨，使农业增加值占农村一、二、三产业增加值比重较2006年提高，而农业劳动力占农村劳动力比重相对变化不大，因此，农村第一产业产值结构与就业结构偏差缩小，农村三大产业产值结构与就业结构间总偏差缩小。提高农村一、二、三产业劳动生产率，优化农村产业结构是我国长期而艰巨的任务。

（三）农村产业结构影响因素分析及趋势判断

1、农业发展影响因素分析及趋势判断

农业内部，受2008年年初雪灾的不利影响，农业生产将受到影响，预计粮食、蔬菜、水果等农产品产量的增幅下降，产值和增加值增幅也将下降。

2007年受疫病影响，生猪生产下滑，生猪价格持续攀升，尽管生猪养殖效益提高，但养殖户担心养殖风险，补栏不积极，加上生猪生产的周期性，预计2008年全年生猪生产比上年有所改善，家禽生产若没有重大疫情的情况下，继续呈恢复性增长。奶产品受效益下降的影响，产量减少，价格不断提高。预计2008年畜牧业在没有疫病和灾情的情况下，增加值比2007年将略有好转。

2008年，随着渔业生态环境保护意识的加强，一些沿海城市更加注重环境保护，提高旅游资源质量，海水养殖增长放缓，远洋捕捞受到国家“零增长”目标的影响，产量增加的空间不大，淡水养殖仍平稳增长，加上年初的雪灾的寒冷气候的影响，南方淡水养殖受到一定影响，预计2008年渔业增加值增速将放缓。

2、非农产业影响因素分析及趋势判断

多年来，在国家一系列政策扶持，固定资产投资和出口稳定增长，产业集群不断壮大，企业职工素质和技术创新能力提升，社会化服务体系建立完善等方面的作用下，非农产业不断发展。国家制定出台的一系列政策措施，有力地促进了非农产业持续平稳增长。固定资产投资和出口的稳定增长，积蓄了非农企业发展的持续动力。产业集群不断壮大，提升了非农企业发展的产业水平。企业职工素质和技术创新能力提升，为乡镇企业发展奠定了良好基础。社会化服务体系的建立完善，为乡镇企业发展提供了保障。

2008年，农村非农产业发展，仍将进一步受到各级政府的重视和社会各界的支持。

但乡镇企业的发展仍面临许多困难和挑战，乡镇企业产品在国际市场的竞争压力加大，贸易摩擦增多，人民币持续升值，企业利润空间缩小，部分地区和行业用工紧张，员工素质普遍偏低和人才匮乏不适应技术创新型企业的发展要求等问题仍是农村非农产业发展的主要问题。预计2008年非农产业仍将较快发展，第三产业将继续加快发展，在非农产业中的比重将提高。

专栏　社会主义新农村建设

“社会主义新农村”这一概念起始于新中国建国之初，体现了亿万农民对社会主义新农村的憧憬和期盼。党的十六届五中全会提出推进社会主义新农村建设，既是将其作为一项长期艰巨的历史任务，也是将其作为一项必须扎实推进的现实工作。新农村建设的主要内容包括“生产发展、生活宽裕、乡风文明、村容整洁、管理民主”五个方面，不仅涵盖了农村经济建设与政治建设，还包括了农村文化建设和社会建设，体现了我国社会主义新农村建设已经从单纯的经济增长向社会发展迈进。生产发展意味着加快建设现代农业，不断优化产业结构，繁荣农村经济，提高农村生产力水平。生活宽裕就是提高农民收入，改善农民的生活消费结构，提高农民的生活质量。乡风文明是指农民群众的思想、文化、道德水平不断提高，在农村形成崇尚文明、崇尚科学的社会风气，乡风文明是建设农村和谐社会的重要体现。村容整洁是指农村“脏、乱、差”的状况从根本上得到治理，生态环境、人居环境明显改善，从而为农村地区提供更好的生产、生活和生态条件，村容整洁是新农村建设最直观的体现。管理民主是新农村建设的政治保障，是指建设社会主义新农村要在党组织领导下，完善民主选举、决策、管理、监督等村民自治机制，不断推进农村民主政治建设点过程。新农村建设的五个方面是一个完整的整体，不能割裂。实现新农村建设的历史任务，要靠政府的更多投入、亿万农民的主动参与、社会各方面的广泛支持，更要靠深化改革，构筑起一个与新农村建设相适应的体制和机制，为新农村建设不断注入新的活力和动力。

3 第三部分 地区报告

一、北京市农村全面建设小康监测报告

2007年，北京市以科学发展观为统领，逐步加大城乡统筹力度，“三农”各项事业都取得长足发展。农村经济健康发展，社会事业快速推进，人口素质继续提高，农民生活质量显著改观，资源环境状况有所改善，农村全面小康建设实现较快发展。

（一）北京农村全面建设小康进程监测结果

根据“全国农村全面小康标准”确定的6个方面的18项具体指标测算：2007年，北京农村全面小康实现程度为89.2%，比上年提高2.3个百分点。从农村全面小康六个子系统的实现程度看，除人口素质实现程度为100%，与上年持平外，经济发展实现程度也在本年达到了全面小康标准。

1、经济发展实现程度为100%，比上年提高3.6个百分点

其中，农村居民人均可支配收入达到8373元，比上年增加487元；第一产业劳动力比重为19.6%，比2006年农普数据20.7%降低1.1个百分点；农村小城镇人口比重达到51.6%，比2006年农普数据49.6%提高2个百分点。由于农村居民可支配收入和第一产业劳动力比重实现程度上年已经达到100%，经济发展实现程度的提高主要是由农村小城镇人口比重的上升拉动。

2、社会发展实现程度为91.4%，比上年提高4.6个百分点

其中，农村居民基尼系数和万人农业科技人员实现程度均达到100%，与上年持平。农村合作医疗覆盖率达到88.9%，比上年提高2.9个百分点，实现程度达到98.6%，比上年提高3.6个百分点；农村养老保险覆盖率为36.6%，比上年提高9.1个百分点，实现程度达到59.8%，比上年提高15.6个百分点。两项分别拉动社会发展实现程度提高1.5和3.1个百分点。

3、农民生活质量实现程度为98.3%，比上年提高2.4个百分点

除农村居民恩格尔系数、农民生活信息化程度实现程度均为100%，与上年持平外，农村居民居住质量指数达到77.4，实现程度也达到了100%，比上年提高5个百分点，拉动生活质量实现程度提高2.4个百分点；农民文化娱乐消费支出占比重实现程度为86.7%，与上年持平。

4、资源与环境实现程度为32.9%，比上年提高18.6个百分点

其中森林覆盖率、万元农业GDP用水量实现程度均为100%，与上年持平；常用耕地面积变动幅度为-0.17，比上年提高0.18个百分点，实现程度为-56.7%，改变了一直以来实现程度-100%的状况。

5、民主法制实现程度33.5%，比上年下降24.8个百分点

其中农民对社会安全的满意度为91.6%，比上年提高2.9个百分点，实现程度为100%，与上年持平；但农民对村政务公开的满意度仅为45.1%，比上年下降14.9个百分点，实现程度为-33.0%，比去年下降49.7个百分点，拉下民主法制实现程度24.8个百分点。

（二）北京农村全面小康建设的特点和难点

1、农村社会保障体系有待进一步完善

近几年，北京市政府一直在努力探索并改善农村社会保障问题。2007年，北京农村新型合作医疗参合率达到88.9%，距离90%的全面小康值仅有一步之遥。但农村养老保险覆盖面依然偏小，2007年北京农村养老保险覆盖率仅为36.6%，距离60%的全面小康目标值仍有较大差距，实现程度也仅为59.8%。

2、农村基层民主法制建设有待加强

2007年民主法制实现程度33.5%，比上年下降24.8个百分点。其中农民对社会安全的满意度一直稳步提高，2007年达到91.6%，比2006年提高2.9个百分点，但农民对村政务公开的满意度仅为45.1%，比上年下降14.9个百分点，距85%的小康目标值相差较大。如何继续大力推进村民自治和政务公开，使农民各项利益和民主权利得到更多保障，成为北京市全面建设农村小康的一个重点。

3、耕地面积连年减少

随着城市建设规模的扩大和农村城镇化进程的加快，社会经济各项事业的发展，北京耕地面积连年减少。2002-2006五年期间减少25万亩，常用耕地面积变动幅度指标实现程度一直为-100%，这已经成为北京市农村全面小康综合实现程度提升的最大障碍。但是

2004宏观调控以来，耕地占用情况得到了有效的控制。2007年常用耕地面积变动幅度由上年的-0.35%回升到-0.17%，实现程度也由-100%上升到-56.7%。但是，由于常用耕地面积变动幅度以大于0作为目标值，所以该指标实现程度在短时间内还很难升为正值。

综上所述，北京农村距实现全面小康社会还有一定距离，关键在于农村社会保障体系的健全和水平的提高，农村基层民主法制建设的进一步加强和确保耕地资源动态平衡。

（三）北京农村全面小康建设的对策建议

1、继续完善社会保障体系

2008年1月1日起北京市全面实施了《北京市新型农村社会养老保险试行办法》，实行个人账户和基础养老金相结合的制度模式，采取个人缴费、集体补助、财政补贴相结合的筹资方式。这有利于进一步完善本市农村社会保障体系，统筹城乡社会发展。

2、大力推进民主法制建设

十七大报告中提出要坚持基层群众自治制度，北京市在全面建设农村小康社会进程中要针对村级政务、财务等群众关心的问题，继续大力推进村民自治和政务公开，并向村民加强村务公开的宣传，提高农民对村务公开的知晓率，使农民各项利益和民主权利得到更多保障。

3、处理好城市化发展和耕地资源保护的关系

耕地面积减少是世界各国在城市化发展过程中都会遇到的问题，城市化建设是社会经济发展的需要，要有一定土地做保障，但目前我国已面临耕地不断减少的严重威胁，保护耕地是我国一个基本国策。首都北京作为一个国际化大都市，耕地保护问题显得更为突出和重要，处理好城市化发展和耕地资源保护的关系，是首都未来建设中解决好人口资源环境和谐发展的重大问题。

说明：

①在测算2006年北京农村全面小康实现程度时，因为农业普查数据尚未公布，第一产业劳动力比重、农村小城镇人口比重指标仍用2005年的数据参与计算，2007年总体分析时仍使用2006年公布数据，但两项指标2006年调整后数据文中有具体说明。

②关于农民对村政务公开满意度指标，2004年取自部门数据，2005年北京市统计局开展了此项调查，数据来源不同导致差异较大，2005年国家评估时调整了这一指标数据。2006年，考虑到此项工作今后的延续性，我们将此项指标实际值调整为60%，导致与2007年的实际调查结果差异较大。

2007年农村全面小康综合表（北京）

指标名称	单 位	总体小康值	全面小康值	2007年实际值	实现程度	权 数	综合得分
A 、经济发展					100.0	29	29.0
农村居民可支配收入	元/人	2200.00	6000.00	8373	100.0	20	20.0
第一产业劳动力比重	%	50.00	35.00	19.6	100.0	5	5.0
农村小城镇人口比重	%	16.00	35.00	51.6	100.0	4	4.0
B 、社会发展					91.4	20	18.3
农村合作医疗覆盖率	%	10.00	90.00	88.9	98.6	8	7.9
农村养老保险覆盖率	%	1.80	60.00	36.6	59.8	4	2.4
万人农业科技人员	人	1.00	4.00	11	100.0	4	4.0
农村居民基尼系数	—	0.35	0.3—0.4	0.3	100.0	4	4.0
C 、人口素质					100.0	15	15.0
农村人口平均受教育年限	年	7.40	9.00	11	100.0	12	12.0
农村人口平均预期寿命	年	69.50	75.00	76	100.0	3	3.0
D 、生活质量					98.3	23	22.6
农村居民恩格尔系数	%	49.00	40.00	32.1	100.0	4	4.0
农村居民居住质量指数	%	18.00	75.00	77.4	100.0	11	11.0
农民文化娱乐消费支出比重	%	2.50	7.00	6.4	86.7	3	2.6
农民生活信息化程度	%	28.00	60.00	77.4	100.0	5	5.0
E 、民主法制					33.5	6	2.0
农民对村政务公开的满意度	%	55.00	85.00	45.1	-33.0	3	-1.0
农民对社会安全的满意度	%	60.00	85.00	91.6	100.0	3	3.0
F 、资源环境					32.9	7	2.3
常用耕地面积变动幅度	%	-0.30	0.00	-0.2	-56.7	3	-1.7
森林覆盖率	%	16.50	23.00	36.5	100.0	2	2.0
万元农业GDP用水量	立方米	2600.00	1500.00	1229	100.0	2	2.0
农村全面小康实现程度合计						100	89.2

二、天津市农村全面建设小康监测报告

根据国家统计局农村全面小康评价指标体系和测评方法，我们对2007年天津农村全面小康建设进程进行了跟踪监测。

（一）综合测评结果

2007年天津农村全面小康实现程度为87.3%，比2006年提升了6.4个百分点。天津农村全面小康建设步伐进一步加快。从今年监测结果看，全面小康建设具有以下特点：

1、六大方面发展的实现程度很不平衡

天津农村在全面小康建设的六大方面发展很不平衡。达到或超过农村全面小康标准的有：经济发展、人口素质、民主法制。经济发展实现程度首次达到100%，同比提高7.3个百分点，主要是人均可支配收入增加的带动；实现程度在70%-90%之间的有：生活质量为86.6%，同比提高1.9个百分点，主要是居住环境改善的带动；社会发展为74.3%，同比提高15.7个百分点，增速名列六大方面之首，主要是农村合作医疗面扩大的带动和农村养老覆盖率的增加；实现程度最低的是资源环境为35.5%，同比提高了28.9个百分点，主要原因是常用耕地面积减少和森林覆盖率不足。

2、从18个指标看，不同指标的实现程度差距较大

从18个指标看，2007年超过全面小康值的达11个指标，比上年增加人均可支配收入指标。分别为：人均可支配收入、第一产业劳动力比重、小城镇人口比重、农村居民基尼系数、平均受教育年限、平均预期寿命、恩格尔系数、农民信息化程度、对村政务公开满意度、农民对社会安全满意度、万元农业GDP用水量；实现程度在80%-99%的有两个指标，分别是农村合作医疗覆盖率和居住质量。农村合作医疗覆盖率实现程度为80.9%，居住质量指数的实现程度为91.4%；实现程度在60%-79%的有万人农业科技人员数，实现程度为66.7%；实现程度小于60%的有4个指标，农村养老覆盖率的实现程度为43.3%，同比提高了12.7个百分点、农民文化娱乐支出比重的实现程度为28.9%，同比下降了4.0个百分点、森林覆盖率的实现程度为29.2%，同比提高了6.1个百分点、常用耕地面积变动幅度的实现程度为-3.3%，同比提高了63.7个百分点。

3、社会发展的实现程度增速最快，农民生活质量继续提高

在农村全面小康建设监测的指标中，实现程度同比提升10个百分点以上的有4个指标，其中3个指标为社会发展指标，依次为：人均可支配收入的实现程度提升了10.5个百分点、农村合作医疗覆盖率的实现程度提升了21.0个百分点、农村养老覆盖率的实现程度提升了12.7个百分点、万人农业科技人员数的实现程度提升了24.0个百分点。

2007年农民收入继续提高，居住质量不断改善。2007年农村居民人均可支配收入，扣除2000年以后的消费价格指数为6043元，比2006年增加了443元，实现程度达到100%，比2006年提升了10.5个百分点。在反映生活质量的四项指标中，有两项达到全面小康标准，分别为：恩格尔系数、农民信息化程度。2007年农村居民居住条件不断改善，居住

质量指数中：钢筋混凝土结构和砖木结构住房比重达到100%，超过全面小康95%的标准；农户享有卫生厕所的比例达到63.3%，同比增加了6.8个百分点；饮用自来水农户比例达到70%，与去年持平；使用清洁能源的农户比例达到79.0%，同比增加了28.7个百分点；人均居住面积25平米以上的户的比例达50.7%，同比增加了2.5个百分点。构成农民信息化程度的三项指标继续改善，其中：彩电普及率达97.8%，与去年持平；电话普及率达96.0%，与去年持平；电脑普及率达16.0%，同比增加了4.3个百分点。

4、常用耕地面积继续减少，农民文化娱乐消费提升难

资源环境的实现程度为35.5%，同比提高了28.9个百分点，其中常用耕地面积变动幅度为-3.3%，同比提高63.7个百分点。农民文化娱乐消费支出比重的实现程度为28.9%，同比下降了4.0个百分点。

（二）主要问题和难点

问题一：农村社会保障力度仍不足

2007年，天津市加快了农村社会各项保障体系的建设进程，农村合作医疗覆盖率比2006年增加了16.9个百分点，农村养老保险覆盖率比2006年增加了7.4个百分点。但从整体水平看，这两项指标和全面小康的要求相比仍然有较大差距。特别是农村养老保险覆盖率偏低，实现程度仅为43.3%，对全面小康进程的影响较大。

主要难点：受长期以来城乡二元结构和公共财力不足等因素的影响，相对于城市社会保障制度的建立而言，天津农村社会保障制度建设的起步较晚，进程相对缓慢。新型农村合作医疗保障水平尚处于初级阶段。农村社会养老保险制度的建立在2007年开始启动，在此之前，只有部分经济较为发达的区县和乡村实行社会养老保障，覆盖率不高。此外，部分区县和乡镇财政较为紧张，也在一定程度上迟滞了全市农村保障体系的推进。

问题二：农民生活质量提升缓慢

虽然天津农村居民2007年实现了收入较快增长，但由于自去年以来物价指数持续在高位运行，特别是食品价格的上涨导致恩格尔系数同比上升了2.4个百分点，文化娱乐消费支出比重同比降低了0.2个百分点。和收入相比，农民生活质量提升缓慢。

主要难点：食品价格上涨虽然可以增加农民收入，但伴随着经营风险的加大，普通农民难以从本轮食品上涨中获益。从目前来看，食品价格短期内难以回落到较低水平，物价上涨对农民生活的影响在一段时间内还将持续。

问题三：资源环境改善难见成效

2007年，天津市耕地同比减少0.01%，是资源环境全面小康完成度较低的重要因素。此外，森林覆盖率仅为18.4%，离全面小康要求的23.0%还有相当大的距离。

主要难点：天津市耕地开发早已达到饱和，耕地面积已很难再有增加。而在今后一段时期内，天津市基础设施和小城镇建设，农民由于增加收入的需要，将耕地改成果园、林地、鱼塘等其他农业用地的行为，都对保持现有耕地总量产生一定的压力。此外，林

业部门虽然每年都在植树造林工作中取得一定的进展，但由于天津水资源较为短缺，植树造林的难度较大，难以在短期内取得明显成效。

（三）进一步推进天津农村全面小康建设进程的对策

对策一：整合全市资源，迅速推进农村社会保障体系的建设。随着剩余劳动力大量转移和失地农民数量不断增加，在现有基础上进一步加快天津农村社会保障体系的建设已经成为新农村建设的当务之急。目前，在区（县）乡两级政府没有能力提供保障资金的地区，应考虑以市级政府财政投入为主体，建立农村最低生活保障制度；在此基础上，循序渐进地建立起资金来源多元化、制度法制化、管理规范化、服务社会化的农村社会养老保险制度。同时，巩固完善新型农村合作医疗制度，农村新型合作医疗应在大病统筹的基础上，探索大小兼顾的医疗保障模式和不同类型的农村合作医疗制度。不断扩大农村社会保障体系的覆盖范围，提高保障水平。

对策二：积极推进现代农业建设，切实提高农民收入水平。应在乡镇一级建设一批了解现代农业发展态势和农业生产的专家队伍，积极引导农民在农业生产中引进现代理念，通过先进技术，降低生产成本，提高产品效益。在做好农村劳动力转移工作的同时，不断提高农业劳动生产率，稳定、迅速地提高农民收入水平，进一步缩小城乡居民收入差距，改善农民消费结构。

对策三：继续加大对农村公共产品的支持力度。各级财政要逐步建立健全支农资金稳定增长机制，不断增加对农村的投入。各地要根据自身的发展特点，将有限的资源最大限度地应用到农村基础设施建设中，为农民提供优质的公共产品。特别是做好农村义务教育的同时，加强师资力量的引进，做好高中、中专教育，全面提高农村受教育水平，同时通过各种优惠政策鼓励了解农村的高级人才到农村工作，提高农村发展潜力。

对策四：全力保护现有资源环境，保持可持续发展态势。耕地保护是资源保护的重中之重，应考虑在推进小城镇建设的同时，加强土地利用效率，提高复耕比重；严格执行耕地保护的各项相关政策，防止违规占地。林业部门应加强对林木的管理和养护，提高种植成活率；稳步推进退耕还林、退耕还草工作的进度。

2007年农村全面小康综合表（天津）

指 标	单 位	总体小康值	全面小康值	2007年实际值	实现程度	权 数	综合分值
A 、经济发展					100.0	29.0	29.0
农村居民人均可支配收入	元/人	2200	6000	6043	100.0	20.0	20.0
第一产业劳动力比重	%	50	35	13.7	100.0	5.0	5.0
小城镇人口比重	%	16	35	52	100.0	4.0	4.0
B 、社会发展					74.3	20.0	14.9
农村合作医疗覆盖率	%	10	90	74.7	80.9	8.0	6.5
农村养老覆盖率	%	1.8	60	27	43.3	4.0	1.7
万人农业科技人员数	人	1	4	3	66.7	4.0	2.7
农村居民基尼系数	—	0.35	0.3-0.4	0.32	100.0	4.0	4.0
C 、人口素质					100.0	15.0	15.0
平均受教育年限	年	7.4	9	9	100.0	12.0	12.0
平均预期寿命	年	69.5	75	76.3	100.0	3.0	3.0
D 、生活质量					86.6	23.0	19.9
恩格尔系数	%	49	40	38.7	100.0	4.0	4.0
居住质量指数	%	18	75	70.1	91.4	11.0	10.1
农民文化娱乐支出比重	%	2.5	7	3.8	28.9	3.0	0.9
农民信息化程度	%	28	60	64.4	100.0	5.0	5.0
E 、民主法制					100.0	6.0	6.0
农民对村政务公开的满意度	%	55	85	97	100.0	3.0	3.0
农民社会安全满意度	%	60	85	92.1	100.0	3.0	3.0
F 、资源环境					35.5	7.0	2.5
常用耕地面积变动幅度	%	-0.3	0	-0.01	-3.3	3.0	-0.1
森林覆盖率	%	16.5	23	18.4	29.2	2.0	0.6
万元农业GDP用水量	立方米/万元	2600	1500	1256	100.0	2.0	2.0
农村全面小康实现程度合计						100.0	87.3

三、河北省农村全面建设小康监测报告

按照国家统一的农村全面小康标准和监测方法，河北省统计局对2007年农村全面小康实现程度进行了跟踪监测，初步结果显示：2007年河北省农村全面小康实现程度达到48.2%，农村全面小康进程走了近一半的路程，比2006年提高8.1个百分点，全面建设农村小康社会进程明显加快。

（一）2007年河北农村全面小康监测结果

2007年，河北深入贯彻省委、省政府关于推进农村全面小康社会建设的各项政策文件精神，不断加大支农、惠农力度，加快新农村建设步伐，农业农村经济较快发展，社会事业继续进步，有力地推动了农村全面小康建设进程。监测结果显示，2007年河北农村全面小康实现程度达到48.2%，比 “十一五”基期年2005年提高12.9个百分点，年均提高6.5个百分点，比“十五”年均增速提高3.1个百分点，是“十五”年均增速的近2倍，全面小康建设步伐明显加快。农村全面小康六个方面的实现程度如下：

——经济发展：农村全面小康实现程度为36.5%，比上年提高6.1个百分点。在反映农村经济发展的三项指标中，农村居民人均可支配收入为3446元（按2000年价格计算），全面小康实现程度为32.8%，比上年提高4.0个百分点；第一产业劳动力比重为40.4%，全面小康实现程度为63.9%，比上年提高12.2个百分点；农村小城镇人口比重为20.0%，全面小康实现程度为21.1%，比上年提高9.5个百分点。

——社会发展：农村全面小康实现程度为70.1%，比上年提高27.5个百分点。从社会发展的分项指标看：农村新型合作医疗覆盖率为76.5%，比上年提高54.9个百分点，全面小康实现程度83.2%，上升了68.7百分点；农村养老保险覆盖率为4.2%，与上年基本持平，全面小康实现程度为4.0%，比上年降低0.1个百分点；万人农业科技人员数为3.4人，全面小康实现程度为80%，与上年持平；农村居民收入分配的公平程度仍处在相对合理区间，基尼系数为0.3341，全面小康实现程度为100%。

——人口素质：农村全面小康实现程度为26.5%。从反映人口素质的监测指标看，河北农村人口平均受教育年限为7.7年，全面小康实现程度为19.4%；农村人口平均预期寿命72.5年，全面小康实现程度54.9%，比上年提高了1.8个百分点。

——生活质量：农村全面小康实现程度为55.0%，比上年提高4.9个百分点。在反映农村居民生活质量的四项指标中，农民信息化程度为54.1%，全面小康实现程度为81.4%，比上年提高4.1个百分点；居住质量指数为35.8%，全面小康实现程度为31.2%，比上年提高6个百分点；文化娱乐消费支出比重为4.2%，全面小康实现程度为38.2%，比上年提高8.6个百分点；农村居民恩格尔系数36.8%，处于目标值范围，全面小康实现程度为100%。

——民主法制：农村全面小康实现程度为100%。近年来，河北省着力创建文明生态村，积极推进基层民主建设，进一步健全村政务公开和村民自治制度，农民对村政务公开的满意度较高。各级公安部门加大力度打击犯罪活动，社会治安进一步好转，食品安全

越来越受到重视，农民对社会安全的满意度提高。据民政部门调查，农村居民对村政务公开的满意度为 87%，已达到全面小康目标值。统计部门受省社会治安综合治理办公室委托进行了抽样问卷调查，结果显示：2007 年农村居民的社会安全感为 93.2%，已达到全面小康目标值。上述这两项指标的全面小康实现程度均达到 100%。

——资源环境：农村全面小康实现程度为 14.3%，与上年持平。从反映资源环境的三项指标看，常用耕地面积比 2000 年减少 4.3%，全面小康实现程度为 -100%，常用耕地面积减少仍是导致资源环境全面小康目标实现程度较低的主要因素。森林覆盖率为 23.3%，已超过全面小康目标值，全面小康实现程度为 100%。农业节水工程建设稳步推进，万元农业 GDP 用水量继续保持在 1500 立方米以下，实际值为 881 立方米/万元，比上年减少 28.2%，全面小康实现程度为 100%。

（二）2007 年河北农村全面小康建设的特点

1、农村经济稳定发展，农民收入较快增长，农村城镇化水平稳步提高

——农业生产稳定增长。河北全年完成农林牧渔业总产值 3076 亿元，比上年增长 3.9%。其中农业产值增长 4.2%，林业产值增长 9.6%，畜牧业产值增长 2.1%，渔业产值增长 5.1%，服务业产值增长 8.4%。完成农林牧渔业增加值 1805 亿元，增长 4.0%。种植业生产态势良好，畜牧业发展稳中趋缓，林业生产任务基本达标，渔业生产平稳增长。

——农民收入增长较快。2007 年，河北农民人均纯收入 4293 元（当年现价），登上 4000 元新台阶，增长 12.9%。这是 1997 年以来农民收入增加最多、增长速度最快的一年。

——农村就业结构继续优化。随着河北农村经济结构的大力调整、二三产业的快速发展以及外部环境的不断改善，有效促进了农村劳动力向非农产业转移，劳动力从业结构进一步优化。2007 年，全省从业人员 3665 万人，其中，一产业就业人员 1482 万人，比上年减少 43 万人；占全社会就业人员的比重 40.4%，比上年降低 1.8 个百分点。农村劳动力向二三产业和城镇的转移，促进了农民收入的增长。农民工资性收入已连续两年超过其他收入而成为农民第一收入来源，改变了第一产业收入比重最高的收入结构格局。2007 年，农民人均工资性收入 1754 元，增长 15.8%，比第一产业收入多 33 元；农民工资性收入占农民人均纯收入的比重为 40.9%，比第一产业收入比重高 0.8 个百分点。

——农村城镇化水平稳步提高。2007 年，农村小城镇人口比重达到 20.0%，比上年提高 1.8 个百分点。

经济的发展为 2007 年农村全面小康 48.2% 的实现程度贡献了 10.6 个百分点；在农村全面小康进程中，经济发展贡献率为 21.9%，居农村全面小康建设六个方面第二位，成为农村全面小康社会建设的重要推动力量。

2、社会事业大幅迈进，成为农村全面小康社会建设的主要推动力

农村新型合作医疗蓬勃发展，成为农村社会进步的新亮点，有效地缓解了农民看病难问题。2007 年，在全省范围内实行了新型农村合作医疗制度，建立了运行平稳、规范有序的新型农村合作医疗管理和运行机制，越来越多的农民从新型农村合作医疗中得到实

惠。4176万农民加入到新型合作医疗中来，覆盖农村人口的76.5%，比上年提高54.9个百分点。仅此一项指标，就为农村全面小康实现程度贡献了6.7个百分点，贡献率为63.2%。全省农村参加养老保险的农民达到227万人，农村养老保险覆盖率为4.2%，与上年基本持平。

社会事业的发展为2007年农村全面小康48.2%的实现程度贡献了14.0个百分点；在农村全面小康进程中，社会发展贡献率为67.7%，在农村全面小康建设六个方面中居首位。

3、生活质量进一步改善，农民精神文化消费支出不断提高

——消费结构不断优化。恩格尔系数是反映生活质量的综合指标。河北农村居民的恩格尔系数2006年为36.7%，已达到全面小康标准值；2007年为36.8%，保持相对稳定，小康实现程度达到了100%。同时，河北农村居民的精神文化生活日益丰富，农村居民人均文化娱乐消费支出比重为4.2%，比上年提高0.4个百分点。

——信息化程度有了新提高。2007年农民生活信息化程度达到54.1%，比上年提高1.4个百分点。其中，彩电、电话、电脑普及率分别达到94.7%、85.1%和2.7%，分别比上年提高了2.3、1.5和0.7个百分点。

——居住和交通环境进一步改善。2007年，农民人均住房面积30.1平方米，比上年增加1平方米，60.6%的农户住房面积超过25平方米；每百户使用水冲式厕所的有4.6户，增长12.1%；每百户饮用自来水的有62.3户，增长8%；室外道路状况进一点优化，室外道路为水泥或柏油路路面的比重达44.3%，比上年提高5.7个百分点。

农民生活质量的稳步提高，对农村全面小康实现程度贡献了12.7个百分点。在农村全面小康进程中，生活质量贡献率为14.0%，在农村全面小康建设六个方面中居第三位。

（三）河北农村全面小康建设存在的主要问题

从河北农村全面小康建设的发展阶段来看，尽管全省农民生活有很大提高，全面小康建设有很大进展，但与十六大提出的全面小康社会所达到的目标相比，与发达省份相比，仍存在着较大的差距，一些深层次的问题和矛盾还比较突出。

1、农民收入水平低

"十五"以来河北农民收入进入较快的增长期，但收入水平在全国仍处于较低的水平，2007年人均纯收入位居全国第10位，与发达地区相比差距明显。2007年河北省农民人均可支配收入按2000年价格计算为3446元，全面小康实现程度为32.8%，而浙江、上海均已实现100%，山东已超过40%，在全部18项指标中，河北农民人均可支配收入为实现程度较低的指标之一。农民的收入和生活水平与城镇居民相比差距较大，且差距继续拉大。2006年，河北农民人均纯收入与城镇居民人均可支配收入相差6500元左右，2007年二者相差已超过7600元，距离又拉大1000多元。

2、农村公共基础设施差

由于农村金融资金供给不足，长期以来对农村公共基础设施建设投资匮乏，农村公

共基础设施建设水平低，农村居民住房设施配套不完善，卫生标准较低，室外环境脏乱差的现象仍相当普遍。2007 年，河北农村居住质量指数为 35.8%，小康实现程度仅为 31.2%，距全面建设小康的目标还有不小差距。全省只有 62.3% 的农户使用上自来水，只有 18.5% 的农户使用液化气，农村水冲式卫生厕所普及率仅为 4.6%，室外道路状况的环境也不容乐观，仅有 44% 的农户室外道路为水泥或柏油路面，农民居住质量制约着农村全面小康建设的步伐。

3、城镇化进程缓慢

2007 年，河北小城镇人口比重为 20%，仅比上年提高 1.8 个百分点，实现程度为 14.7%，明显偏低，离实现全面小康目标相距甚远。县域城镇化的滞后，影响农村富余劳动力的合理转移，在很大程度上加大了农民增收难度。

4、社会保障程度偏低

农村合作医疗覆盖率和农村养老覆盖率，是衡量农村社会发展程度的两个重要指标。2007 年，河北农村合作医疗保险事业蓬勃发展，农村合作医疗覆盖率达到 76.5%，但农民仍是最大的自费医疗群体。广大农民，尤其是贫困地区的农民因病致贫、因老返贫已经成为一个不容忽视的社会问题。农村养老保险进程仍然缓慢，农村养老覆盖率仅为 4.2%，全面小康目标仅实现 13.2%，与全面小康评价标准不低于 60% 相比，差距明显。受财力所限，目前农村社会保障所涉及内容仅限于零用钱、提供基本生活用粮上，内容单一，标准较低。子女入学、住房等问题则没有更多的能力顾及。农村社会保障程度低下，在相当程度上成为我省农村实现全面小康目标的又一瓶颈。

5、文化教育水平和农民素质低

提高农民素质，提升农民就业技能，是发展现代农业的必然要求。大量统计数据和事实表明，农民收入和农民受教育程度成正相关的关系。在提高农民收入，转移农民的同时，还要教育农民，培训农民，使农民成为高素质的劳动者。只有这样，才能使他们获得比较好的岗位和比较高的收入。而目前河北农业劳动力平均受教育年限仅为 7.7 年，比上年仅提高 0.1 年，离初中水平还有 1.3 年，人口的总体素质离全面小康社会建设的目标要求存在较大距离。农村人口文化素质低，直接影响了科学技术在农业生产中的应用和农业生产力水平的提高，这也是河北农民收入相对较低的原因之一。河北农村人口平均受教育年限的提高受两方面因素的影响：一是农村教育经费投入不足，影响农村教育事业发展；二是农村较高文化素质的劳动力大量流向城市，90% 以上的农村大学生成为城镇居民，留在农村的很少。

（四）加快推进河北农村全面小康进程的建议

农民收入水平偏低，农村基础设施水平较差，城镇化水平较低，农村社会保障能力较弱，农村人口刚性增长，耕地面积刚性减少，可持续发展压力大，既是农村全面小康建设的难点，也是农村全面小康建设的重点。针对农村全面小康社会建设中存在的困难和问题，应采取综合性措施，切实加以推进。

1、发展现代农业，推进产业化进程，增加农民收入

要把发展农村经济、增加农民收入作为农村全面小康社会建设的中心任务。加快发展现代农业，不断加大对农田、水利等基础设施建设的投入，加快农业机械化进程，完善病虫害监测预警网络体系，增强防御自然灾害的能力；加大养殖小区建设步伐，提高养殖业科技含量，完善疫病防治监测体系；培育壮大以农产品加工为主的龙头企业和各类农民专业合作组织，积极发展订单农业，探索产业化利益分配机制，增加农民收入。

2、加强农民技能培训，创造农民就业条件和机会，加快农村剩余劳动力转移步伐

大力发展农村职业技术教育，着力培养知识性农民，开发现有农业人力资源，提高农民的整体素质，大力推广先进技术，做好科技示范推广工作。优化投资环境，加大招商引资力度，吸引国内和国外大企业来河北投资建厂，创造农民就业条件和机会，加快农村剩余劳动力转移步伐，增加农民非农产业收入。

3、进一步完善农村社会保障体系

应逐步制定农村养老保险、农村合作医疗等相配套的政策措施，将农村社会保障纳入制度化、规范化和法制化轨道，形成城乡一体化的社会保障格局。首先，通过增加农村公共卫生服务的财政投入，进一步提高农村医疗保险覆盖面，将更多的农民纳入保障体系中来，同时，建立农村公共卫生应急机制，妥善应对突发事件；其次，努力使资金使用效率最大化，重点解决农民基本医疗、养老等突出问题；第三，以农村低保、养老保障为切入点，发展多种形式的农村社会福利事业；第四，通过政策导向和广泛宣传工作，在提高农民自我保障意识的同时动员社会力量参与，从而形成以政府为主导，以社会、农民个体为补充的较为完善的新型农村社会保障体系。

4、加快农村生活基础设施建设，建设社会主义新农村

改善农村生活基础设施是提高农村居民生活质量的前提，不仅关系到全面小康建设的实现，而且关系到扩大内需，促进国民经济持续稳定发展的大局。各级政府要立足城乡发展不平衡的客观现实，调整国民收入分配和财政支出的结构，改变过去投入上“重城轻乡”的现象，从制度上保证财政对农业农村的支出总量在财政投入中的比例和增长幅度逐年上升，并逐步形成支农资金稳定增长的长效机制。要下大力气加快农村改水、改电、改厕工程建设步伐，推进农村路面硬化、环境绿化、村庄美化进程，改善农村生活条件，建设社会主义新农村。

2007年农村全面小康综合表(河北)

指 标	单 位	总体小康值	全面小康值	2007年实际值	实现程度	权 数	综合分值
A、经济发展					36.5	29.0	10.6
农村居民人均可支配收入	元/人	2200	6000	3446.1	32.8	20.0	6.6
第一产业劳动力比重	%	50	35	40.4	63.9	5.0	3.2
小城镇人口比重	%	16	35	20.0	21.1	4.0	0.8
B、社会发展					70.1	20.0	14.0
农村合作医疗覆盖率	%	10	90	76.5	83.2	8.0	6.7
农村养老覆盖率	%	1.8	60	4.2	4.0	4.0	0.2
万人农业科技人员数	人	1	4	3.4	80.0	4.0	3.2
农村居民基尼系数	-	0.35	0.3-0.4	0.3	100.0	4.0	4.0
C、人口素质					26.5	15.0	4.0
平均受教育年限	年	7.4	9	7.7	19.4	12.0	2.3
平均预期寿命	年	69.5	75	72.5	54.9	3.0	1.6
D、生活质量					55.0	23.0	12.7
恩格尔系数	%	49	40	36.8	100.0	4.0	4.0
居住质量指数	%	18	75	35.8	31.2	11.0	3.4
农民文化娱乐支出比重	%	2.5	7	4.2	38.2	3.0	1.1
农民信息化程度	%	28	60	54.1	81.4	5.0	4.1
E、民主法制					100.0	6.0	6.0
农民对村政务公开的满意度	%	55	85	87.0	100.0	3.0	3.0
农民社会安全满意度	%	60	85	93.2	100.0	3.0	3.0
F、资源环境					14.3	7.0	1.0
常用耕地面积变动幅度	%	-0.3	0	-4.3	-100.0	3.0	-3.0
森林覆盖率	%	16.5	23	23.3	100.0	2.0	2.0
万元农业GDP用水量	立方米/万元	2600	1500	881	100.0	2.0	2.0
农村全面小康实现程度合计						100.0	48.2

四、山西省农村全面建设小康监测报告

2007年，山西省委、省政府认真贯彻落实“中央一号”文件精神，以科学发展观为统领，高度重视“三农”工作，出台了一系列更直接、更有力的利农措施，使农业生产稳定发展，农民收入较快增长，农村改革迈出重大步伐，农村社会事业取得新进展，极大推动了农村全面建设小康进程。监测结果显示，2007年，山西省农村全面建设小康社会取得阶段性重大进展，实现程度为34.8%，比上年提高7.5个百分点，为2000年以来提高速度最快的一年。

（一）山西建设农村全面小康社会的进程明显加快

1. 经济发展步履较快

2007年，山西农村全面小康经济发展实现程度为24.2%，同比提高6个百分点。其中，农村居民人均可支配收入为2981元，比上年增加305元，增长11.4%，实现程度为20.6%，同比提高8.1个百分点；第一产业劳动力比重为43.6%，与上年基本持平，实现程度为42.7%；农村小城镇人口比重为19.7%，实现程度为19.5%，同比提高2.7个百分点。综合分析来看，第一产业农村劳动力比重仍然偏大，农民人均可支配收入依然不高，经济发展仍然是制约和影响全面小康社会建设的关键因素。

2. 社会发展成效显著

2007年，山西农村全面小康社会发展实现程度为58.6%，同比提高25.6个百分点，提升幅度在六个方面最快。表明山西贯彻落实以人为本的科学发展观，加快社会事业发展方面，成效显著。从社会发展类主要指标的实现程度看，随着山西农村新型合作医疗制度的实施和推进，截止2007年底，全省115个涉农县(市、区)已全部覆盖，覆盖率达到76.1%，实现程度82.6%，同比提高64.1个百分点，这是一个了不起的成绩，也是农民普遍受惠的一件德政工程；农村养老覆盖率实现程度为7.6%，离全面小康60%的要求还相差甚远，这一方面是山西贫困农村的拖拽，但主要是对此重视程度尚有差距，在推进小康建设中应引起我们高度关注；万人科技农业人员数实现程度为20%，同比提高1个百分点； 农村居民收入差距系数从动态趋势看虽逐步扩大，但农村居民基尼系数仍处在0.3-0.4的合理区间，其实现程度为100.0%。

3. 人口素质与上年持平

2007年，山西农村全面小康人口素质实现程度仍为10.5%，与上年持平。其中，农村人口平均受教育年限为7.5年，小康实现程度为6.2%。随着市场经济的发展和就业竞争的不断加剧，对劳动力的文化程度和综合素质要求也在不断提高，农村劳动力本身的受教育年限在实现全面小康的征程中是一个应引起高度重视的问题。2007年，农村人口平均预期寿命71岁，小康实现程度为27.3%，与全面小康的标准仍有较大的差距

4. 生活质量明显改善

2007年，山西农村全面小康生活质量实现程度为52.2%，同比提高9.2个百分点，农

民生活质量明显改善，整体生活水平开始大幅提升。从具体指标来看，2007年山西省农村居民恩格尔系数为38.5%，从理论和和概念出发，山西农村已进入联合国粮农组织划定贫困与富裕标准的富裕线，表明农民消费结构越过了一个质界线，达到了小康要求的标准，其实现程度为100%；但客观的分析，不少农村农民生活还比较贫困，贫困山区和一些插花贫困乡村农民生活水平依然不高。2007年，山西农民居住质量指数实现程度为24.9%，同比提高1.6个百分点；农民文化娱乐支出比重实现程度为86.7%，同比提高38个百分点；农民信息化程度实现程度为53.1%，同比提高15.6个百分点。这些情况表明，随着中央多项支农惠农政策，特别是社会主义新农村建设方针的贯彻落实，调谐和保障作用正初步凸显。

5．民主法制实现程度有所下降

2007年，山西农村全面小康民主法制实现程度虽然在六个方面中最高为70.0%，但比上年下降9个百分点。其中，山西省农民对村政务公开满意度为73%，实现程度为60.%，同比下降10个百分点；农民社会安全满意度为80%，实现程度为80%，同比下降8个百分点。表明近年来，农村村务公开和村民自治工作有所松懈。全省各地应积极推进基层民主建设，进一步健全村务公开和村民自治制度，加大治安力度，尽快提高农民对村政务公开的满意度和对社会安全的满意度。

6．资源环境实现程度仍为负值

2007年，山西农村全面小康资源环境实现程度仍为负值（-24.4%）。其中，常用耕地面积变动幅度和森林覆盖率实现程度均为负值，分别为-100%和35.4%；万元农业GDP用水量在合理范围内，为1316立方米/万元，实现程度达到了小康标准。可见，在工业化、城市化进程加快的情况下，保持耕地动态平衡难度还较大，资源环境保护任重道远。

（二）山西农村全面建设小康的难点

1．温饱和贫困人口仍占一定比例，农民进一步增收的难度较大

目前，山西省人均GDP只有2213美元，经济发展水平还较低。按照全面小康的目标，人均GDP将超过3000美元，达到中等收入国家水平。从小康的实现程度上看，人均可支配收入为2981元，实现程度仅为20.6%，只完成小康目标的五分之一 ，仍有相当一部分低收入农民生活徘徊在温饱区间。2007年，按农民人均纯收入由低到高排序后，最低收入20%人口组农户的人均纯收入只有1337.54元，与全省平均水平相差2328.12元，比2005年增加180.64元，由此可见，低收入群体的收入与全省平均水平的差距在拉大。按2007年国家统计局确定的农村贫困户标准（人均纯收入786元以下）测算，山西农村绝对贫困户人口大致占1.6%左右，约40万人，这些人的脱贫成本和增收难度更大。收入差距和弱势群体问题是今后全面建设小康社会进程中不可忽视的问题。

2．城乡二元结构体制仍未有效突破，结构性矛盾仍较突出

建设社会主义新农村，要求突破城乡二元结构体制，统筹城乡发展，实现从以往的农业支持工业，为工业提供资金积累向工业反哺农业、城市带动农村的战略性转变。一

是城乡结构问题。实施城市化发展战略，可使农村富余劳动力打破城乡二元结构，脱离土地，转移到二、三产业中去，使土地、劳动力、资金等生产要素能够在更大的范围内重新组合，并且通过城市的扩散效应，提升农村人口的生活质量。发达国家大致在20世纪70年代相继完成了城市化进程，城市化水平大于70%，步入后城市化阶段。近年来，山西采取了加快城市发展的政策，在户籍、土地、经济、教育、卫生、就业、社会保障等方面城乡统筹发展，大大加快了城市化的发展进程，城市化水平已达到44.03%。但与世界上大多数国家相比城市化水平仍然偏低。城乡二元经济结构还没有根本改变，城乡统筹发展的步子还比较慢。二是产业结构问题。第一产业比重还较高，第三产业比重偏低，产业结构不够优化。2007年，山西第一产业增加值和第三产业增加值占GDP的比重分别为5.5%和34.9%，农业份额与发达国家国民经济结构标准第一产业增加值比重3-8%相比，略显偏高，第三产业增加值比重大大低于20世纪90年代初世界50%以上的平均水平，处于低收入国家结构水平（38%以下）。三是就业结构问题：2007年，山西非农产业劳动者占全社会劳动者的比重不到40%，而世界平均水平在工业化后期将达到80%左右。农业就业比重偏高，第三产业比重偏低，城市化水平滞后，过量农业劳动力转移的任务将十分繁重。

3．收入差距呈拉大之势，发展不均衡问题有待进一步解决

一是城乡居民收入有继续扩大的趋势。2007年，山西城镇居民人均可支配收入为11564.95元，农村居民人均纯收入为3665.7元，城乡之差为7899.25元，城乡差别比由2000年的2.47:1扩大到3.15:1。二是农村居民内部收入差距大于城镇居民内部收入差距。农村内部高收入户人均纯收入已达7557.48元，是低收入户的5.7倍；比城镇居民高低收入户差距（4.5倍）大1.2倍。同时，农村居民内部中等收入者阶层比重偏低，收入群体结构不够优化。从反映收入分配均等程度的基尼系数来看，山西农村居民基尼系数处于0.3-0.4之间，城镇居民基尼系数介于0.2-0.3之间，农村基尼系数高于城镇，说明农村居民内部分配不平均程度要大于城镇。三是地区差距仍然较大。地区间、县际间、乡村与乡村之间农民收入和生活水平差异较大，从全省农村发展程度和小康进程来看，呈现出了明显的不平衡，且差距不断拉大。中部腹地和城市郊区农村发展较快，而东西两山特别是一些居住在贫困县山庄窝铺的农民生活水平明显滞后，甚至出现一些上学难、就医难的现象，相当一部分农村居民毫无致富门路，生活十分拮据。由于地区间经济发展水平的差异，导致东西部地区和中部地区农民收入、生活水平差距也较大，制约了农村全面小康社会进程。

4．中小学农村教育设施落后，农民文化教育水平和农民素质亟待提高

大量的统计数据表明，农民收入和农民受教育程度成正相关关系。因此，提高农民收入，在不断减少农民、转移农民的同时，还要教育农民，培训农民，提高农民，使农民成为高素质的劳动者，才能使他们获得比较好的岗位和比较高的收入。从山西农村文化教育看，农民知识化水平还不高，目前农业劳动力平均受教育年限仅为7.5年，相

当于初中二年级的水平，人口的总体素质实现程度仅为10.5%，离全面建设小康社会的要求存在相当大的距离。要提高这个指标值难度很大。一是大部分农村中小学教学条件落后，缺乏必要的教学实验设备，加之教师整体素质不高，优秀教师匮乏，影响了农村教育事业的发展；二是农村老龄化速度加快，农村较高文化素质的劳动力大量流向城市，农村大学生回到农村就业的少之又少，影响了农村人口平均受教育年限指标值的提升。

5. 生态环境和保障环境有待进一步改善，可持续发展问题仍较严峻

生态环境建设是全面建设小康社会的重点。从自然环境和社会环境的实现程度来看，农村小康指标体系重点考察农民的基本生存、生活环境问题。从反映生态环境优化的森林覆盖率看，国家认可的山西覆盖率只有14.2%，离小康标准23%的目标还有很大差距。同时还要高度关注的问题是防止污染大规模向农村转移，否则即使农民富裕了，也难以达到全面小康的目标。社会保障制度建设方面，目前农村社会保障覆盖面低，养老保险的覆盖率为6.2%，离全面小康标准大于等于60%的水平差距较大，实现程度仅为7.6%。农村可持续发展问题还面临严峻挑战。

（三）加快山西农村全面小康社会建设进程的几点建议

1. 大力发展农村经济，持续增加农民收入

农民收入是在全面小康指标体系中所占权重最高（20%）的一项考核指标，同时也是提升难度最大的一项指标。要实现全面小康，就要解决“三农”问题、增加农民收入，这已成为全社会的共识。近年来，国家出台了一系列支农惠农政策，千方百计保护农民种粮的积极性，减轻农民负担，推动“三农”工作，增加农民收入。山西农民收入无论从增量还是增速上均有较快的发展。但是由于基数较低，属于低水平基础上的增长。按2000年价格计算的农村居民可支配收入，到2020年要达到全面小康的标准，在未来的13年，年均增长率要达到5.53%才能如期实现全面小康目标值，要保持这一增长速度，任务十分艰巨。因此，推进农村全面小康，必须加大政策支持“三农”力度，建设现代化农业，发展农村经济，建立农民增收的长效机制。一是要依托三大农业经济区、十大优势农产品生产基地，加快发展优质杂粮、草食畜、干鲜果和蔬菜四大产业。突出抓好发展农业产业化龙头企业和农产品加工业，延伸农产品产业链，提高农产品附加值及农业产业化龙头企业带动农户发展种养业的比例。二是要抓紧建立完善农产品销售组织和服务网络，加快推进农业科技创新、科教兴农以及科技入户、科普惠农工程，提高农民的科学文化素质，拓展农民增收、农业增效的空间。三是建立完善劳务输出中介组织，加强农民就业指导和培训工作，加快转移农村富余劳动力。四是继续完善农业补贴政策，保持农产品价格合理水平。五是加快推进具有比较优势的县域主导产业发展，辐射带动农村经济发展，增加农民收入。

2. 促进城乡协调发展，积极推进社会主义新农村和城镇化建设进程

实现城乡经济协调发展，推进城镇化建设的进程，是党的十六大对农业、农村工作提

出的新要求。统筹城乡发展，推进社会主义新农村建设，就是要深入贯彻落实科学发展观，加大对农村经济社会发展的支持力度，从根本上突破城乡二元结构，逐步缩小城乡差距，实现城乡一体化。一是要大幅度增加对农业和农村的投入，不断巩固和加强农业基础地位，走中国特色农业现代化道路。特别是建立以工促农、以城带乡长效机制，形成城乡经济社会发展一体化新格局。二是加大支农惠农政策力度，严格保护耕地，增加农业投入，促进农业科技进步，增强农业综合生产能力。确保国家粮食安全，适应经济社会发展对农业日益增长的需求。三是加快构建城乡劳动力互动的新格局。除积极发展现代农业外，还要继续发展乡镇企业，不断壮大县域经济，形成有利于农村劳动力转移的环境条件，进一步吸引农民进城，增加城市人口，深化户籍制度改革，完善流动人口管理，引导农村富余劳动力转移，逐步建立和完善城镇社会保障制度，提高城镇的功能和管理服务水平，为进城农民解决社会保障、子女上学等一系列问题，有力地促进农民转移、农民富裕。

3．提高农村劳动力素质，增强其在社会主义市场经济中的竞争能力

控制人口数量，提高人口质量，优化人口结构，保障人口安全，变人口压力为人力资源，为经济社会发展提供持久动力，是全面建设小康社会、加快推进社会主义现代化进程的战略选择，是中国特色社会主义道路和理论体系的重要组成部分，是落实科学发展观的必然要求。要使我国由人口大国转化为人口强国，为全面小康社会建设提供坚强的人才保证和智力支持，就必须把促进发展作为人才工作的根本出发点，要加大对农村教育、文化事业经费的投入。要进一步理顺农村义务教育管理体制，确保农村税费改革后学校正常运转所需经费。利用各种形式加强对农民培训和职业教育。提高农村劳动力的综合素质，使他们成为有文化、懂技术、会经营的新型农民，具备进入农业以外领域的条件，适应产业结构变化带来的新的就业机遇，适应市场经济的竞争，充分发挥他们在社会主义新农村建设中的主体作用。

4．加大生态环境建设与自然资源保护力度，促进农业和农村经济可持续发展

随着全省经济总量的不断增长和生产规模的日益扩大，资源短缺、环境恶化、生态危机已成为全面小康建设的最大障碍。目前，我省资源环境实现程度仍为负值，离全面小康标准相差甚远。据有关部门统计，山西全省采空和塌陷区已近2000平方公里，23.2万人饮水出现了非常困难的状况，30多万亩水浇地因水源干涸沦为旱地，一些地区的厂矿周围，资源枯竭，污水横流，村民成天闻着刺鼻的恶臭。科学发展和可持续发展在山西显得尤为迫切和必要。我们认为，新阶段在农业生态环境与资源建设方面，要重点抓好以下几项工作：一是加快生态建设步伐，为实现农业可持续发展创造条件。二是加大环境污染治理力度，保障农业生产环境安全和农产品质量安全。三是高度重视农村可再生能源建设和标准农田的保护力度，使重点区域农业污染源得到控制，农药化肥用量降到合理水平，农业废弃物得到有效利用，积极探索改善农业生产条件和农民生活方式的新途径，促进农业和农村经济的可持续发展。

2007年农村全面小康综合表(山西)

指 标	单 位	总体小康值	全面小康值	2007年实际值	实现程度	权 数	综合分值
A 、经济发展					24.2	29	7.0
农村居民人均可支配收入	元/人	2200	6000	2981	20.6	20	4.1
第一产业劳动力比重	%	50	35	43.6	42.7	5	2.1
小城镇人口比重	%	16	35	19.7	19.5	4	0.8
B 、社会发展					58.6	20	11.7
农村合作医疗覆盖率	%	10	90	76.1	82.6	8	6.6
农村养老覆盖率	%	1.8	60	6.2	7.6	4	0.3
万人农业科技人员数	人	1	4	1.6	20.0	4	0.8
农村居民基尼系数	-	0.35	0.3-0.4	0.34	100.0	4	4.0
C 、人口素质					10.5	15	1.6
平均受教育年限	年	7.4	9	7.5	6.2	12	0.7
平均预期寿命	年	69.5	75	71	27.3	3	0.8
D 、生活质量					52.2	23	12.0
恩格尔系数	%	49	40	38.5	100.0	4	4.0
居住质量指数	%	18	75	32.2	24.9	11	2.7
农民文化娱乐支出比重	%	2.5	7	6.4	86.7	3	2.6
农民信息化程度	%	28	60	45	53.1	5	2.7
E 、民主法制					70.0	6	4.2
农民对村政务公开的满意度	%	55	85	73	60.0	3	1.8
农民社会安全满意度	%	60	85	80	80.0	3	2.4
F 、资源环境					-24.4	7	-1.7
常用耕地面积变动幅度	%	-0.3	0	-0.1	-100.0	3	-3.0
森林覆盖率	%	16.5	23	14.2	-35.4	2	-0.7
万元农业GDP用水量	立方米/万元	2600	1500	1316	100.0	2	2.0
农村全面小康实现程度合计						100	34.8

五、内蒙古自治区农村全面建设小康监测报告

2007年，全区各族人民在自治区党委、政府的正确领导下，以邓小平理论和“三个代表”重要思想为指导，深入贯彻落实科学发展观，努力构建社会主义和谐社会，国民经济呈现增长较快、结构优化、效益提高、民生改善的良好态势，社会各项事业全面进步。根据国家统计局农村牧区全面小康标准和综合评价方法，我们对2007年度内蒙古农村牧区全面小康实现程度进行了测算。从测算结果看，内蒙古农村牧区全面小康实现程度为34.3%，比上年提高了7个百分点，农村牧区全面小康建设又迈进了一步。

（一）农村牧区全面小康建设稳步推进

农村牧区全面小康建设监测指标体系中包括农村牧区经济发展、社会发展、人口素质、生活质量、民主法制和资源环境6个方面指标。2007年，内蒙古6个方面指标的全面小康实现程度依次为19.8%、68.1%、10.3%、49.4%、57.3%和-20.4%。社会发展、生活质量和民主法制3个方面指标实现程度均超过49%；农村牧区居民基尼系数和农村牧区居民恩格尔系数2项指标已达到全面小康标准；农村牧区居民可支配收入、居住质量指数、农牧民信息化程度和农村牧区合作医疗覆盖率4项指标的实现程度获得了较大幅度的提升。具体表现为：

1．农村牧区经济稳定发展

农牧业增产，农牧民增收，小城镇建设加快，有力地提升了内蒙古农村牧区经济发展水平，推进了农村牧区全面小康建设。2007年，全区第一产业实现增加值784亿元，增长5.8%；粮食总产量达到1811万吨，均创历史最高水平。2007年，内蒙古农牧民人均可支配收入达到3607元，比上年增加530元，增长17.2%，全面小康实现程度为19.8%，比上年提高8个百分点；农村牧区从事第一产业劳动力比重为52.6%，全面小康实现程度为-17.3%，还没有达到总体小康水平；在农牧业稳定增产、农牧民收入增加的同时，农村牧区小城镇建设得到进一步发展，农村牧区小城镇人口比重为28.5%，全面小康实现程度为65.8%。

2．农村牧区社会事业发展加快

农村牧区经济稳定发展和国家、自治区财政支出向农村牧区的倾斜带动了农村牧区社会的不断进步，特别是新型农村牧区合作医疗事业得到极大发展。2007年内蒙古全面推行新型农村牧区合作医疗制度，将95个旗县（市区）列入实施范围，参加合作医疗的农牧民达1100多万人，参合率达到85%，全面小康实现程度为93.8%；农村牧区养老保险覆盖率为9.5%，全面小康实现程度达13.2%；万人农牧业科技研究人员数为2.2人，全面小康实现程度为40%；农村牧区居民基尼系数为0.37，达到了全面小康标准，农村牧区居民收入差异程度保持在合理区域。

3．农村牧区人口素质保持稳定

2007年，内蒙古农村牧区人口平均受教育年限为7.7年，平均预期寿命68.2年，均与上年持平，全面小康实现程度分别为18.8%和-23.6%。

4．农牧民生活质量得到改善

2007来，内蒙古农村牧区居民的物质生活向高层次发展，精神生活更加丰富，消费方式和结构发生较大变化，食品消费支出在生活消费支出中的比重下降，文化娱乐消费增加较快，占生活消费支出的比重上升。2007年内蒙古农牧民生活质量的全面小康实现程度为49.4%，比2006年提高16.7个百分点。2007年全区农村牧区居民人均生活消费支出3256元，比上年增加484元,增长17.5%；农村牧区居民恩格尔系数为39%，达到全面小康标准；农牧民居住质量指数为30.8%，提高10.1个百分点，其中人均住房面积达到21平方米，增长4.3%；农牧民文化娱乐支出比重为5.4%，比上年提高0.5个百分点。

近年来，我国电信事业取得了飞速发展，固定电话初装费取消，手机售价降低，通话费率下降，农村牧区电话拥有量急剧上升。2007年底，内蒙古农村牧区电话普及率达到83.7%；每百户彩电拥有量为93.4台；每百户家庭电脑拥有量为0.8台。农牧民信息化程度达到47%，比上年提高了10个百分点，全面小康实现程度为59.4%。

5．民主法制方面实现程度57.3%

2007年，全区各地加大了农村牧区基层组织建设和村政务公开的力度，农村牧区民主法制建设和社会安全正发生深刻变化，法制制度不断健全，治安状况日益向好。2007年全区农牧民对村政务公开的满意度为75%，对社会安全的满意度为72%。

6．资源环境得到有效保护

良好的生态环境已成为内蒙古经济社会持续发展的一大优势。2007年，内蒙古农村牧区资源环境质量继续保持良好状态，全区森林覆盖率达17.7%，万元农牧业GDP用水量为1940立方米。

（二）农村牧区全面小康建设的难点

1．农牧民增收难度加大

监测结果表明，由于目前内蒙古农牧民收入水平较低，很大程度上影响了农村牧区经济发展水平和农牧民生活质量的提高，成为全区加快农村牧区全面小康建设进程的薄弱环节。2007年，内蒙古以2000年为基期的农牧民可支配收入为2955元，要实现全面小康目标，尚差3045元，意味着在今后的13年中每年增加234元，实现这个增量，充满着挑战。1995年以来，外出务工收入已成为内蒙古农牧民增收的主要来源之一。近年来随着中西部农村牧区劳动力加速外流，劳动力市场竞争日益激烈，文化程度低，缺少技术的农牧民工工资水平上升非常缓慢，外出务工不断增收的难度加大。因此说，农牧民增收难度加大，需要加倍努力。

2．农村牧区基础设施落后

从总体来看，内蒙古农田水利工程大多老化失修，抗大灾的能力减弱；50%以上的农村牧区人口没有饮用自来水；大部分农户没有使用无害化厕所。农牧民希望大力加强农田水利建设，改善生活条件，但由于自身经济实力不强，加上乡镇政府财力薄弱，村级办事缺钱，改善农村牧区基础条件的任务十分艰巨。

3．人口素质提高需要一段时间

在农村牧区全面小康监测体系中，农村牧区人口平均受教育程度是仅次于农牧民收入的第二位重要指标。内蒙古农村牧区人口平均受教育年限只有7.7年，相当于初中二年级的水平，受教育程度增长缓慢。农村牧区劳动力素质不高，难以掌握现代科学技术及生产技能，成为农村牧区全面小康进程中的重要制约因素。

4．农村牧区社会保障水平低

总体来看，目前全区农村牧区养老保险还处于起步阶段，比全面小康目标相差很远；合作医疗有了较大的发展，农村牧区参保人员不断增加，2008年参保率将进一步提高，但是补贴标准偏低，所能起到的社会保障作用需要加强。另外，农村牧区卫生院的医疗设备落后，农村牧区医疗机构人才缺乏，存在“人多才少”的现象，很不利于乡镇医疗卫生水平的提高。

（三）加快农村牧区全面小康进程的建议

1．建设现代农牧业产业体系

稳定提高农牧业综合生产能力，保障粮食和农畜产品供给。加快实施优质粮食产业、大型商品粮基地建设和沃土工程，提高优质高产高效作物比重，确保粮食产量稳定增长。提高畜牧业特别是农区畜牧业在第一产业中的比重，突出发展农区规模化健康养殖业，落实草畜平衡和禁牧、休牧、轮牧等制度，促进草原畜牧业可持续发展。培育龙头企业，建设规模化、专业化、标准化产业基地，加快提升农牧业产业化经营水平，提高农畜产品转化增值率。

2．加强新农村新牧区基础设施规划建设

政府要确保财政支农支牧投入每年提高，对农村牧区固定资产投资每年提高，加大对“三农三牧”的支持力度。要加强以水利为中心的农田、草牧场基本建设，增加小型农田水利工程建设补助专项资金，加大土地复垦整理力度，改造中低产田，建设一批高标准农田。加强农村牧区道路、电力、通信、沼气等基础设施和新能源建设，努力改善农牧民生产和生活条件。

3．千方百计增加农牧民收入

要完善产业化经营利益分配机制，大力发展农牧民专业合作组织，发展壮大农牧区二三产业，使农牧民从生产、流通、销售等环节中充分受益。积极落实农牧民政策性收入，毫不动摇继续实行粮食直补，增加农资综合补贴，扩大良种、农牧机具购置补贴范围，提高补贴标准。全力保证退耕还林、退牧还草等各项补助到位。扩大农牧业政策性保险覆盖面，进一步完善和提高对奶牛、能繁母猪等养殖户的补助补贴。同时，要加快农村牧区劳动力转移，发展劳务经济，稳定促进农牧民增收。

4．完善公共卫生和乡村医疗服务体系

相关部门要加强农村牧区三级卫生服务网络、新型农村牧区合作医疗制度建设，继续提高新型农村牧区合作医疗补助标准，提高农牧民参合率。同时，要抓好重大传染病预防控制，加强医疗救治体系建设，保障农牧民有病能医、医得起。

2007年农村全面小康综合表(内蒙古)

指 标	单 位	总体小康值	全面小康值	2007年实际值	实现程度	权 数	综合分值
A、经济发展					19.8	29	5.7
农村居民人均可支配收入	元/人	2200	6000	2955	19.9	20	4.0
第一产业劳动力比重	%	50	35	52.6	-17.3	5	-0.9
小城镇人口比重	%	16	35	28.5	65.8	4	2.6
B、社会发展					68.1	20	13.6
农村合作医疗覆盖率	%	10	90	85	93.8	8	7.5
农村养老覆盖率	%	1.8	60	9.5	13.2	4	0.5
万人农业科技人员数	人	1	4	2.2	40.0	4	1.6
农村居民基尼系数	-	0.35	0.3-0.4	0.37	100.0	4	4.0
C、人口素质					10.3	15	1.5
平均受教育年限	年	7.4	9	7.7	18.8	12	2.3
平均预期寿命	年	69.5	75	68.2	-23.6	3	-0.7
D、生活质量					49.4	23	11.4
恩格尔系数	%	49	40	39.3	100.0	4	4.0
居住质量指数	%	18	75	30.8	22.5	11	2.5
农民文化娱乐支出比重	%	2.5	7	5.4	64.4	3	1.9
农民信息化程度	%	28	60	47	59.4	5	3.0
E、民主法制					57.3	6	3.4
农民对村政务公开的满意度	%	55	85	75	66.7	3	2.0
农民社会安全满意度	%	60	85	72	48.0	3	1.4
F、资源环境					-20.4	7	-1.4
常用耕地面积变动幅度	%	-0.3	0	0.4	-100.0	3	-3.0
森林覆盖率	%	16.5	23	17.7	18.5	2	0.4
万元农业GDP用水量	立方米/万元	2600	1500	1939.5	60.0	2	1.2
农村全面小康实现程度合计						100	34.3

六、辽宁省农村全面建设小康监测报告

2007年，辽宁省委、省政府认真贯彻落实中央1号文件精神，全面落实科学发展观，加大了对农业的投入力度，农村经济综合实力进一步增强，农村各项事业全面发展，社会主义新农村建设取得显著成效。根据国家统计局农村全面建设小康标准和监测方法计算，2007年，辽宁省农村全面建设小康实现程度达到57.5%，比上年提高6.1个百分点。

（一）农村全面建设小康进程

2007年辽宁农村全面建设小康的六个方面中，社会发展实现程度最高为79.2%；民主法制紧随其后，实现程度为77.3%；后面依次为资源环境、人口素质、生活质量、经济发展，实现程度分别为57.1%、54.3%、52.4%、44.3%。

1.农村经济发展速度加快，实现程度为44.3%，比上年提高8.2个百分点

2007年辽宁农村经济发展速度加快，粮食产量创历史最高水平，农民人均纯收入快速增长。其中，农民人均可支配收入（按2000年价格计算）3457元，比上年增加329元，增长10.5%，全面建设小康实现程度为33.1%，比上年提高8.7个百分点；辽宁第一产业劳动力比重呈下降趋势，由2006年的33.7%下降到32.4%，连续两年超过农村全面建设小康标准(≤35%)，实现程度达100%；辽宁小城镇人口比重为21.8%，全面建设小康实现程度为30.5%，比上年提高15.8个百分点。

2.社会事业继续快速发展，实现程度为79.2%，比上年提高13.4个百分点

辽宁省委、省政府高度重视新型农村合作医疗工作，自2004年7月开始，新型农村合作医疗试点工作在辽宁积极、扎实、稳步推进。2007年辽宁农村合作医疗覆盖率达88%，全面建设小康实现程度达97.5%，比上年提高13个百分点，实现农村全面小康指日可待；相对于新型农村合作医疗试点工作的蓬勃发展，由于农村社会保障体系不健全和受财力所限制，农村养老保险事业发展明显滞后，2007年农村养老保险覆盖率为10.2%，比上年提高0.6个百分点，全面建设小康实现程度为14.4%，仅比上年提高1个百分点；2007年每万个农村居民拥有农业科研人员为3.6人，全面建设小康实现程度为86.7%；2007年反映农村居民收入分配差异程度的基尼系数为0.397，一直处于合理区间，全面建设小康实现程度为100%。

3.农村人口素质大幅提高，实现程度54.3%，比上年提高14.8个百分点

2007年辽宁继续强化政府对农村义务教育的保障责任，连续三年全部减免农村义务教育阶段学生学杂费，有利地促进了农村义务教育的发展。辽宁农村人口平均受教育年限为8.1年，全面建设小康实现程度为43.8%，比上年提高12.6个百分点；随着农民生活水平的提高和卫生医疗条件的改善，农村居民平均预期寿命也有所提高。2007年辽宁农村人口平均预期寿命为74.8岁，全面建设小康实现程度达96.4%，比上年提高23.7个百分点。

4.农民生活质量稳步提升，实现程度达52.4%，比上年提高5个百分点

随着农民收入的增长，辽宁农民生活消费水平不断提高，农民的消费结构和生活质量不断发生质的变化。2007年农村居民恩格尔系数为39.6%，比上年下降1.6个百分点，首次超过农村全面建设小康标准(≤40%)，实现程度达100%；2007年农村居民居住质量指数为25.9%，比上年提高了1.9个百分点，全面建设小康实现程度为13.9%，比上年提高了3.4个百分点；农民文化娱乐支出占生活消费支出比重为4.8%，全面建设小康实现程度为51.1%，比上年提高了8.9个百分点；农民信息化程度不断提升，农村住户抽样调查显示：2007年末每百户农民家庭拥有彩色电视机106台、固定电话92部、手机78部,，接入有线电视网的农民家庭达67%，农民信息化程度达到60%，已连续三年达到全面建设小康标准（≥60%），实现程度达100%。

5. 民主法制建设进程加快，实现程度77.3%，提高13个百分点

近年来，辽宁积极推进民主建设，进一步健全村务公开和民主自治制度。以构建“和谐辽宁”为载体，公安和行政执法部门加大打击各种形式的犯罪和违法行为，使农民对政务公开和社会安全的满意度进一步提高，2007年农民对村政务公开的满意度为81%，比上年提高3个百分点，全面建设小康实现程度为86.7%，比上年提高了10个百分点；农民对社会安全的满意度达到77%，比上年提高4个百分点，全面建设小康实现程度为68%，比上年提高了16个百分点。

6. 资源环境实现程度57.1%，比上年下降42.9个百分点

2007年在反映资源环境的三项指标中，森林覆盖率和万元农业GDP用水量已多年超过全面建设小康标准，实现程度100%，只是由于常用耕地面积实现程度为0，导致资源环境全面建设小康实现程度下降。

综上所述，在反映农村全面建设小康的六个方面中，社会发展和民主法制全面建设小康实现程度达到75%以上；资源环境、人口素质和生活质量全面建设小康实现程度在50%-60%之间；只有经济发展全面建设小康实现程度低于50%。从农村全面建设小康的18项指标来看，第一产业劳动力比重、基尼系数、恩格尔系数、农民信息化程度、森林覆盖率和万元农业GDP用水量6个指标实现全面建设小康目标，其中恩格尔系数首次实现全面建设小康目标。常用耕地增长率、居住质量指数和农村养老覆盖率全面建设小康实现程度较低，还不到15%。

（二）农村全面建设小康的难点

1. 可支配收入水平低，持续增收难度大

从农村全面建设小康的18项指标来看，农民人均可支配收入是农村全面建设小康的核心指标，权重最大为20%，是建设小康的重中之重。2007年辽宁农村居民人均可支配收入达3457元，比全面建设小康标准低2543元，低42.4%，全面建设小康实现程度只有33.1%，得分6.6分，与满分相差13.4分。近年来，在各项惠农政策的支持下，加之气候条件适宜，辽宁粮食产量稳定增加，农民收入持续增长，但收入结构不够优化、生产成本加大、地区收入差异较大的问题仍然存在，确保农民收入持续增长的难度较大。

2. 农村基础设施落后，居住质量难以提升

长期以来，各级政府对农村基础设施建设投入很少，很大程度上是靠农民自己积累，所以目前农村基础设施落后，农民的居住质量还比较差。2007 年，农民居住质量指数达到25.9%，小康实现程度仅为 13.9%。在农村全面建设小康的 18 项指标中，居住质量指数小康实现程度仅比常用耕地高（常用耕地实现程度为 0）。其中，使用水冲式卫生厕所的农户仅占 1.9%；使用清洁能源的户比重为 21.3%；农村饮用自来水的户比重为 27.9%；室外道路是板油路面的农户占 27.4%。

3. 农村养老保险制度不完善，养老覆盖面扩大难

2007 年辽宁农村养老覆盖率仅为 10.2%，与农村全面建设小康标准（≥60%）相比，差距非常大。农村养老覆盖率小康实现程度为 14.4%，在农村全面建设小康的 18 项指标中排倒数第三位，比居住质量指数小康实现程度略高。目前农村与城市的社会养老保障程度存在明显差距，“城里老人为长寿忙，农村老人为活命愁”的强烈反差，凸显破解农村养老难题迫在眉睫。农村养老覆盖率低的状况，将在很长一段时间内制约辽宁农村全面建设小康进程。

4. 农村城镇化发展缓慢，劳动力转移受阻

城镇地域内非农企业的吸纳是农村劳动力转移的重要途径之一。 2007 年辽宁小城镇人口比重为 21.8%，虽比上年增加 3 个百分点，但与全面建设小康标准（≥35%）相比还有较大差距。小城镇人口比重的小康实现程度为 30.5%，实现程度较低。农村城镇化发展缓慢，阻碍了农村劳动力转移，进一步影响了农民收入的增加和农村全面建设小康的步伐。

5. 农村教育落后，人口素质提高难

在农村全面建设小康的 18 项指标中，农村人口受教育程度是仅次于农民可支配收入的第二位重要的指标，占有 12% 的权重。2007 年辽宁农村 6 岁及 6 岁以上人口平均受教育年限为 8.1 年，相当于初中二年级水平，全面建设小康实现程度为 43.8%。近年来，由于越来越多较高文化素质的劳动力流向城市，大学生不愿留在农村就业，部分农村适龄儿童因经济原因缀学、失学等原因，要快速提高辽宁农村人口平均受教育年限难度很大。

6. 耕地资源有限，实现占补平衡难

随着经济的快速发展，特别是城乡一体化进程的加快，建设用地的需求不断增加，耕地占补平衡的矛盾日益突出。2007 年辽宁常用耕地面积和上年持平，实现程度和分值均为 0。在辽宁城乡经济快速发展时期，如何既保护有限的土地资源，又保障重点建设项目的用地需求，是当前必须解决的一个突出问题。

（三）加快农村全面建设小康进程的建议

1. 拓宽增收渠道，千方百计增加农民收入

继续推进农业结构调整，挖掘农业内部增收潜力，以市场需求为导向，调整农产品品种和品质结构，大力开发高附加值的具有区域特色的名、优、特、稀产品，提高农产品质量和市场竞争力。适应市场需求变化、产业结构升级和增长方式转变的要求，调

整乡镇企业发展战略和发展模式，依托当地资源优势，大力发展农产品加工以及与之相配套的农产品储藏、保鲜、运销业等劳动密集型产业，为农民开辟更多的就业渠道。统筹城乡发展，加快城乡一体化进程，带动劳动力转移，促进农民收入持续增长。

2．加大基础设施投入，改善农民居住质量

基础设施建设是改善农村生产生活条件，塑造农村新风貌的关键一环。加大农村基础设施投入，要充分发挥政策引导和市场机制的作用，建立多元化筹资渠道，同时加强专项资金管理，提高资金使用效率。在农村基础设施建设中，要以规划引导建设，规划好村庄住房和水、电、路、排污等问题，从根本上解决村庄建设杂乱无章、设施不配套的问题。改造农村道路，实现村村主干道硬化、油化，村庄内公共道路平整通畅；实施安全饮水工程，提高农村居民饮水质量；鼓励农户改厕，建设清洁、无害的生态厕所；加快农村能源建设步伐，在适宜地区积极推广沼气、小水电、太阳能、风力发电等清洁能源技术。

3．建立健全农村养老保险制度，提高养老覆盖率

统筹城乡资源分配，建立城乡统一的并适合农村发展的社会养老保险制度，特别是建立“农保”转为“城保”的通道和机制，保障农民的养老金在不同地区之间、不同保障方式之间进行有效转接。推进保障形式和补偿模式的创新，将农村养老保险与其他社会保障相结合，提高保障能力。各级政府要加大财政投入力度，对参保农民进行补贴，在面向农民的筹资上，要降低门槛，低水平起步。制定并健全农村社会养老保险的法律、法规，对资金的来源、使用、增值等都有明确的法律规定，规范操作行为，从根本上解决农民的社会养老问题，促进经济和社会的可持续发展。

4．大力发展农村教育事业，提高农民文化素质

提高农村劳动力的素质是解放生产力和提高生产率的可靠保证，是农村全面实现小康的关键。首先，要高度重视农村基础教育，增加对农村教育的投资，加强农村师资力量的配备，普及和巩固农村九年制义务教育，促进基础教育的均衡发展。积极发展农村职业与成人教育，加大投入力度，将职业培训作为农村职业与成人教育的发展重点。广泛开展农业实用技术、劳动力转移等培训，提高广大农民的职业技能，对提高农业综合生产能力，增强农产品竞争力，建设社会主义新农村，具有十分重要的意义。

5．保护耕地资源，确保实现占补平衡

耕地是人类获取食物的重要基地，保护耕地的数量和质量，对农业可持续发展至关重要。要加大土地管理法律、法规的宣传力度，提高对土地国情的认识，严格依法保护耕地，营造依法合理用地、科学促进发展的舆论氛围。严格耕地占补平衡的监督和管理，确保补充耕地的数量和质量，统筹协调占用和补充耕地的规模， 合理确定占补耕地的规模、布局和时序，确保实现耕地占补平衡。坚持节流与开源并举，寻求多种节约用地、高效用地的方式，既落实好保护耕地的基本国策，又为经济可持续发展提供资源保障，实现资源和发展的双保共赢。

2007 年农村全面小康综合表（辽宁）

指 标	单 位	总体小康值	全面小康值	2007 年实际值	实现程度	权 数	综合分值
A 、经济发展					44.3	29	12.8
农村居民人均可支配收入	元/人	2200	6000	3457	33.1	20	6.6
第一产业劳动力比重	%	50	35	32.4	100.0	5	5.0
小城镇人口比重	%	16	35	21.8	30.5	4	1.2
B 、社会发展					79.2	20	15.8
农村合作医疗覆盖率	%	10	90	88.0	97.5	8	7.8
农村养老覆盖率	%	1.8	60	10.2	14.4	4	0.6
万人农业科技人员数	人	1	4	3.6	86.7	4	3.5
农村居民基尼系数	-	0.35	0.3-0.4	0.397	100.0	4	4.0
C 、人口素质					54.3	15	8.1
平均受教育年限	年	7.4	9	8.1	43.8	12	5.3
平均预期寿命	年	69.5	75	74.8	96.4	3	2.9
D 、生活质量					52.4	23	12.1
恩格尔系数	%	49	40	39.6	100.0	4	4.0
居住质量指数	%	18	75	25.9	13.9	11	1.5
农民文化娱乐支出比重	%	2.5	7	4.8	51.1	3	1.5
农民信息化程度	%	28	60	60	100.0	5	5.0
E 、民主法制					77.3	6	4.6
农民对村政务公开的满意度	%	55	85	81	86.7	3	2.6
农民社会安全满意度	%	60	85	77	68.0	3	2.0
F 、资源环境					57.1	7	4.0
常用耕地面积变动幅度	%	-0.3	0	0	0.0	3	0.0
森林覆盖率	%	16.5	23	35.1	100.0	2	2.0
万元农业 GDP 用水量	立方米/万元	2600	1500	947.1	100.0	2	2.0
农村全面小康实现程度合计						100	57.5

七、吉林省农村全面建设小康监测报告

2007 年，吉林省委、省政府以科学发展观统领全省农村工作，不断加大对农村的投入，使全省农业生产稳定增长，农民持续增收，农村经济实力进一步增强。根据国家统计局制定的农村全面小康社会标准和监测方法计算，2007 年吉林省农村全面建设小康实现程度达到 49.1%，比 2002 年（建设全面小康社会基期年）的 13.6% 提高了 35.5 个百分点，比 2006 年提高了 7.5 个百分点，也就是说，吉林省农村全面建设小康步伐加快，仅用 5 年时间就走过了将近一半的农村全面建设小康社会的路程。

（一）吉林省农村全面小康建设的基本情况

2007 年，吉林省农村全面建设小康取得了新的进展，实现程度已达 49.1%。在评价农村全面建设小康社会的六大方面中，同比呈现出“五升一平”的良好态势。其中：经济发展实现程度为 33.3%，同比提高了 9.2 个百分点；社会发展实现程度为 69.4%，同比提高了 15.3 个百分点；人口素质实现程度为 25.9%，同比提高了 5.0 个百分点；生活质量实现程度为 53.2%，同比提高了 3.5 个百分点；民主法制实现程度为 90.0%，同比提高了 1.6 个百分点。而资源环境实现程度为 57.1%，同比基本持平。

从评价农村全面建设小康社会的 18 个指标看，2007 年我省有五个指标实现程度达到了全面建设小康标准：即农村居民基尼系数、恩格尔系数、农民社会安全满意度、森林覆盖率和万元农业 GDP 用水量。实现程度超过 50% 的指标：即万人农业科技人员数 93.3%、农民文化娱乐支出比重 88.9%、农民信息化度 84.4%、农民对村政务公开满意度 80.0%、农村合作医疗覆盖率 77.5%、平均预期寿命 54.5%。实现程度不足 50% 的指标还有：第一产业劳动力比重 26.7%、农村居民人均可支配收入 34.2%、小城镇人口比重 36.8%、农村人口平均受教育年限 18.8%、居住质量指数 12.3%，尤其是农村养老覆盖率只有 1%，其小康实现程度为 -1.4%。

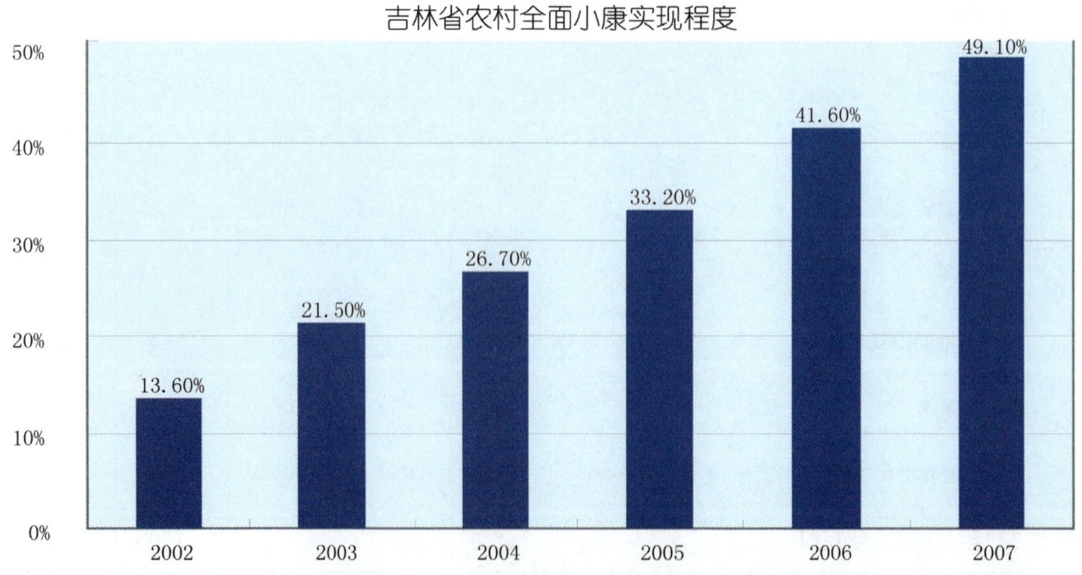

（二）吉林省农村全面建设小康进程明显加快

1. 经济发展实现程度为 33.3%，同比提高 9.2 个百分点

从经济发展方面的主要指标看，2007 年，我省农民人均可支配收入为 3555 元，扣除价格因素后为 3500 元(2000 年不变价)，全面建设小康实现程度为 34.2%，同比提高了 7.9 个百分点；2007 年农村小城镇人口比重为 23%，全面建设小康实现程度为 36.8%，同比提高了 10.5 个百分点；第一产业劳动力比重 46%，实现程度为 26.7%，同比提高了 13.4 个百分点。

2. 社会发展实现程度为 69.4%，同比提高 15.3 个百分点

从社会发展的四项指标看，农村合作医疗发展相对较快，吉林省自 2003 年开始实施了新型的农村合作医疗制度试点工作，到 2007 年底，全省农村合作医疗覆盖率已达到 72%，全面建设小康实现程度为 77.5%，同比提高了 26.6 个百分点；农村养老保险事业发展相对滞后，覆盖率仅为 1%，全面建设小康实现程度为 -1.4%；农村居民基尼系数仍处在 0.3-0.4 的合理区间，该指标的全面建设小康实现程度为 100.0%。2007 年每万个农村居民拥有的农业科技人员数为 3.8 人，全面建设小康实现程度为 93.3%，同比提高了 3.3 个百分点。

3. 人口素质实现程度为 25.9%，同比提高 5.0 个百分点

从反映人口素质的监测指标看，2007 年吉林省农村人口平均受教育年限为 7.7 年，全面建设小康实现程度为 18.8%，同比提高了 6.3 个百分点；农村人口平均预期寿命 72.5 岁，全面建设小康实现程度为 54.5%，与上年相同。

4. 生活质量实现程度为 53.2%，同比提高 3.5 个百分点

农民消费结构持续优化，居住环境不断改善，信息化程度稳步提高，促进了农民生活质量的提高。从反映生活质量的四个方面看，2007 年吉林省农村居民居住质量指数为 25%，全面建设小康实现程度为 12.3%，同比提高了 2.1 个百分点；食品支出在消费结构中所占的比重持续下降，农村居民恩格尔系数为 40%，全面建设小康实现程度为 100.0%，同比提高了 1.1 个百分点；农民文化娱乐支出比重为 6.5%，全面建设小康实现程度为 88.9%，同比提高了 15.6 个百分点。农民信息化程度为 55%，全面建设小康实现程度为 88.4%，同比提高了 5.3 个百分点。

5. 民主法制实现程度为 90.0%，同比提高 1.6 个百分点

从反映民主法制的两项指标看，由于吉林省各地进一步健全村务公开和村民自治制度，提高了农民对村务公开的满意度。2007 年，吉林省农民对村政务公开满意度为 79%，全面建设小康实现程度为 80.0%，同比提高了 3.3 个百分点；农民社会安全满意度为 90.0%，全面建设小康实现程度为 100%。

6. 资源环境实现程度为 57.1%，与上年相同

从反映资源环境的指标来看，2007 年森林覆盖率为 43.2%，全面建设小康实现程度为 100%。万元农业 GDP 用水量为 1033 立方米，全面建设小康实现程度为 100%。

综上所述，2007 年吉林省农村全面小康建设社会的总体特点是：农村社会方面的全面建设小康进程加快；农村经济、农民生活质量方面的全面建设小康进程保持较快增速；农

村人口素质等方面全面建设小康进程相对缓慢；从农村全面建设小康的18项指标来看，农村养老覆盖率等指标的全面建设小康实现程度较低。

（三）建设农村全面小康社会的难点

1．农民增收压力依然较大

经济发展速度的加快，将对吉林省农村全面建设小康起到关键的作用。但吉林省农民收入的增长，已经受到来自农业生产资料价格涨价因素严重影响，加之农村劳动力文化程度低，缺少技术的农民工工资水平上升非常缓慢，外出务工不断增收的难度加大。因此说农民增收难度加大，需要加倍努力。

2007年，我省农民人均可支配收入仅有3500元(2000年不变价)，全面建设小康实现程度仅为34.2%。距实现全面建设小康目标值6000元尚差2500元，这意味着在今后的13年中每年要增加192元。全面小康建设监测中，农民收入是最重要的指标之一，占有20%的权重。因此，农民收入上不去，将直接制约农村全面小康建设的实现程度。而今后相当长的时间内，农民增收仍然面临很大压力。一是粮食产量增加的空间有限；二是非农产业发展相对滞后；三是短期内农业生产效益提高难度大；四是惠农政策对农民收入的拉动作用有减弱之势。

2．农村社会保障体系还不很健全

农村社会保障水平低，是吉林省农村全面建设小康进程中的一个突出的难点问题。2007年，我省农村养老覆盖率全面建设小康实现程度仅为-1.4%，与全面小康值大于等于60%相比，差距悬殊。受财力所限，目前的农村养老保险体系建立仍相对滞后，实际工作中更多的停留在理论层面，可操作性较差，同时也缺乏舆论宣传有力的支持。可见，进一步提高全省农村养老保险覆盖率是建设农村全面小康社会的难点之一。如果没有各级政府强有力的支持，农村养老保险事业还将长期制约吉林省农村全面建设小康进程。

3．农村人口素质偏低

2007年吉林省农村经济实现了新的突破，农民生活水平继续提高，但提高吉林省农村人均受教育水平是一个长期而艰巨的任务。2007年末，我省农村劳动力文化水平呈“两高一低”的情况，一是我省农村劳动力中不识字或识字很少所占比重为2.4%，比全国平均水平低3.9个百分点。二是小学和初中文化程度的比重为86.6%，比全国平均水平高7.9个百分点。三是高中、中专、大专及以上文化程度所占的比重为10.9%，比全国平均水平低4个百分点。由此反映我省农村劳动力虽然文盲少，但是受过高中以上教育的也少。劳动力文化程度是直接影响农民掌握科学技术及生产技能和收入水平提高的重要因素，如何加强农村教育，提高农村劳动力的文化素质，特别是提高具有高素质懂管理善经营的农村专门人才，缩小与全国平均水平的差距，仍是当务之急。要提高这个指标值难度很大。一是大部分农村中小学教学条件落后，缺乏必要的教学实验设备，优秀教师严重不足，影响了农村教育事业的发展；二是农村老龄化速度加快，农村较高文化素质的劳动力大量流向城市，农村大学生回到农村就业的少之又少，影响了农村人口平均受教育年限指标值的提升。三是现有20岁以上农村人口再接受学历教育的面很小；四是农村教育经费投入不足和部分学校乱收费等影响了农村学生的入学率和辍学率。农村人口素质不高，难以掌握现代科学技术及生产技能，将成为农村全面建设小康进程中的重要制约因素。

4. 农村基础设施落后，农民生活质量有待提高

从监测结果看，2007 年吉林省农民生活质量全面建设小康实现程度有小幅的提升，但存在的问题仍无明显的改观，其主要原因是左右生活质量的高低的居住质量指数过低所致。该指标全面建设小康实现程度仅为 12.3%，列 18 项监测指标倒数第二，成为农民生活质量全面建设小康实现程度低水平徘徊的主要影响因素。

居住条件的改善，是全面小康的重要内容。多年来城乡二元化结构，导致除收入存在差距外，集中体现在拥有的基础设施层面的差距上，尤以居住环境质量方面的差异最为明显。在全面建设小康评价体系中，生活质量实现程度“位高权重”，仅列经济发展实现程度之后，而其中又首推居住质量指数实现程度。它涵盖了涉及农民居住质量、住房面积及房屋结构、饮用水源、生活能源、室外道路状况、卫生厕所等六项具体指标。农民居住质量差主要表现在：农村饮用自来水的居民户数比重低，2007 年该指标为 25.8%。使用清洁能源的农户只占 2.8%，使用水冲式卫生厕所的农户仅有 0.3%，享用水泥或柏油路面的农户分别为 50.2% 和 47.8%。

长期以来，农村的基础设施，政府虽投入很大，但仍然欠账太多。这种现状，对农村全面建设小康进程仍产生明显的抑制作用。

（四）促进农村全面小康社会建设的几点建议

1. 建立农民收入增长的长效机制

在稳定、完善和强化各项支农政策的基础上，切实加强农业综合生产能力建设，保证农民持续增收。一是不断调整产业结构，加快科技进步；二是加快农村小城镇建设，推进城乡一体化进程；三是吸纳农村劳动力充分就业，拓宽农民增收渠道；四是增加农业投入，强化对农业的保护支持。努力实现粮食稳定增产，农民持续增收。

2. 建立健全农村社会保障体系

一是完善农村社会保障的法律框架，制定相关条例。二是建立健全与经济发展水平相适应的农村居民基本生活保障制度，将农村社会保障纳入法制化、规范化的轨道。

3. 增加农村教育投入，全面提高农村人口素质

一是建议调整支农资金的使用方向，将资金重点用于失学辍学的农村学龄儿童的支出，从根本上解决失学、辍学问题。二是加大财政对农村教育的支持力度，彻底改变农村税费改革后，农村教育经费投入不足问题。

4. 加大农村基础设施投入，改善农民居住条件

调整财政支出结构，将更多的农村生活基础设施项目纳入公共财政领域，在资金上给予支持。应将通路、通水、普及卫生厕所列入日常工作的议事日程，在农村提倡使用清洁能源，鼓励农民美化村庄环境，改善农村生活条件。针对农村建设明显滞后，村庄建设杂乱无章，村庄环境脏乱差等突出问题，建议有关部门加快农村新社区的规划和建设，适当集中农村人口居住地，促进农村经济和社会协调发展。

2007年农村全面小康综合表（吉林）

指 标	单 位	总体小康值	全面小康值	2007年实际值	实现程度	权 数	综合分值
A、经济发展					33.3	29	9.6
农村居民人均可支配收入	元/人	2200	6000	3500	34.2	20	6.8
第一产业劳动力比重	%	50	35	46	26.7	5	1.3
小城镇人口比重	%	16	35	23	36.8	4	1.5
B、社会发展					69.4	20	13.9
农村合作医疗覆盖率	%	10	90	72	77.5	8	6.2
农村养老覆盖率	%	1.8	60	1	-1.4	4	-0.1
万人农业科技人员数	人	1	4	3.8	93.3	4	3.7
农村居民基尼系数	-	0.35	0.3-0.4	0.3	100.0	4	4.0
C、人口素质					25.9	15	3.9
平均受教育年限	年	7.4	9	7.7	18.8	12	2.3
平均预期寿命	年	69.5	75	72.5	54.5	3	1.6
D、生活质量					53.2	23	12.2
恩格尔系数	%	49	40	40	100.0	4	4.0
居住质量指数	%	18	75	25	12.3	11	1.4
农民文化娱乐支出比重	%	2.5	7	6.5	88.9	3	2.7
农民信息化程度	%	28	60	55	84.4	5	4.2
E、民主法制					90.0	6	5.4
农民对村政务公开的满意度	%	55	85	79	80.0	3	2.4
农民社会安全满意度	%	60	85	90	100.0	3	3.0
F、资源环境					57.1	7	4
常用耕地面积变动幅度	%	-0.3	0	0	0	3	0
森林覆盖率	%	16.5	23	43.2	100.0	2	2.0
万元农业GDP用水量	立方米/万元	2600	1500	1033	100.0	2	2.0
农村全面小康实现程度合计						100	49.1

八、黑龙江省农村全面小康监测报告

（一）2007 年农村全面小康实现程度

根据国家统计局农村全面小康标准及监测方法，以总体小康值为基点，以全面小康值为目标，国家统计局黑龙江调查总队对黑龙江省农村全面小康社会实现程度进行测算，2007 年黑龙江省农村全面小康社会的综合实现程度为 44.8%，比上年提高 7.8 个百分点。

1. 经济发展的实现程度为 21.9%，比上年提升 5.8 个百分点

据对 2007 年黑龙江省 25 个市县、2240 户农村住户调查（以下简称 2007 年农村住户调查）资料计算，按 2000 年可比价计算的农村居民人均可支配收入（以下人均可支配收入数据均为按 2000 年可比价计算）为 2886.8 元，实现程度为 18.1%，比上年提高 5.9 个百分点；农村剩余劳动力的快速转移，外出务工人员的增加，促进了农民收入的增长，第一产业劳动力比重下降幅度大是经济发展实现程度提升快的主要原因。2007 年我省第一产业劳动力占农村劳动力的比重为 43.7%，比上年下降了 1.5 个百分点，实现程度为 42%。农村居民外出打工人数比上年增长 8.7%，人均劳务纯收入比上年增长 21%；2007 年我省农村小城镇人口比重为 19%，实现程度为 15.8%。

2. 农村社会发展的实现程度为 64.5%，比上年提高 18 个百分点

2007 年我省农村合作医疗覆盖率为 68%，实现程度为 72.5%，比上年提高了 51.1 个百分点。黑龙江省新型农村合作医疗工作取得了较大的进展，全省 132 个县区的农村居民已经全面进入新型农村合作医疗政策覆盖范围，参加农民人数为 1312.88 万人，参合率达到 92.12%。截止到 2007 年上半年，我省已拨付中央和省级财政补贴资金 23344 万元，累计为参合农民核销医疗费 13493 万元，占其医疗总费用的 34.8%。我省新型农村合作医疗工作的开展，在很大程度上缓解了农民“看病难、看病贵”的问题，深受广大农民群众的欢迎；2007 年我省农村养老保险覆盖率为 2.3%，实现程度为 0.9%，处在相对较低水平；2007 年我省万人农业科研人员数为 3.3 人，实现程度达到 76.7%；2007 年我省农村居民基尼系数为 0.4，比上年提高了 0.05 个百分点，实现程度为 100%。

3. 农村人口素质实现程度为 17.5%，与上年持平

2007 年我省农村居民平均受教育年限为 7.7 年，实现程度为 18.8%。劳动力受教育情况直接关系到农民收入的高低，2007 年，农村劳动力中不识字或识字很少的人数占总劳动力的 2.1%，比上年下降 0.2 个百分点；小学到高中文化程度的占 95.1%，比上年提高 0.6 个百分点；中专及以上程度占 2.8%，比上年下降了 0.4 个百分点，我省劳动力整体文化素质在不断提升；2007 年我省农村人口平均预期寿命为 70.2 岁，实现程度为 12.7%。

4. 农村居民生活质量实现程度为 61.4%，比上年提高了 18.7 个百分点

随着消费观念的转变，生活档次不断提高，我省农村居民生活消费正由生存型向享受型发展。2007 年黑龙江省农村居民恩格尔系数为 34.6%，比上年降低 0.7 个百分点，实现程度为 100%；农民居住质量指数为 33.3%，比上年提高 2.9%，实现程度为 26.8%；农民文化娱乐消费支出比重指数为 6.3%，比上年提高 3.8 个百分点，实现程度为 84.4%；农民生活信息化指数为 57.7%，实现

程度为92.8%。居住面积增加：2007年黑龙江省农民人均住房面积为21.5平方米，比上年提高了0.6个百分点。其中，人均楼房、砖瓦平房面积为16.7平方米，比上年增长5.7%。住房质量提高：人均钢筋混凝土、砖木结构住房面积为17平方米，比上年增长6.9%。居住条件改善：2007年，我省农村居民使用暖气的农户所占比重为36.5%，比上年提高了4.7个百分点；使用燃气的农户所占比重为4.6%，比上年提高了0.9个百分点；引用自来水的农户所占比重为3.9%，比上年提高了21.3%。文化生活改善：2007年，我省农村居民人均休闲娱乐费为8.4元，比上年增长64.1%。每百户拥有家用计算机2.6台。通讯更加方便：2007年黑龙江省农村每百户居民拥有固定电话69.7部，拥有移动电话93.6部；农村居民人均通讯费支出为86.9元，比上年增长7.5%。

5. 农村民主法制的实现程度达到89.3%

2007年黑龙江省农村居民对村政务公开满意度为81%，实现程度为86.7%，表明我省村级政务比较透明。随着农民法制观念的逐步加强；黑龙江省农民对社会安全满意度为83%，实现程度为92%。

6. 我省资源环境的实现程度达到了49.4%

2007年黑龙江省常用耕地面积变动幅度为0.1%，实现程度为33%。2007年黑龙江省森林覆盖率达到43.6%，实现程度为100%；随着国家保护耕地政策的深入落实，使我省农村耕地得到了有效保护。2007年万元农业GDP农业用水量2341立方米/万元，实现程度为23.5%。

（二）农村全面小康建设的难点

1. 农民增收压力大，农民内部收入差距大

2007年全省农村居民人均纯收入为4132.3元，仅为全国平均水平。近些年，在国家多项惠农政策的促进下，我省农民收入增长较快，2004－2007年，我省农村居民人均纯收入由3005.2元提高到4132.3元，增加1127.1元，增长37.5%。在农民收入稳步增长的同时，农村居民内部收入差距却有拉大的趋势，2004－2007年，我省农村居民基尼系数由0.3提高到0.4，扩大33.3%。2007年我省农村居民高收入群体与低收入群体的收入比为9.1：1，要加大力度提高低收入群体的收入水平，缩小贫富差距。

2. 农村社会保障体系发展迅速，但不完善

相对于新型合作医疗工作的蓬勃发展，农村养老保险事业发展则明显滞后。2007年农村养老保险覆盖率只有2.3%，实现程度仅为0.9%。受财力所限，目前的农村养老保险体系建立仍相对滞后，实际工作中更多的停留在理论层面，可操作性较差，同时也缺乏舆论宣传有力的支持。如果没有各级政府强有力的支持，农村养老保险事业还将长期制约黑龙江省农村全面建设小康进程。

3. 农村教育落后，人口素质提升难

农村人口平均受教育年限只有7.7年，仅相当于初中二年级的水平。据2007年农村住户调查资料，我省农村居民人均文化教育、娱乐消费支出为312.3元，其中教育服务消费占73.7%，可见我省农民在文化消费上比较匮乏。我省大部分农村中小学教学条件落后，缺乏必要的教学实验设备，优质教师严重不足，影响了农村教育事业的发展。

农村人口平均受教育年限的提高受两方面因素影响：一方面是农村教育经费投入不足，农村教育资源匮乏，增大了农村儿童就学难度。另一方面，农村较高文化素质的劳动力大量流向城市，留在农村的很少。因此，农村平均受教育年限提升难度大。

4．居住质量不高，改善任务重

虽然近几年我省采取了一系列政策措施，努力改善农村居民的生活质量，取得了一定成效。然而，长期以来农村公共基础设施建设投入不足，农村居民住房设施配套不完善、卫生标准差、室外环境脏乱差的现象还相当普遍。据2007年农村住户调查资料，能饮用自来水的农村居民只占38.8%；有93.9%的农户仍在使用包括煤炭和柴草在内的非清洁能源燃料；使用暖气取暖的农户仅占36.5%；使用水冲式厕所的农户仅占1.1%。在村容村貌方面，生活用水自然排放，粪便无害化处理率也很低，农村废物垃圾得不到及时处理，暴露于室外，多数地方环境脏、乱、差、散，环境质量差。

5．乡村集体经济薄弱，小康建设后劲乏力

由于乡村级集体经济薄弱，加上乡镇财政收入增长困难，许多地方出现“有人管事，无钱办事”的局面，对村容村貌及公益设施的改变、农民生活环境质量的提高、社会保障等将产生消极影响。农村基层干部整体素质仍然偏低，远远不适应现代市场经济发展的需要。乡镇企业不发达、工业化程度低、产业化发育程度不高、区域内产业结构趋同，竞争激烈、缺乏投资、农业经济效益差等因素，制约着农村集体经济的快速发展。

6．农村城镇化发展缓慢，劳动力转移任务艰巨

农村劳动力的转移，主要靠乡镇地域内非农企业的吸纳，2007年黑龙江省小城镇人口比重只有19%，实现程度仅为15.8%。农村城镇化发展缓慢，使农村非农产业结构升级缓慢，延缓了农村劳动力转移步伐，也影响了农民收入的增加。考虑出生人口增长、农业劳动生产率提高、城市发展对耕地占用和沙漠化对耕地的吞食，农村剩余劳动力数量还很庞大，转移任务十分艰巨。

（三）加强小康建设进程的对策建议

1．加大国家对农业投入和补贴的力度，提升农业综合生产能力

国家和省应继续加大农机补贴额度，提高补贴比例和扩大补贴覆盖面，充分调动农民投资购置大中型农机具积极性，形成以国家投入为引导的多元化投入机制；加大对我省农机用油的补贴的力度。通过增加投入，增加大型农业机械保有量，提升我省农业生机械化水平。扩大对我省粮食收购保护价格的政策保护范围。2004年国家对水稻价格实行了政策性保护收购，但占我省农作物播种面积三分之一的大豆却不能列入受保护范围，大豆价格的不稳定既影响农产品的市场供应，也影响农民收入的稳定增长，所以国家应将大豆纳入粮食收购保护价格政策保护范围。对以农产品为加工原料的龙头企业，在设备引进方面实行减免税，在原材料购进、市场营销、技术改造等方面，给予税收优惠政策。

应在财政支出项目中设立专项资金用于农田基本建设，或从土地转让收入中提取一定比例用于农田基本建设投入，采取财政投入、补贴、贴息等多种方式，逐步增加对农业基础设施建设的投入，推动农田水利化和机械化，提高粮食主产区抗灾减灾能力。通过加强

农业基础设施建设提高农业的抗灾能力，减少产量波动，增加粮食主产区农民收入。

2. 统筹城乡社会经济发展，促进农村剩余劳动力的转移

农村城镇化是社会主义新农村建设的重要组成部分，是缩小城乡差距、农村全面建设小康社会的现实选择。因此，应统筹规划、合理布局、巩固基础，加快推进农村城镇化建设。实施壮大 县域经济、发展乡镇企业、推进农业产业化战略，加快农村人口向城镇的流动和转移，逐步形成产业发展、人口聚集、市场扩大的良性户动机制，使小城镇吸纳农村人口、带动农村经济发展的能力显著增强。从而达到提高农村剩余劳动力参与市场程度，农民收入明显增加，生活更加富裕的预期目标。

3. 尽快健全和完善农村社会保障体系

鉴于农村社会保障体系的缺失现状，应从“以人为本”的政策思想出发，抓住更核心的农民问题，着眼于调整、稳定、提高农民的就业和消费预期，通过创新农民补贴方式加快农村社会养老保险制度建设，将农民逐步纳入社会保障体系。将对农民的直接补贴主要用于启动和支持农村社会养老保险制度建设，推进农民补贴方式的制度化，以实现多重的政策功效。因此，通过制度创新，以实物换保障的方式，完全可以实现提高资源配置效率，使加快建立农村社会养老保险体系成为可能。

4. 提高农村劳动力素质，加快农村人才开发和新型农民培养

一是办好农村义务教育，防止新文盲出现；二是积极发展农村职业教育，开展多种形式的农民职业技能培训，加快培育有文化、懂技术、会经营的新型农民；三是大力发展农村人才市场，开展城乡人才支援和交流协作活动，开发建设一支农村人才队伍。

5. 重视农村全面发展，提升小康建设整体水平

目前，黑龙江农村文化、医疗、基础设施和生态环境建设与全面建设小康社会的要求存在较大差距。要实现全面建设小康社会的目标，一是要加强农村基层文化建设。二是要努力做好医疗等社会保障工作，积极贯彻实施《中国农村初级卫生保健发展纲要》。各级政府要把农村初级卫生保健纳入政府工作目标，纳入小康建设的考核目标。努力健全农村卫生服务体系，完善服务功能，实行各种形式的农村医疗保障制度，使广大农民享受到与经济社会发展相适应的基本卫生保健服务。三是切实抓好农村基础设施和生态环境建设，走可持续发展之路。

6. 加大生态环境与可再生能源建设力度，促进农业和农村经济可持续发展

新阶段农业生态环境与可再生能源建设要努力满足农业和农村经济发展对资源和生态环境的要求，合理开发利用与保护农业自然资源；建立完善农业生态环境监督管理和监测预警系统，保护农业生态环境；使重点区域农业污染源得到控制，农药化肥用量降到合理水平，农业废弃物得到有效利用；农村可再生能源建设取得突破性进展，从根本上改变农民落后的生活用能方式。在今后的工作中，应突出抓好几项工作：一是加快生态建设步伐，为实现农业可持续发展创造条件。二是加大环境污染治理力度，保障农业生产环境安全和农产品质量安全。打击地方保护主义，坚决取缔不符合国家环保标准的工业项目。三是高度重视农村可再生能源建设，积极探索改善农业生产条件和农民生活方式的新途径。

2007年农村全面小康综合表（黑龙江）

指 标	单 位	总体小康值	全面小康值	2007年实际值	实现程度	权 数	综合分值
A 、经济发展					21.9	29	6.3
农村居民人均可支配收入	元/人	2200	6000	2886.8	18.1	20	3.6
第一产业劳动力比重	%	50	35	43.7	42.0	5	2.1
小城镇人口比重	%	16	35	19.0	15.8	4	0.6
B 、社会发展				0.0	64.5	20	12.9
农村合作医疗覆盖率	%	10	90	68.0	72.5	8	5.8
农村养老覆盖率	%	1.8	60	2.3	0.9	4	0.0
万人农业科技人员数	人	1	4	3.3	76.7	4	3.1
农村居民基尼系数	-	0.35	0.3-0.4	0.4	100.0	4	4.0
C 、人口素质				0.0	17.5	15	2.6
平均受教育年限	年	7.4	9	7.7	18.8	12	2.3
平均预期寿命	年	69.5	75	70.2	12.7	3	0.4
D 、生活质量				0.0	61.4	23	14.1
恩格尔系数	%	49	40	34.6	100.0	4	4.0
居住质量指数	%	18	75	33.3	26.8	11	3.0
农民文化娱乐支出比重	%	2.5	7	6.3	84.4	3	2.5
农民信息化程度	%	28	60	57.7	92.8	5	4.6
E 、民主法制				0.0	89.3	6	5.4
农民对村政务公开的满意度	%	55	85	81.0	86.7	3	2.6
农民社会安全满意度	%	60	85	83.0	92.0	3	2.8
F 、资源环境				0.0	49.4	7	3.5
常用耕地面积变动幅度	%	-0.3	0	0.1	33.0	3	1.0
森林覆盖率	%	16.5	23	43.6	100.0	2	2.0
万元农业GDP用水量	立方米/万元	2600	1500	2341.0	23.5	2	0.5
农村全面小康实现程度合计						100	44.8

九、上海市农村全面建设小康监测报告

根据国家统计局制定的《农村全面建设小康社会标准》中的测算方法，对上海市农村全面建设小康社会实现程度监测显示，在新郊区、新农村建设目标指引下，在上海市人民政府支持农村基层组织增强公共服务能力建设等一系列强农惠农政策扶持下，2007年上海市农村全面建设小康社会综合实现程度继续提高，部分指标取得新突破。

（一）上海市农村全面建设小康社会进展情况

2007年，上海市委、市政府在继续加快推进郊区城镇化建设同时，出台了一系列强农惠农政策，农村经济发展态势良好，农村居民收入保持较快增长，农村各项社会事业稳步推进，极大地推动了上海农村全面建设小康社会进程。监测结果显示，2007年上海市农村全面建设小康社会综合实现程度达90%，比上年提高1.4个百分点。

1.2007年上海市农村全面建设小康社会进程总体特点

（1）77.7%的指标达到或超越全国农村全面建设小康社会2020年目标值

上海市农村在经济发展、社会发展、人口素质和民主法制四方面的全面建设小康社会实现程度均达100%，其中，社会发展方面首次达100%。

在18项指标中，上海市有14项指标的全面建设小康社会实现程度为100%。其中，13项指标的实际值超越全国农村全面建设小康社会2020年目标值；12项指标的实际值优于2006年，农民对村政务公开满意度与2006年持平，农民对社会安全满意度则低于2006年；农村合作医疗覆盖率和农村养老覆盖率的全面建设小康社会实现程度首次达100%。

（2）生活质量方面的全面建设小康社会实现程度保持在90%以上，但资源环境方面任务依然艰巨

在实现程度未达100%的两方面中，2007年，上海市农村生活质量的全面建设小康社会实现程度为94.5%，比上年降低2.6个百分点；资源环境方面的实际值与全面建设小康社会的目标值依然相去甚远，实现程度为-24.2%，但较2006年明显改善。

在4项实现程度未达100%的指标中，只有农民文化娱乐支出比重低于上年。

2.2007年上海市农村全面建设小康社会分指标实现程度

（1）农村经济发展各项指标进一步远超全面建设小康社会2020年目标值

2007年，上海市农村全面建设小康社会的经济发展指标取得进一步突破：农村居民人均可支配收入首超万元，连续4年实现10%的年增长，按2000年价格水平计算，农村居民人均可支配收入为9425元，比上年增长7.5%；第一产业劳动力比重（逆指标）进一步下降至5.7%，比上年降低1.2个百分点；小城镇人口比重为66%，比上年增长4个百分点。此三项指标分别超出全国农村全面建设小康社会2020年目标值57.1个、29.3个、31个百分点。

（2）农村社会发展方面全面建设小康社会综合实现程度首次达100%

由于郊区经济快速、稳定、健康发展和各级政府加大对农村社会保障事业的财政转移支付力度，2007 年上海市农村合作医疗覆盖率和农村养老覆盖率均首次达到并超出农村全面建设小康社会 2020 年目标值，实现程度达 100%。其中，农村合作医疗覆盖率为 94.5%，比上年增长 5.4 个百分点，农村养老覆盖率达 87.4%，比上年增长 31.4 个百分点，两项指标分别超出全国农村全面建设小康社会 2020 年目标值 4.5 个和 27.4 个百分点。上海市万人农业科技人员数和农村居民基尼系数的多年超出全面建设小康社会 2020 年目标值，2007 年，万人农业科技人员数为 11 人，略高于去年；农村居民基尼系数从上年的 0.31 降至 0.30，表明上海市农村居民收入分配相对合理，差距相对合适。

（3）农村人口素质指标实际值稳中有升，进一步超出全面建设小康社会目标值

2007 年，上海市农村人口平均受教育年限为 9.72 年，比上年略有增加，高出全面建设小康社会 2020 年目标值 0.72 年，但 9.7 年反映的受教育水平相当于高中一年级，这主要是因为上海农村受工业化和城镇化的双重影响，受过较高教育的人才向城区流动，影响了上海农村地区人口受教育程度的进一步提高，也加大了生活质量方面信息化普及的难度。2007 年，上海市农村人口平均预期寿命为 81.08 岁，略高于去年，但明显高于全面建设小康社会 2020 年目标值（75 岁）的水平。

（4）农村居民生活质量的全面建设小康社会实现程度较上年下降 2.6 个百分点

随着郊区城镇化的不断推进，农村居民可支配收入的不断增加和郊区自然村落改造试点的陆续完成，上海市农村居民生活在消费结构、居住条件和环境等方面有新变化。2007 年，农村居民家庭人均生活消费支出 8845 元，比上年增长 10.5%，其中在衣着、居住、交通和通信方面的支出比重较上年增加，居住消费支出占生活消费支出的 23.7%，比上年增加 3 个百分点，增长明显。2007 年，上海市农村居民家庭恩格尔系数（逆指标）为 36.8%，比上年下降 1 个百分点；居住质量指数为 86.01%，比上年高出 0.6 个百分点；农民信息化程度为 75%，比上年增加 2.1 个百分点。此三项指标实现程度均为 100%，分别超出全面建设小康社会 2020 年目标值 3.2 个、11 个和 15 个百分点。但是，2007 年，上海市农村居民文化娱乐支出比重从上年的 6% 下降至 5.1%，其全面建设小康社会实现程度仅为 57.8%，致使农村生活质量方面的实现程度较上年下降 2.6 个百分点。

（5）农村民主法制方面全面建设小康社会实现程度保持 100%

近几年，上海市一直积极推进基层民主建设，进一步健全村务公开和村民自治制度。2007 年，上海市农民对村政务公开的满意度为 99.3%，与上年持平，超出全面建设小康社会 2020 年目标值 14.3 个百分点；农村居民对社会安全满意度为 94.9%，比上年减少 0.2 个百分，但实现程度 100%，高出 2020 年目标值 9.9 个百分点。

（6）农村资源环境方面全面建设小康社会实现程度仍为负值，但有明显改善

城镇化推进过程中的农村常用耕地面积变动和森林覆盖率偏低是造成上海市农村资源环境方面全面建设小康社会实现程度多年负值的直接原因。2007 年，上海市农村常用耕地面积减少 0.9%，变动幅度大于全面建设小康社会总体值（-0.3）和 2020

年目标值（0），实现程度为 -70%，减少幅度明显小于 2006 年的实际值（2%）；森林覆盖率为 12%，比全面建设小康社会总体值和 2020 年目标值分别低 6.5 个和 11 个百分点，实现程度为 -69.2%。2007 年，上海市农村在节能降耗上有新突破，万元农业 GDP 用水量从上年的 1986 立方米 / 万元下降至 1616 立方米 / 万元，下降 18.6%，优于全面建设小康社会总体值（2600 立方米 / 万元），接近 2020 年目标值（1500 立方米 / 万元），实现程度为 89%。

（二）上海市农村全面建设小康社会进程中的主要问题和难点

从综合实现程度和分指标看，上海市农村全面建设小康社会进程较快、实现程度较高，但根据《上海市国民经济和社会发展第十一个五年规划纲要》和“1966”四级城镇体系规划目标，上海要建设现代化的新郊区、新农村，仍面临许多问题和难点。

1. 城乡居民收入差距仍在扩大

根据世界银行的测算数据，城乡居民收入差距的合理比例应该在 1.5:1 左右，2:1 以上属差距较大。上海市城乡居民收入差距自 20 世纪 90 年代中期以后呈扩大趋势。2000 年至 2007 年，上海市城市居民家庭人均可支配收入从 11718 元增加到 23623 元，年均递增 1984 元；农村居民人均可支配收入从 4310 元增加到 10222 元，年均递增 985 元，年均递增额比城市低999元。1996年，上海市城乡居民收入的差距为1.6倍，2006年扩大为2.24倍，2007年为2.31倍。

2. 近郊和远郊发展不平衡

2007 年，上海近郊 3 个区（未计算浦东新区的农村部分）的财政总收入之和为 579 亿元，远郊 6 个区县的财政总收入之和为 629 亿元，区县级财政总收入最高的为 272 亿元（近郊区县），最少的为 42 亿元（远郊区县）。区县经济发展水平的差异制约着上海农村地区全面建设小康社会的实现程度。

3. 社会保障机制存在局限，城乡居民社会保障水平差距较大

上海市农村居民的社会保障形式以“镇保”和“农保”为主。其中，“镇保”是上海市因地制宜制定的介于城镇职工社会保险（简称“城保”）和农村社会保险（简称“农保”）之间的一种社会保障形式，进入门槛低、覆盖面广，但同时具有过渡性的特点，这使其在机制设计上存在局限。以 50 岁退休、连续工龄 30 年的女同志为例，其“城保”的养老金一般一年 12000 元左右，而根据“镇保”条款，其基础养老金加上满 15 年多缴的部分，再考虑 2007 年每人每月新增的 60 元，其每月“镇保”养老金总和不过 489 元，即使放宽至 2007 年末 507 元的“镇保”养老金发放标准，全年养老金刚达 6000 元。

4. 农村资源环境保护是一项长期的工作

近四年，上海市农村资源环境方面的全面建设小康社会实现程度均位列四直辖市之末。上海如何在城镇化进程推进的过程中有效地保护和使用耕地，提高森林覆盖率是值得研究的问题。

（三）对策和建议

党的十七大对全面建设小康社会提出了新的更高要求，并明确提出要“坚持把发展现代农业、繁荣农村经济作为首要任务”。结合上海市农村全面建设小康社会的实际，仍需要探索如何进一步深化改革，进一步统筹城乡经济社会发展，进一步推进农业和农村经济结构战略性调整，实现农业、农村增长方式的转变。

1. 寻找农民增收新的增长点

上海市农民增收幅度减缓受现有增收渠道的限制，农民增收的经济增长点匮乏。此外，上海市农民增收的难点还在于经济薄弱村的低收入人群，这些人群主要集中在远郊，近几年，这些人群的增收主要靠政策扶持和保障，而这一增收途径的增长幅度和可持续性有限，进一步增收比较困难，因此，必须寻找农民增收新的增长点，积极拓宽农民的增收渠道。

一方面各级政府继续坚持“多予、少取、放活”的方针，统筹城乡发展加快建立工业反哺农业、城市支持农村的长效机制，将上海市城区的优质资源和机会引入农村地区，增加劳动者工资性收入。同时， 深化研究支持农业和农村发展的金融政策，鼓励有一定经济条件和优质农产品的区县推进农业产业化经营，让农民成为投资者，加强农业科技成果的推广，因地制宜优化农业结构，通过提高农业效益来增加农民的经营性收入。

2. 建立农村教育长效机制，注重对农村居民的技能培训，为实现其非农就业创造条件

这一方面需要加强农村地区基础教育的师资力量、改善教学条件，提高教育质量，进一步加大政策支持力度，优先发展郊区基础教育，确保政府教育预算内拨款，满足学校发展需求；另一方面对于年龄较大且受教育程度较低的人群，可通过建立再教育机制和平台，集中组织不同层次的基础教育补习、职业技术和技能培训等，增强本地农村居民非农就业的竞争力。

3. 进一步提高上海市农村社会保障力度，缩小农保、镇保、城保之间的差距

上海市在农村合作医疗和农村养老保险的覆盖率方面虽走在直辖市前列，但各类保障标准间差距明显。自2008年1月1日起上海进一步全面提高“镇保”、“农保”养老金发放标准，“镇保”养老金每人每月增加100元，增加至607元，对“农保”月养老金低于172元的人员，每人每月增加不低于60元，但与前述的“城保”标准仍有较大差距。因此一方面需继续扩大保障覆盖面，争取农村养老金领取的全覆盖，另一方面建立合理的保障力度增长机制，且农村社会保障力度的增长幅度应大于城镇，以缩小保障水平上的差距。

4. 切实有效地保护农村资源环境

在上海市农村全面建设小康社会进程中，资源环境建设的任务最为艰巨。近几年，

上海郊区已大力推进生态林建设，以沿江防护林和部分自然保护林为生态前沿，以大型片林、楔形绿地和廊道林带为生态腹地。但还应在确保基本农业建设同时，正确处理保护耕地与满足建设用地需求间的关系，建设生态农业、提高绿化面积是进一步努力的方向。

2007年农村全面小康综合表（上海）

指 标	单 位	总体小康值	全面小康值	2007年实际值	实现程度	权 数	综合分值
A 、经济发展					100	29	29.0
农村居民人均可支配收入	元/人	2200	6000	9425	100	20	20.0
第一产业劳动力比重	%	50	35	5.7	100	5	5.0
小城镇人口比重	%	16	35	66	100	4	4.0
B 、社会发展					100.0	20	20.0
农村合作医疗覆盖率	%	10	90	94.5	100.0	8	8.0
农村养老覆盖率	%	1.8	60	87.4	100.0	4	4.0
万人农业科技人员数	人	1	4	11.3	100	4	4.0
农村居民基尼系数	—	0.35	0.3-0.4	0.30	100	4	4.0
C 、人口素质					100	15	15.0
平均受教育年限	年	7.4	9	9.72	100	12	12.0
平均预期寿命	年	69.5	75	81.08	100	3	3.0
D 、生活质量					94.5	23	21.7
恩格尔系数	%	49	40	36.8	100	4	4.0
居住质量指数	%	18	75	86.01	100	11	11.0
农民文化娱乐支出比重	%	2.5	7	5.1	57.8	3	1.7
农民信息化程度	%	28	60	75.0	100	5	5.0
E 、民主法制					100	6	6.0
农民对村政务公开的满意度	%	55	85	99.3	100	3	3.0
农民社会安全满意度	%	60	85	94.9	100	3	3.0
F 、资源环境					-24.2	7	-1.7
常用耕地面积变动幅度	%	-0.3	0	-0.9	-70	3	-2.1
森林覆盖率	%	16.5	23	12	-69.2	2	-1.4
万元农业GDP用水量	立方米/万元	2600	1500	1616	89	2	1.8
农村全面小康实现程度合计						100	90.0

十、江苏省农村全面建设小康监测报告

党的“十六大”提出在本世纪头二十年，集中力量，全面建设惠及十几亿人口的更高水平的小康社会，而全面建成小康社会的重点和难点都在农村。根据国家统计局制定的全国《农村全面小康标准》及工作要求，我们对2007年农村全面小康实现程度进行了监测分析。监测结果表明，江苏省农村全面小康综合实现程度为68.7%，比上年提高7.9个百分点。

（一）农村全面小康综合监测结果

2007年，江苏省农村全面小康综合实现程度比2003年增加27.3个百分点，平均每年提高6.8个百分点，照此速度测算，还需3.1年江苏农村就能实现全面小康。这与江苏省委省政府提出的到2010年左右在全国率先实现全面小康社会的目标基本吻合。

在农村全面小康监测的六大类指标中，经济发展方面实现程度为85.8%，比上年提高8.2个百分点；社会发展方面实现程度为64.8%，提高5.0个百分点；人口素质方面实现程度为45.9%，提高5.0个百分点；生活质量方面实现程度为91.2%，提高9.9个百分点；民主法制方面实现程度为83.3%，与上年持平；资源环境方面实现程度为-28.6%，提高21.4个百分点（上年为-50.0%）。

（二）农村全面小康建设进程加快

2007年，江苏省委、省政府全面贯彻落实党中央、国务院的各项方针政策，并结合江苏实际出台了一系列更直接、更有力、更有效的具体惠农措施，农村经济平稳发展，农民收入继续较快增长，农村全面小康建设进程加快。

1．农村经济发展再上新台阶

2007年，江苏各级党委政府紧紧围绕建设社会主义新农村和率先实现全面小康社会的工作重点，抓住“三农”问题的根本，认真部署和落实各项支农惠农政策，为农民带来更多的实惠，在各项利好因素的带动下，农村经济发展再上新台阶。2007年，江苏全年实现农林牧渔业总产值3064.72亿元，首次突破3000亿元，按可比价格计算，比上年增长3.1%；实现农林牧渔业增加值1816.24亿元，比上年增长3.1%。乡镇工业全年完成增加值9558.89亿元，增长28.2%；实现营业收入42554.17亿元，增长27.9%；实现利税3183.97亿元，增长31.9%；完成出口产品交货值5978.76亿元，增长28.8%。农民收入有了较大幅度的提高，据对农村住户的抽样调查，2007年江苏农民人均纯收入达到6561元，比上年增加748元，增幅为12.9%，增速创1997年以来的新高。农民可支配收入（按2000年价格计算）为5332元，比上年增加404元，增长8.2%，全面小康实现程度为82.4%，比上年提高10.6个百分点；第一产业劳动力比重为27.6%，比上年下降2.2个百分点，全面小康实现程度为100%；农村小城镇人口比重为32.1%，比上年提高1.2个百分点，全面小康实现程度为84.7%，比上年提高6.3个百分点。

2．农村社会事业稳步发展

近年来，随着“农村五件实事”和“农村新五件实事”（农民教育培训、农村道路建设、农民健康工程、农村文化建设和农村环境整治）的相继完成，农村社会事业稳步发展，全面建成疾病预防控制体系，基本建成突发公共卫生事件医疗救治体系，农村社区卫生工作得到加强。卫生服务体系基本健全，新型农村合作医疗覆盖面在全国名列前茅。不断提高农村居民最低生活保障补助水平，社会保障覆盖面进一步扩大，给农民带来的实惠越来越多。2007 年，江苏农村合作医疗覆盖率实现程度为 96.3%，比上年提高 12 个百分点；农村养老保险覆盖率实现程度为 34.7%，与上年持平；农村居民收入基尼系数为 0.34，全面小康实现程度为 100%，分配的公平程度仍处在合理区间。

3. 农村人口素质不断提升

2007 年，在经济发展的同时，江苏教育事业得到优先发展。不断完善义务教育经费保障机制，推动公共教育资源向弱势群体、薄弱学校和经济薄弱地区倾斜，农村办学条件进一步改善，义务教育阶段学生学杂费全部免除， 义务教育巩固率有了较大提高。全省基本普及高中阶段教育，职业教育加快发展，高中阶段教育毛入学率继续提升。加之农民教育培训工程的实施，农村人口素质不提升。从反映人口素质的二个方面指标看，农村人口平均受教育年限为 8.1 年，全面小康实现程度为 43.8%，比上年提高 6.3 个百分点；农村人口平均预期寿命由于资料来源的影响（只有进行人口普查的年份才计算平均预期寿命）与上年持平。

4. 农民生活质量继续提高

提高人民生活水平和质量是江苏全面建设小康社会的出发点和落脚点，各地切实贯彻以人为本、富民优先的方针，富民进程明显加快，农民生活质量继续提高。从反映生活质量的四个方面看，农村居民居住质量指数为 69.4%，比上年提高 7.8 个百分点，全面小康实现程度为 90.2%，比上年提高 13.7 个百分点；农村居民生活信息化程度指数为 59.3%，比上年提高 0.6 个百分点，全面小康实现程度为 97.8%，比上年提高 1.9 个百分点，彩色电视机普及率为 93.9%，电话普及率为 96.0%，计算机普及率为 5.4%，比上年均有不同程度的增加；农村居民恩格尔系数为 41.6%，全面小康实现程度为 82.2%，比上年提高 2.2 个百分点；农村居民文化娱乐消费支出（不含学杂费）比重为 6.8%，比上年提高 0.9 个百分点，全面小康实现程度由上年的 76.2% 提高到 95.6%。

5. 民主法制建设稳步推进

加快建设“法治江苏”，积极推进基层民主建设，进一步健全村务公开和村民自治制度，提高了农民对村务公开的满意度和农村村委会依法自治达标率。开展“平安江苏”创建活动，人民群众对社会治安的满意率继续提高。从反映民主法制的两项指标看，2007 年农民对村政务公开的满意度为 75%，全面小康实现程度为 83.3%，与上年持平；农民对社会安全的满意度为 96.7%，比上年提高 0.9 个百分点，全面小康实现程度为 100%。

6. 资源环境得到有效改善

从反映资源环境的三个指标来看，2007 年，由于国家和江苏的宏观调控取得了显著成效，严格控制土地特别是耕地的占用，常用耕地面积比上年只减少了 0.2%，全面小康实现程度为 -66.7%，比上年提高 33.3 个百分点；万元农业 GDP 用水量为 1497.9 立方米，比上年低 276.1 立方米，全面小康实现程度为 100%，比上年提高 24.9 个百分点；森林覆盖率为 7.5%（第六次森林清查数），全面小康实现程度为 -100%。

（三）农村全面小康社会建设面临的一些问题

农村全面小康建设是推动农村经济、社会、文化、民主法制、环境建设的重要契机，与建设社会主义新农村理念相互呼应。在江苏“两个率先”发展目标提出后，农村的发展步伐进一步加快，可以说江苏是否能在 2010 年实现目标关键在于农村全面小康建设的情况。从江苏农村全面小康建设的实际值来看，仍存在一些问题，需要各级各部门加以关注。

1. 农民增收力度仍要进一步加大

近年来，在中央和地方各级更加重视“三农”问题等多方面有利条件下，农业生产增产增收，农村劳动力转移特别是劳务输出的平稳增长，以及农村二三产业的发展，保证了江苏农民收入继续以较快速度增长。农民收入问题是“三农”问题的核心，在农村全面小康综合评价 18 项指标中，农村居民可支配收入占有 20% 的权重，是名符其实的第一指标。目标值确定在 6000 元以上（按 2000 年价格计算），如按 2010 年达到这个水平，也就意味着“十一五”后三年，农村居民可支配收入平均每年的增长速度在 4% 以上即可，根据近几年的情况来看，如果经济增长不出现大的波动和无重大自然灾害的发生，是有可能达到的。但是由于农村全面小康测算的局限性，最高实现程度只能是 100%，如果将与收入相关的指标（如文化、居住、信息化等）以及生活消费、医疗保险和养老保险等因素考虑进去，只达到 6000 元的标准是远远不够的。因此，如何进一步提高农民收入水平，仍然是未来若干年中各级党委和政府的头等大事。

2. 农村社会保障制度亟待继续完善

近年来，各级政府虽然加大了农村新型合作医疗以及养老保险工作的力度，关注农村民生事业的投入，农村社会保障水平不断提高。但是与城市比较而言，农村社会保障水平仍然比较低，许多工作尚处于起步阶段，还不够完善，农民医疗负担依然较重，农村养老保险更是因为起步较晚，资金来源少，历史负担沉重等因素的影响，推进步伐缓慢。如果再不采取强有力的措施推进农村养老保险事业的发展，则农村养老保险参保人数有可能出现负增长的局面，这是各级党委政府和农民都不愿意看到的，也必将拖农村全面小康建设的后腿。

3. 农村人口文化素质有待进一步提高

江苏农民平均受教育年限达到 8.1 年，只相当于初中二年级的水平。一般来说，年轻人口受教育程度要高于年纪大的人口，因此，随着义务教育的普及和加强，农村人口的文化素质将会逐步提高。但是，由于受到农村老龄化速度加快，城镇化率不断提高，农村较高文化素质的劳动力大量流向城市，大学生在农村就业的少之又少等诸多因素的影响和制约，要提高现有农村人口受教育程度难度很大，潜力很小。20岁以上的农村人口再接受学历教育的可能性几乎为零，重点只能放在提高农村小学、初中、高中的入学率和升学率，这需要较长的时间和较大的投入，在短期内难以实现大的提高。农业科研人员是促进农业高产高效的助推力，提高农业生产水平光靠财政投入是远远不够的，更需要掌握农业技术知识的科研人员的参与，才能真正提高农业的科技含量。而由于农村人口文化素质低，直接影响了科技在农业生产中的应用和农业生产力水平的提高。

4. 农村基层民主建设要加快步伐

民主政治建设不仅仅是全面小康社会的要求，也是社会进步、展现文明的需要。村务公开、管理规范，保障农民基本的政治权力，对于维护农村社会稳定，促进农村社会主义物质文明、政治文明和精神文明建设有着至关重要的意义。据省社情民意调查中心调查发现，仍有相当一部分被调查者，对村干部选举和村务公开表示不满。全部被调查者中，回答村长是由选举产生的比例为60.5%，回答不是由选举产生的占20.6%，另有18.9%的被调查者回答说不清。全部被调查者中，回答对村务公开工作不满意的占24.3%。虽然这些指标具有很强的感性色彩，但也能反映出当地农民在民主权力回归的过程中对事关自身利益的政府活动和民主权力的关注程度以及满意程度。因此，农村基层民主建设方面要做的工作还很多。

5. 资源保护与经济社会发展矛盾仍较突出

近年来，江苏在经济发展成绩斐然的同时，耕地占用量也是比较大的。在六大测评指标中，江苏唯有资源环境类的实现程度为负值，列居末位。随着城镇化进程的加快及其他原因，耕地占用情况突出，农村全面小康值要求常用耕地面积变动幅度大于或等于0.3%，而江苏2006年减少了0.63%，2007年又减少了0.2%。在农村全面小康进程监测中，该指标的实现程度为-66.7%，在所有实现程度中倒数第二。伴随江苏经济的持续快速发展，耕地保护与经济发展的土地需求之间的矛盾不可避免，保证常用耕地动态平衡且略有增长难度相当大。农村全面小康值要求森林覆盖率达到23%，而江苏2007年仅为7.5%（第六次森林清查数），实现程度是负的极值（-100%）。

（三）加快农村全面小康社会建设的建议

江苏省是沿海经济发达省份之一，发展的区位条件优越，在推进农村全面小康建设进程中走在了全国前列。但通过以上分析我们可以看到，江苏省在推进农村全面小康进程中仍有多方面工作需要加强，已经达到全面小康指标要求的项目要继续保持并完善，未达到指标要求特别是差距仍很大的项目要作为下一步工作重点，想办法找途径，尽多方之力，最终完成全面小康指标要求。

1. 进一步转变观念，完善相关政策

一是各级政府要转变观念，切实贯彻落实一系列支农惠农政策，将建设全面小康社会作为工作重点常抓不懈，指导农民实现全面小康。放开放活，着重创造、完善农村经济发展的良好宏观环境；更加关注民生的政策导向，扩大农村社会保障受益范围，改善农村居民生活环境，提高民主政治公开度和参与度，实现经济、社会、人口、资源、环境的持续协调发展；二是广大农民要转变观念，克服“等、靠、要”的思想，积极争取发展的机会，维护自己的权益，改变自己的生存和发展环境。各级政府要加大宣传力度，并将工作具体分解到村级组织，发挥村集体的作用，帮学互带，挖掘潜力，以全面小康建设为契机，建设社会主义新农村。

2．提高农民收入水平，积极推进农民持续增收长效机制建设

农民人均可支配收入是全面小康监测指标中权数最大的指标，保持农民收入稳定持续的增长是提高全面小康水平的最重要一环。因此，积极推进农民持续增收长效机制建设才能确保农村全面小康建设的顺利完成。一是要大力推进农业产业化生产，坚持不懈地推进农业、农村经济结构调整，提高农业的综合生产能力和整体效益，发展具有高附加值的绿色农业，获得更高的投入产出比，向农业的深度要收入，以确保农业增效、农民增收；二是加快非农产业发展。仅依靠第一产业的发展很难保证农民收入大幅度增长，必须把握新农村建设的契机，大力发展私营个体经济，加快非农产业的发展，壮大县域经济，增加农民就业渠道；三是加快农村劳动力转移步伐，并在此基础上，强化农村劳动力的自主创业意识，从单纯打工向打工与当老板并举转变；四是继续深化南北合作，在区域联动发展上求突破，先富带后富，以达到苏南苏北共同富裕的目标。

3．完善农村社会保障制度，构建城乡一体化的社保体系

国家和省级政府要逐步制定农村养老保险、农村医疗等相关条例，将农村社会保障纳入制度化、规范化、法制化的轨道，积极构建城乡一体化的社会保障体系。每年增加的卫生事业经费应主要用于发展农村医疗卫生事业，建立国家、集体、村民个人的三方分担缴费体系，完善和提高全省范围内的以大病统筹为主的新型农村合作医疗制度，使农民人人享有初级卫生保健。提高农村低保帮扶标准，增加农村养老资金投入，扩大参加养老保障的农民范围，以农村低保、养老保障为突破口，发展各种形式的农村社会福利事业。

4．加大农村教育事业投入，培养新型农民

一是省级财政要加大对农村教育的支持力度，增加教育投入，改善教学环境，切实保障所有农村孩子都能享受到九年制义务教育，对失学学生的家长要按照义务教育法的规定给予严惩，从根本上解决农村孩子失学辍学问题，并进一步提高初中和高中毕业生升学率；二是对没能升入普通高中和高等院校就读的学生进行职业技能培训，且大部分费用由政府“埋单”，有条件的地方可全部由政府支付，并实行订单式培训，提高农村劳动力就业能力，解决农民无技术找工作难的问题，进而适应非农产业发展的需要；三是多种渠道开展农业技术培训，培养出一批懂技术、有文化、有经验的农村专业科技人员，这样既可以提高农民的文化素质，还可以提高农业效益，增加收入。

5. 提高民主自治水平，改善法律保障环境

进一步改善和加强新形势下农村基层党组织建设，不断增强农村基层党组织的创造力、凝聚力和战斗力。转变农村基层执政理念，加强村务公开宣传，增强农民对村情村务的了解，提高村民自治水平，从而改善农村党群、干群关系，维护社会稳定。各级政府要加大投入，形成良好的社会氛围，增强农村居民的民主法制意识，提高普法工作范围，为农民提供法律援助和法律咨询活动，帮助农民使用法律手段维护自身合法利益。作为全面发展的一环，民主法制建设对其他方面的发展具有两重性，很明显，我们要发挥其积极的作用，那么健全农村民主法制建设就必须加快步伐，跟得上经济发展。

6. 贯彻落实科学发展观，正确处理经济发展与资源环境之间的矛盾

资源环境与经济发展之间的矛盾是江苏农村实现全面小康最突出的问题。土地作为不可再生的资源在经济发展过程中减少幅度较大，各地要按照科学发展观的要求，继续实行严格的耕地保护制度，合理开发和节约使用耕地资源，提高各种类型土地利用率，努力保持耕地动态平衡。要改变当前经济结构中第二产业比重偏高，第三产业比重偏低的状况；改变主要依靠投资拉动扩大经济总量的粗放型增长方式；大力发展节水高效农业；在全省范围内开展植树造林工作，进一步提高全省森林覆盖率；治理农村环境污染，改善农村村落环境；提高农业科技化、集约化、产业化发展水平，降低农业生产能耗，提高农村的可持续发展能力。

2007年农村全面小康综合表（江苏）

指 标	单 位	总体小康值	全面小康值	2007年实际值	实现程度	权 数	综合分值
A 、经济发展					85.8	29	24.9
农村居民人均可支配收入	元/人	2200	6000	5331.6	82.4	20	16.5
第一产业劳动力比重	%	50	35	27.6	100.0	5	5.0
小城镇人口比重	%	16	35	32.1	84.7	4	3.4
B 、社会发展					64.8	20	13.0
农村合作医疗覆盖率	%	10	90	87.0	96.3	8	7.7
农村养老覆盖率	%	1.8	60	22.0	34.7	4	1.4
万人农业科技人员数	人	1	4	0.9	-3.3	4	-0.1
农村居民基尼系数	-	0.35	0.3-0.4	0.3	100.0	4	4.0
C 、人口素质					45.9	15	6.9
平均受教育年限	年	7.4	9	8.1	43.8	12	5.3
平均预期寿命	年	69.5	75	72.5	54.5	3	1.6
D 、生活质量					91.2	23	21.0
恩格尔系数	%	49	40	41.6	82.2	4	3.3
居住质量指数	%	18	75	69.4	90.2	11	9.9
农民文化娱乐支出比重	%	2.5	7	6.8	95.6	3	2.9
农民信息化程度	%	28	60	59.3	97.8	5	4.9
E 、民主法制					83.3	6	5.0
农民对村政务公开的满意度	%	55	85	75.0	66.7	3	2.0
农民社会安全满意度	%	60	85	97.6	100.0	3	3.0
F 、资源环境					-28.6	7	-2.0
常用耕地面积变动幅度	%	-0.3	0	-0.2	-66.7	3	-2.0
森林覆盖率	%	16.5	23	7.5	-100.0	2	-2.0
万元农业GDP用水量	立方米	2600	1500	1497.9	100.0	2	2.0
农村全面小康实现程度合计						100	68.7

十一、浙江省农村全面建设小康监测报告

浙江作为沿海发达地区，省委省政府提出了到2010年基本实现全面小康社会，到2020年“率先全面建设小康社会、率先基本实现现代化”的奋斗目标，占总人口四分之三的农村是实现全面小康的重点和难点。改革开放以来，浙江经济社会快速发展，人民生活日益提高，至90年代中期，已完成了从温饱到总体小康的跨越。进入新世纪后，尤其是近5年以来，在科学发展观的统领下，浙江经济社会协调可持续发展，新农村建设稳步推进。根据国家统计局编制的农村全面建设小康社会实现程度监测方法测算，2003-2006年，浙江农村全面小康社会实现程度分别达51.2%、58.9%、64.0%和68.1%，连续4年居全国各省区第一位。2007年，浙江农村全面小康社会建设步伐加速推进，实现程度达81.2%，比上年提高了13.1个百分点。

（一）浙江农村全面建设小康社会新进展

农村全面建设小康社会监测指标体系的内容涉及经济发展、社会发展、人口素质、生活质量、民主法制以及资源环境等6个方面18个评价指标。2007年，随着全省农村经济社会的快速、协调发展，浙江农村小康进程快速推进，实现程度达81.2%。18个指标中，有11个指标达到全面小康标准。

1．农村经济稳步发展，三大指标均达到小康标准

2007年，浙江农村经济继续保持较快发展，衡量农村经济发展水平的农村居民人均可支配收入、第一产业劳动力比重和农村小城镇人口比重三项指标均已超越了农村全面小康社会标准，使全省经济发展方面的农村全面小康社会标准实现程度达到100%，比上年提高2.8个百分点。

从收入水平看，2007年浙江农村居民人均纯收入达8265元，按2000年可比价格计算，人均可支配收入6717元，比去年增加509元，超过农村全面小康标准717元，农村全面小康实现程度为100%；从劳动力从业结构看，随着农村二、三产业的不断发展，第一产业劳动力比重呈逐年下降趋势。早在2002年，浙江第一产业劳动力比重为32.5%，首次实现了35%以下的农村全面小康标准。2007年，全省第一产业劳动力比重进一步下降到20.1%；从小城镇发展看，上世纪90年代开始，浙江逐步推进城乡一体化进程，放松农民进城户口限制，并解决进城务工经商农民子女入学难问题，小城镇人口迅速增加。据5‰人口抽样调查，2007年末全省常住人口中，居住在城镇的人口占57.2%。浙江小城镇人口比重达到35.4%，首次达到农村全面小康标准，实现程度为100%。

2．农村社会事业成效显著，实现了小康进程的70.4%

浙江省委、省政府高度重视民生问题，积极发展社会保障事业。目前，已逐步建立了与经济社会发展水平相适应的社会保障体系，实现了由“单一突破”向整体推进，由“城镇保障”向“城乡统筹”的转变，初步建立了覆盖城乡、功能比较完善、保障形式多样化、资金来源多样化、多层次的社会保障体系，提升了全省社会发展水平。2007

年全省农村社会发展方面的农村全面小康社会实现程度达到70.4%，比上年提高10.4个百分点。

（1）合作医疗覆盖率近80%

2003年下半年开始，浙江作为全国4个试点省之一，有27个县（市、区）进行了新型农村合作医疗试点；2005年又启动了54个县（市、区）；同年，浙江开始全面实施“农民健康工程”，由政府出资，每二年为参加新型农村合作医疗的农民免费进行一次健康体检，同时，农民工参加医疗保险人数也有较大增长。2006年，浙江有农业人口的县（市、区）全部实行了新型农村合作医疗。2007年，浙江农村合作医疗覆盖率达79.6%，比上年提高3.6个百分点，全省农村合作医疗覆盖率的农村全面小康社会实现程度由上年的82.5%提高到了87.0%。

（2）农村养老覆盖面继续扩大

浙江在全国率先建立被征地农民基本生活保障制度，到2005年4月，全省所有县（市、区）都已出台被征地农民社会保障制度的政策措施。2006年，浙江对被征地农民实现了即征即保。至2007年末，全省有296.9万被征地农民纳入了社会保险。从2005年起，浙江又在11个设区市各选取一个县（市、区）作为试点，推行农村计划生育家庭奖励扶持政策。2006年，浙江下发了在全省农村部分计划生育家庭实施计划生育家庭奖励扶助制度（浙政发[2006]5号文件）。至2007年底，已有符合条件人员共领取奖励25万人次（符合计划生育家庭的，60岁起每人每年可领取不低于600元的奖励扶助金，直到亡故为止）。尽管目前能领取奖励金的农村家庭还不多，但对符合计划生育政策，但年龄还未到60周岁的夫妇来说，终将能享受这一奖励政策。如果这一政策不改变的话，可以说对符合条件的计划生育家庭奖励“养老金”的理论覆盖率应该是100%。浙江嘉兴从2007年10月开始，年满16周岁至60周岁，符合参加职工基本养老保险或现有各类社会养老保障对象之外的城乡居民，都可以参加城乡居民社会养老保险，当地财政对参保者实行补贴；其中，60周岁以上的老人可按规定一次性缴费满15年，同样可以领取养老金。不少设区市近几年还陆续出台高龄老人补助政策，就这些地方而言，享受高龄老人社会补助政策的理论覆盖率也应该为100%。

浙江农村的社会养老保障措施正在不断推进中，并且也日见成效，但作为农村全面小康社会监测指标的是农村社会养老保险覆盖率，且以农村常住人口为基数进行测算，因此，浙江农村社会养老保险覆盖率还相对较低。2003年，浙江农村社会养老保险覆盖率为12.6%，2007年提高到23.6%，比上年提高5.5个百分点。浙江农村社会养老保险覆盖率的农村全面小康社会实现程度由上年的28.3%提高到2007年的37.8%，提高了9.5个百分点。

（3）低收入农户奔小康工程取得新进展

近几年来，浙江在减少农村低收入家庭方面采取了不少积极有效的政策。如2002年6月，浙江省第十一次党代会作出了“继续抓好扶贫开发，在完成百乡扶贫攻坚任务的基础上，实施欠发达乡镇奔小康工程”的重要决策。2003年3月，浙江省委办公厅、浙江省政府办公厅下发了《关于实施“欠发达乡镇奔小康工程”的通知》。2003年开始，浙江又围绕提高农村居民增收致富能力，突出下山脱贫、农民培训、产业化扶贫等重点工作，加强财政扶贫、扩大区域协作，强化结对帮扶、科技扶贫，有力地促进了欠发达乡镇经济社会发展和农民增收。据欠发达乡镇农村居民收入抽样调查显示，2006年，211个欠发达乡镇农村居民人均纯收入为3528元，比2002年的1925元增长83.3%，年均增长16.4%，扣除价格因素，年均实际增长13.5%，分别高出全省和全国农村居民人均纯收入实际增速5.8和7.3个百分点，1000元以下的贫困人口占欠发达乡镇总人口的比重从9.1%降至2.6%。浙江农村居民人均纯收入2000元以下的低收入家庭比重由2002年的12.3%降到2007年的5.3%。因此，自上世纪80年代末以来，浙江农村居民的基尼系数尽管仍呈扩大趋势，但始终保持在一定的合理区间，最高的2005年为0.3678，近两年有所回落，2007年为0.3535，农村全面小康实现程度为100%。

（4）农业科研队伍扩大

2007年，浙江农村万人拥有农业科研人员数为2.2人，农村全面小康社会的实现程度为40.4%，比上年有较大幅度的提高。但与农村全面小康的要求相比，农业科研人员数仍大大偏少，是浙江在建设农村全面小康社会进程中的一个薄弱环节。

3．农村人口素质有一定提高，与小康目标仍有较大差距

2007年浙江人口素质方面的农村全面小康社会的实现程度为28.8%，比上年提高了20个百分点。

随着各项教育政策的落实，农村人口文化素质继续提升，2007年浙江农村人口平均受教育年限为7.7岁，比上年增加0.4年，但由于农村人口平均受教育年限的基数较低以及相对高素质高学历的农村劳动力的大量转移外出，影响了农村人口总体文化水平，2007年人口平均受教育年限的小康实现程度仍只有18.8%。再从衡量人口素质的人口平均预期寿命看，上世纪80年代以来，浙江人口平均预期寿命每年以一定的幅度增加，1990年第四次人口普查时的人口平均预期寿命为72岁，大大高于世界平均水平。2007年，浙江农村人口平均预期寿命为73.3岁，实现程度69.1%。

4．农村居民生活质量继续改善，完成了小康目标的94.6%

浙江农村居民收入水平的稳步提高，推动了生活质量的全面改善。从2003年到2007年，浙江农村居民人均生活消费支出从4287元增加到6442元，从而使农村居民的消费结构和生活质量不断发生着质的变化。2007年监测农村居民生活质量的4个指标，已有3个指标达到或超越了农村全面小康社会标准，农村居民生活质量方面的农村全面小康社会实现程度达到94.6%，比上年提高0.7个百分点。

（1）恩格尔系数连续5年在40%以下

恩格尔系数是反映生活质量的综合指标。浙江农村居民的恩格尔系数从2003年开始就已实现了40%以下的农村全面小康标准。2007年，浙江农村居民恩格尔系数进一步下

降到36.4%，农村全面小康社会实现程度已5年达100%。

（2）文化精神生活日益丰富

2007年，浙江农村居民人均文化娱乐消费支出比重为5.1%，农村全面小康社会的实现程度为58.5%，比2006年提高2个百分点；2007年，农村居民每百户彩色电视机、电话机和计算机拥有量分别达144.2台、243.5部和19.4台，分别比上年增加7.3台、13.8部和5.1台，信息化程度的农村全面小康实现程度从2005年开始已第3年达到100%。

（3）居住条件继续改善

2007年农村居民人均住房面积57.1平方米，比上年增加1.5平方米，其中钢筋混凝土和砖木结构占95.2%，居住配套设施不断完善，使农村居民的居住质量指数由上年的74.5%上升到80.6%，2007年农村居民居住质量的小康实现程度首次达到100%。

5．民主法制逐步健全，村民满意度较高

改革开放以来，浙江高度重视民主法制建设，近年来，进一步健全村务公开和村民自治制度，加大打击犯罪力度，努力打造平安浙江。农村居民对村务公开的满意度和对社会安全的满意度不断提升。据对全省6620名农村居民的抽样调查，2007年，浙江农村居民对村政务公开满意和基本满意的比重达94.8%，对社会安全满意和基本满意的比重达89.6%，均达到了农村全面小康社会标准，农村民主与法制的小康实现程度为100%。

6．资源环境保护取得新进展，小康进程大步提升

浙江省委、省政府十分重视全省资源环境建设，2007年全省资源环境方面的农村全面小康社会实现程度为85.4%。从基本农田保护看，浙江努力保持耕地占补平衡，尽管由于城市化进程较快带来全省耕地面积呈下降趋势，但2007年全省耕地面积变动幅度有所减少，全面小康社会实现程度为66.0%。从森林覆盖率看，由于浙江地理环境优越，加上近几年来对森林资源保护力度较大，森林覆盖率呈不断增长态势，2007年森林覆盖率达到60.7%，远远超过农村全面小康社会标准。从水资源消耗看，浙江比较重视农业用水节水工作，2004年以来，万元农业GDP用水量均在1500立方米的农村全面小康标准值以内，实现程度为100%。

（二）推进农村全面小康进程的几点思考

2007年，浙江农村全面小康进程向前迈出了一大步，18个监测指标中已有11个达到了农村全面小康标准，要在2010年基本实现全面小康社会目标，存在较多有利条件，但同时也面临着一些问题。各级政府要继续积极推进全省农村全面小康建设步伐，尤其是要积极采取措施，加快提升农村人口文化素质、健全农村社会养老保障体系、增加农业科技投入等方面化大力气。

1．努力提高农村社会整体保障水平

近几年来，浙江在农村居民的医疗保障方面推出了较多的政策措施，由于测算农村合作医疗覆盖率以农村常住人口为基数，而浙江外来人口又较多，近80%的合作医疗覆盖率不算低。要达到合作医疗覆盖率90%的农村全面小康标准，今后一段时期的重点

是要对外来人口的医疗保障问题出台一些相应的政策措施，以提高农村医疗保障整体水平。

从浙江农村养老保险看，尽管近几年养老保障事业发展较快，社会养老保障形式多样化，多渠道，但其中的社会养老保险所占比重较小，养老保险覆盖率与小康目标差距较大。随着农村老龄人口比重的增加，建立一套更健全的农村社会养老保障体系显得十分必要和迫切。

2．多管齐下，提高农村人口素质

2007年浙江农村人口平均受教育年限为7.7年，而小康目标为9年，差距较大。人口文化素质的提高是一个长期的、渐进的过程，加上较高素质劳动力不断流向城市，要想在短时期内提高人口文化素质难度较大。因此，一方面要继续加大农村教育事业的投入，另一方面要加快农村小城镇建设步伐，尤其是增强小城镇对高素质人才的集聚能力，以提升农村人口的整体素质。

3．加强农业科研力量

2007年浙江万人农业科研人员数为2.2人，小康实现程度为40.4%。尽管浙江农业增加值比重仅为5.5%，农村居民来自农业的收入只有18.8%，但稳定的农业基础是农村持续发展的保证。因此，针对目前农村科研力量薄弱的现状，各级政府应增加农业科技投入，加强农业科研和农村教育，广泛开展技术培训，同时深化改革，进一步稳定农业科技队伍。

4．耕地面积的减少态势短期内难以扭转

常用耕地面积变动幅度是农村全面小康监测的重要指标，随着浙江城市化建设的不断推进，耕地保护问题越来越迫切，尽管2007年常用耕地减少的情况有所扭转，农村小康目标相应提升，但经济建设和保护耕地间的矛盾仍将突出，如果耕地面积减少趋势继续下去，将成为浙江农村全面建设小康社会的重大障碍。

2007年农村全面小康综合表（浙江）

指 标	单 位	总体小康值	全面小康值	2007年实际值	实现程度	权 数	综合分值
A 、经济发展					100	29	29
农村居民人均可支配收入	元/人	2200	6000	6717	100	20	20
第一产业劳动力比重	%	50	35	20.1	100	5	5
小城镇人口比重	%	16	35	35.4	100	4	4
B 、社会发展					70.4	20	14.1
农村合作医疗覆盖率	%	10	90	79.6	87.0	8	7.0
农村养老覆盖率	%	1.8	60	23.8	37.8	4	1.5
万人农业科技人员数	人	1	4	2.2	40.4	4	1.6
农村居民基尼系数	-	0.35	0.3-0.4	0.3535	100	4	4
C 、人口素质					28.8	15	4.3
平均受教育年限	年	7.4	9	7.7	18.8	12	2.2
平均预期寿命	年	69.5	75	73.3	69.1	3	2.1
D 、生活质量					94.6	23	21.8
恩格尔系数	%	49	40	36.4	100	4	4
居住质量指数	%	18	75	80.6	100	11	11
农民文化娱乐支出比重	%	2.5	7	5.1	58.5	3	1.8
农民信息化程度	%	28	60	65.9	100	5	5
E 、民主法制					100	6	6
农民对村政务公开的满意度	%	55	85	94.8	100	3	3
农民社会安全满意度	%	60	85	89.6	100	3	3
F 、资源环境					85.4	7	6
常用耕地面积变动幅度	%	-0.3	0	0.2	66.0	3	2
森林覆盖率	%	16.5	23	60.7	100	2	2
万元农业GDP用水量	立方米/万元	2600	1500	1076	100	2	2
农村全面小康实现程度合计						100	81.2

十二、安徽省农村全面建设小康监测报告

为了准确把握安徽农村全面小康社会的进程，我们根据国家统计局制定的《农村全面小康标准》及测评方法，利用3100户农村住户抽样调查资料及全省有关部门统计数据，辅以一些社会调查数据，对2007年安徽农村全面小康实现程度进行了跟踪监测。结果表明，2007年安徽农村全面小康实现程度达32.5%，比上年提高7.9个百分点。农村全面小康社会建设取得较大进展。

（一）农村全面小康建设进程的特点分析

2007年安徽农村全面小康建设在经济发展、社会发展、人口素质、生活质量、民主法制和资源环境六个方面都取得了不同程度的进步。按测算的实现程度，由高到低依次是：民主法制实现程度为71%，社会发展实现程度为48.4%，生活质量实现程度为40.4%，人口素质实现程度为27.6 %，经济发展实现程度为14.8%，资源环境实现程度为11.7%。

1、农村经济发展水平有较大发展，全面小康的实现程度为14.8%，比上年提高9.1个百分点。2007年，由于安徽农村劳动力培训和转移继续得到有效推进，外出从业劳动力人数增多和务工工资水平的提高，农民工资性收入保持快速增长态势。安徽粮食生产获得丰收，主要农产品价格水平较高，农民出售农产品现金收入快速增加，农民家庭经营中的农业收入大幅度增加。同时，农民家庭经营中的林业、渔业和二、三产业获得的收入显著增加，农民收入继续保持平稳快速增长。2007年农民人均纯收入3556.27元，同比增加587.19元，增长19.8%，扣除物价影响因素，实际增长14.6%。在农村小康反映农村经济发展的三项指标中，2007年，安徽农村居民可支配收入是3386.4元，按2000年可比价格口径计算为2981元，全面小康实现程度为20.6%，比上年增加10.5个百分点；第一产业劳动力的比重为52%，全面小康实现程度为-13.3%；农村小城镇人口比重为20%，达到总体小康水平，全面小康实现程度为21.1%。

2、农村社会事业发展加快，全面小康实现程度为48.4%，比上年增加21.6个百分点。从社会发展四项子指标看，农村合作医疗覆盖率和农村养老保险覆盖率分别为67.2%和5%，全面小康实现程度为71.5%和5.5%，其中，农村合作医疗覆盖率比上年提高了50.6个百分点。主要原因是：2007年，安徽全省已有81个县（市、区）建立“新农合”，全省共下拨资金98786万元，累计筹资20.41亿元。

农村养老保险覆盖率和上年相比率略增；每万人拥有的农业科技人员数为0.8人，仍低于总体小康水平1人的标准；农村居民基尼系数为0.31，全面小康实现程度为100%。

3、农村人口素质和上年持平，全面小康实现程度为27.6%。随着农村经济的发展，农村居民生活水平的提高，人口素质也有一定的提高。2007年全省农村人口平均受教育年限达7.8年，全面小康实现程度为25%。由于各级政府加大了对农村医疗保健的投入，以及农村新型合作医疗制度的建立，农民身体健康有了初步的制度保证，农村人口平均

预期寿命较为稳定。2007 年安徽农村人口平均预期寿命达 71.6 岁，超过总体小康目标值，全面小康实现程度达 38.2%。

4、农村居民生活质量方面的全面小康建设实现程度为 40.4%，比上年提高 5.4 个百分点。从反映生活质量的四个方面看，（1）农村居民居住质量指数为 26.2%，全面小康实现程度为 14.4%，比上年提高 6.7 个百分点。据调查，2007 年安徽农民人均居住面积达 28.89 平方米，比上年增加 0.92 平方米；住房结构明显改善，楼房面积增长 7.3%，每平方住房价值增长 14.8%；使用水冲式厕所的家庭比重由上年的 4.2% 上升到 6.2%；有 22.3% 的农户饮用了自来水，提高了 2.2 个百分点。（2）从反映农民对信息产品的消费能力和信息获取能力的情况看，安徽农村电话普及率达 90%，彩色电视机普及率达 89.8%，计算机的普及率为 2%。全年农民信息化程度达 54.8%，全面小康实现程度为 83.8%，比上年提高 7.2 个百分点。（3）农村居民恩格尔系数为 43.3%，全面小康实现程度为 63.3%，比上年略低；（4）农民文化娱乐消费支出比重为 4%，全面小康实现程度 33.3%，比上年提高 6.6 个百分点。

5、农村民主法制建设稳步发展，全面小康实现程度 71%。从抽样调查结果看，2007 年，安徽农民对村政务公开的满意度达 76%，全面小康实现程度为 70%；农民对社会安全的满意度达 78%，全面小康实现程度为 72%。

6、农村资源环境继续改善，全面小康实现程度 11.7%，比上年提高 1.6 个百分点。从反映资源环境的指标来看，安徽农村森林覆盖率为 26%；万元农业 GDP 用水量为 1600 立方米，全面小康实现程度 90.9%，比上年提高 5.4 个百分点；常用耕地面积比基期减少 0.4%，全面小康实现程度达到负的极值 100%，常用耕地的变动将对粮食安全产生不利影响，对农村全面建设小康社会产生较大的负面影响，必须依法加强对常用耕地的管理。

（二）全面小康建设进程中存在的问题和难点

安徽省是乡村人口占主要比重的农业大省。由于城乡二元经济结构尚未根本改变，人多地少的矛盾在短期内无法完全化解，农业基础设施薄弱，靠天吃饭的状况仍然存在，生态环境和自然资源的制约仍然突出。从 2007 年农村全面小康监测情况来看，安徽农村全面小康的实现程度，和上年相比虽然有较大的提高，但因基数小仍处较低水平。从经济发展、社会发展、人口素质、生活质量、民主法制和资源环境六个方面的监测结果来看，安徽在农民人均可支配收入、第一产业劳动力比重、小城镇人口比重、万人农业科研人员数、农村人口平均受教育年限、常用耕地面积变动幅度等测算指标上，与全面小康目标值还有很大的差距。通过对农村全面小康建设进程各子指标的测算和分析，安徽农村小康建设的问题和难点主要有以下几个方面：

1．农民人均可支配收入绝对数较低，持续快速增长面临较大压力。2007 年，安徽全省农民人均可支配收入为 3386.4 元，折算成 2000 年可比价格水平为 2981 元。虽然达到总体小康值水平，但与实现全面小康目标值 6000 元相比，差距较大。由于农民人均可支配收入在农村全面小康监测指标中占有 20% 的权重，因此，对安徽农村全面小康建设目标的完成影响很大。按 2007 年安徽农民人均可支配收入为 2981 元计算，到 2020 年如期实现全面小康目标，在今后

13 年里必须每年增收 233 元。农民收入主要由工资性收入、家庭经营收入、财产性收入和转移性收入四部分构成，其中，农民家庭经营收入占全部收入比重最大。以2007 年为例，安徽农民家庭经营可支配收入占可支配收入比重为 53.8%，超过了一半；家庭经营收入中非农产业收入占比较少，第一产业收入占比高达 84%。第一产业中农业、林业、牧业、渔业是长周期行业，受到的影响因素较多，既受自然条件因素影响，也受市场波动因素影响，农民家庭经营收入在十几年的时间里保持持续较快的增长是有较大压力的。从农民另一比重较大的工资性收入方面来看，由于受城镇化进程、外出农民文化素质与劳动技能、城市二、三产业发展状况等因素影响，农民工资性收入在 13 年的时间里，保持快速增长压力较大。

2. 小城镇人口比重偏低，城镇化进程缓慢。从小康监测情况来看，2007 年安徽小城镇人口比重为 20%，全面小康实现程度只有 21%，差距较大。目前，安徽城市化率只有百分之三十几，落后全国平均水平接近十个百分点，全省城市化、农村城镇化发展相对落后。安徽大多数小城市、集镇由于规模过小，人口不足，基础设施落后，难以担当起城市化的重任，不仅无法吸引更多的企业和农村剩余劳动力进镇，而且还因为缺乏产业规划和产业分工，造成了较为严重的企业重复建设和结构趋同，导致资金和土地资源的浪费和环境污染。

安徽农村人口众多，第一产业从业劳动力比重较大。从小康监测情况看，第一产业劳动力比重为 52%，还没有达到总体小康值 50% 的标准，距全面小康值 35% 的标准，差距较大。要降低第一产业劳动力比重，同时使得农民能够持续增收，只有将大量的富余农村劳动力有序地转移出去。近几年，安徽农村富余农村劳动力转移主要到东部地区，转移到中部，特别是本省城市的农村富余农村劳动力所占比重较少，这和安徽城市化、城镇化发展水平有着密切相关。因此，从较长期的角度看，推动安徽城镇化进程，增强本省城镇吸纳农村富余劳动力显得日益紧迫。

3 、农村教育基础薄弱，农村科技人员比例偏低。在农村全面小康评价指标中，农村人口受教育年限占有 12% 的权重，是位居农民可支配收入之后的第二大权重指标。经测算，2007 年安徽农村人口平均受教育年限为 7.8 年，仅相当于初中二年级的水平。由于教育投入的不足，使得农村教育条件较差；同时由于农民收入水平较低，难以使子女享受到条件较好的教育，所以，这几年安徽农民平均受教育年限增加缓慢。2007 年安徽万人农业科技人员数为 0.8 人，距全面小康值 4 人，还有较大差距。因此，采取切实措施，提高农业科技人员的待遇，发挥农业科技人员的积极性，安徽由农业大省向农业强省转变就有了坚实的基础。

4. 土地资源和环境因素制约大。2007 年安徽常用耕地面积，与基期面积相比继续减少，测算变动幅度为 -0.4%；没有达到小康总体值得 -0.3%，此项小康得分是 -3 分，是安徽农村全面小康测算子指标中得分最差的一项。安徽人多地少矛盾一直是制约农村经济快速发展的瓶颈之一，随着城镇化和非农产业的发展，需要占用一定数量的耕地。如何统筹城乡发展，提高土地使用集约化程度，同时保护最低数量常用耕地，有效实施粮食安全战略，是摆在面前的一项艰难任务。非农产业的发展，是较快增加农民收入的一个有效途径。但是非农产业的发展，必然带来一些空气、水质等对农业生产发展不利的环境污染问题，如何协调这两者之间的关系，影响到安徽农村经济的长远发展。

（三）全面建设农村小康社会的对策建议

1. 大力推进安徽城镇化进程，促进农村富余劳动力有序流动。把城镇化作为全省经济社会发展的战略之一，积极推进城镇化进程。积极探索户籍制度改革，消除城镇化发展的体制障碍。从部分中小城市开始，打破城乡二元结构，放开对城市户口的限制，给农民自由迁徙权，鼓励有条件的农民进城，使其真正享受与城市居民同等的“国民待遇”，为农民进城务工经商、安居乐业创造宽松的外部环境，积极营造外出务工人员回乡创业的良好环境，吸引有能力的人员回乡创业。同时积极建立起新型的、市场导向的农村土地流转机制，允许农民用土地使用权抵押、入股、租赁、转让，提高农村土地资源的配置效率，推动农村劳动力资源的流动，把一部分农民从土地上逐步解放出来，最终达到减少农民、致富农民的目标。

2. 努力发展非农产业，拓宽农民增收渠道。通过非农产业发展和农业结构调整提高农民收入，进而提升农民消费结构，扩大内需，促进城乡经济良性循环发展。农村不可能只靠传统农业进入小康社会，必须统筹城乡，实施以工带农协调发展。首先要调整农村产业结构，发展家庭经营二、三产业，拓宽农民收入渠道，要对少数区域性农产品深加工龙头企业进行政策性倾斜，引导企业快速发展，吸纳更多的农村富余劳动力，持续地增加农民收入。其次调整农业结构，改进品种结构，努力促进农业生产优质高产，更多地增加农民收入；最后要逐步建立健全农村社会保障体系和公共服务体系，改善农民的生活环境。

3. 重视农村教育投入，加强职业与技术培训工作，提高农村劳动力文化素质和劳动技能。继续加大农村教育事业的投入，尽快提高农村劳动力的文化素质。一方面要多办一些农民职业学校，帮助农民补习文化，提高他们的文化水平；另一方面应将着力点放在科技培训上，采取多种形式进行科技培训，提高技能，掌握生产经营本领。同时要减轻农民子女就学的负担，开展对贫困家庭学生的援助，切实降低农村适龄学童的辍学率。

4. 振兴本省欠发达地区农村经济，缩小地域间经济发展水平差距。安徽皖北地区农村人口众多，农民收入水平相对较低，如何促进这个地区农民致富，对安徽农民收入水平影响较大。可以考虑利用淮河流域地区煤炭等资源丰富的优势，大力发展农村工业，带动更多的农民增收，从而提升全省农民收入水平。

5. 进一步加大对农业和农村基础设施建设的投入。从近几年安徽农民收入情况来看，农民收入增长缓慢，关键问题是安徽灾害频繁发生，局部地区受灾严重，加之灾后的影响滞后效应。因此，必须注意灾害对农民收入的负面影响，切实加强农田基本建设，加大财政支农力度，确保一定比例的财政资金用于大型农田水利工程，综合治理淮河，变害为利，加快全省农民增收进程。

2007 年农村全面小康综合表（安徽）

指 标	单 位	总体小康值	全面小康值	2007 年实际值	实现程度	权 数	综合分值
A 、经济发展					14.8	29	4.3
农村居民人均可支配收入	元/人	2200	6000	2981	20.6	20	4.1
第一产业劳动力比重	%	50	35	52	-13.3	5	-0.7
小城镇人口比重	%	16	35	20	21.1	4	0.8
B 、社会发展					48.4	20	9.7
农村合作医疗覆盖率	%	10	90	67.2	71.5	8	5.7
农村养老覆盖率	%	1.8	60	5	5.5	4	0.2
万人农业科技人员数	人	1	4	0.8	-6.7	4	-0.3
农村居民基尼系数	-	0.35	0.3-0.4	0.31	100	4	4.0
C 、人口素质					27.6	15	4.1
平均受教育年限	年	7.4	9	7.8	25.0	12	3.0
平均预期寿命	年	69.5	75	71.6	38.2	3	1.1
D 、生活质量					40.4	23	9.3
恩格尔系数	%	49	40	43.3	63.3	4	2.5
居住质量指数	%	18	75	26.2	14.4	11	1.6
农民文化娱乐支出比重	%	2.5	7	4.0	33.3	3	1.0
农民信息化程度	%	28	60	54.8	83.8	5	4.2
E 、民主法制					71.0	6	4.3
农民对村政务公开的满意度	%	55	85	76	70.0	3	2.1
农民社会安全满意度	%	60	85	78	72.0	3	2.2
F 、资源环境					11.7	7	0.8
常用耕地面积变动幅度	%	-0.3	0	-0.4	-100	3	-3.0
森林覆盖率	%	16.5	23	26	100	2	2.0
万元农业 GDP 用水量	立方米/万元	2600	1500	1600	90.9	2	1.8
合 计						100	32.5

十三、福建省农村全面建设小康监测报告

2007 年，福建省委、省政府坚持“四谋发展”的实践主题、“四个重在”的实践要领、“四个关键”的实践要求，扎实推进海峡西岸经济区建设。全省经济持续了好的形势、态势、趋势、气势，农村全面建设小康社会迈出了新的步伐。

（一）农村全面建设小康进程监测结果

根据国家统计局制定的农村全面小康社会监测标准，福建2007年农村全面建设小康实现程度59.7%，比2006年的51.6%提高8.1个百分点。在反映农村全面建设小康进程监测的十八个指标中，农村居民基尼系数、农民文化娱乐支出比重、和森林覆盖率等三个指标实现程度已达100%。

1. 农村经济发展方面，实现程度为67.1%，比上年提升6.5个百分点

在反映农村经济发展的三个指标中，农村居民人均可支配收入为4600元，实现程度为63.2%，比上年提高8.6个百分点；第一产业劳动力比重为36.5%，实现程度为90%，保持上年水平；农村小城镇人口比重为27.0%，实现程度为57.9%，比上年提高3.7个百分点。

2. 农村社会发展方面，实现程度63.3%，比上年提升22.5个百分点

在反映农村社会事业发展的四个指标中，农村合作医疗覆盖率为82.0%，实现程度为90.0%，比上年提高56.5个百分点；农村养老覆盖率为5.6%，实现程度6.5%，比上年提高0.93个百分点；万人农业科技人员数为1.9人，实现程度为30%，与上年持平；农村居民基尼系数为0.36，实现程度100%。

3. 农民生活质量方面，实现程度70.4%，比上年提升7个百分点

在反映农民生活质量的四个指标中，由于受食品类价格上涨较多的影响，恩格尔系数由2006年的45.3%提高到46.1%，实现程度也相应从2006年的41.1%下降为32.2%；农民居住质量指数为55.6%，实现程度为65.9%，比上年提高7个百分点；农民文化娱乐支出比重为8.8%，实现程度100%；农民生活信息化程度为57.8%，实现程度为93.1%，比上年提高8.1个百分点。

4. 农村人口素质方面，实现程度46.0%，与上年持平

农村人口平均受教育年限为8.0年，农村人口平均预期寿命74.3年，均与上年持平。

5. 农村民主法制方面，实现程度64.0%

根据专项调查，在反映农村民主法制的两个指标中，农民对村政务公开满意度为73.0%，实现程度为60.0%；农民对社会安全满意度为77.0%，实现程度68.0%。

6. 农村资源环境方面，实现程度9.1%，比上年提高2.6个百分点

在反映农村资源环境方面的三个指标中，除耕地面积略有变动外，全省森林覆盖率为63.0%，实现程度为100%；万元农业增加值用水量为1700立方米，实现程度为81.8%，比上年提高9.1个百分点。

（二）农村全面建设小康社会存在的难点

1．保护耕地资源的任务艰巨

目前福建不仅是全国人均耕地最少的省份之一，人均耕地不足0．5亩，而且随着城镇化、工业化的推进，耕地“占补平衡”越来越难，同时近年来受灾毁坏的农田尚未完全恢复，要扭转耕地减少趋势难度大。

2．提升农村人口素质任重道远

福建农村因山高、地域差异大，发展不平衡，农村人口素质不甚理想。2008年农村人口平均受教育年限不足8年，与9年义务教育要求比存在较大差距。其主要原因有观念落后的问题，也有经济负担重的问题。因此，要改变此现状，需要解放思想，努力发展经济，需要举全社会之力，共同关心、共同帮助、共同促进。

3．农业科技人员匮乏

目前福建万人农业科技人员不足2人，其中全省农业科技推广人员仅15190人，与全面建设小康标准值（万人农业科技人员4人）相比，相差过半，小康实现程度仅三成，还有七成的小康路程要走。

4．农村养老事业发展比较滞后

2007年福建农村养老覆盖率为5．6%，表明农村养老事业发展刚刚起步。用全面建设小康标准值60%衡量，才走完6．5%的全面建设小康路程。在18个反映农村全面建设小康社会指标中，是实现程度最差的一个。

（三）加快农村全面小康进程对策建议

1．进一步加强耕地保护

耕地是农业生产的基本要素和基础条件，福建人均耕地少，保护耕地的任务更加艰巨。一方面，要用好现有的耕地面积，避免撂荒，努力提高复种指数；第二方面，在城镇化、工业化进程中，须科学规划，合理安排，做到少占或不占耕地，把“占补平衡”落到实处；第三方面，要依法保护耕地，加强对耕地的使用管理，加大对违规占地行为的查处力度。

2．进一步拓展农民增收空间

在稳定粮食生产的同时，要根据农村的具体实际，大力发展多种经营，特别是要发展当地特色、有品牌效应的名优土特产品，提高单位产量、品质和附加值。落实好中央与省委省政府的各项扶农惠农政策，加强农业生产资料价格调控与农资市场管理，让农民在相对稳定的市场运行中获益，切实保护好农民生产积极性。要拓宽农民就业渠道，通过培训，使农民学有所长，扩大知识面，增强就业本领，提高收入水平。应降低农民入城门槛，让农民进得了城、安得了家、成得了业。

3．进一步提升农村人口素质

这是一项长期的任务，需要持之以恒。要认真抓好九年义务教育制度的落实，千方百计不让因贫困而休学、辍学一个学生。要加强职业教育，对上不了高中、大学的学生，要创造条件让其进入职业中专，接受继续教育。要加强对农村劳动力的培训和指导，让他们在干中学、学中干，由侧重短期培训向放眼长远学习转变。

4．进一步提高农业科技水平

农业科技人员少是农业科技水平不高的集中体现，要改变农业科技人员不足的问题，一要增加对农业科技事业的投入，以满足农业科技事业发展的需要；二要改善农业科技人员、特别是基层农业科技推广人员的工作环境和待遇，让他们安心工作；三要采取措施鼓励学农专业的学生到农村基层工作，充实农村一线科技推广人员，让他们在服务“三农”中找到自己的价值和位置。

5．进一步加快农村养老保障体系建设

较为健全的社会保障体系，是全面小康的重要目标之一。而当前主要的问题，首先是作为农村传统保障体系三大组成部分的集体经济、家庭和土地，其保障功能已经严重弱化。从集体经济上看，随着联产承包责任制的推行，农村分配方式产生重大变革，使得集体经济的内部积累机制受到严重的削弱，农村税费改革后，发展集体福利的基金基本没有提取，造成农村集体经济普遍脆弱，基本丧失了对农民的福利保障。从家庭保障上看，近年来农村家庭的生活方式和家庭结构都发生了变化，一是家庭规模进一步小型化，二是由于农村劳动力转移和离异家庭增多，致使残缺型家庭越来越多，家庭的扶养、赡养、教育等基本功能越来越多地依赖社会承担，而同时农村人口老龄化却日益严重，农村劳动力负担系数已高，随着老年人口的增加，农村养老保障压力势必越来越大。

2007年农村全面小康综合表（福建）

指 标	单 位	总体小康值	全面小康值	2007年实际值	实现程度	权 数	综合分值
A、经济发展					67.1	29	19.4
农村居民人均可支配收入	元/人	2200	6000	4600	63.2	20	12.6
第一产业劳动力比重	%	50	35	36.5	90.0	5	4.5
农村小城镇人口比重	%	16	35	27.0	57.9	4	2.3
B、社会发展					63.3	20	12.7
农村合作医疗覆盖率	%	10	90	82.00	90.0	8	7.2
农村养老覆盖率	%	1.8	60	5.60	6.5	4	0.3
万人农业科技人员数	人	1	4	1.9	30.0	4	1.2
农村居民基尼系数	—	0.35	0.3-0.4	0.36	100.0	4	4.0
C、人口素质					46.0	15	6.9
农村人口平均受教育年限	年	7.4	9	8.00	35.6	12	4.3
农村人口平均预期寿命	年	69.5	75	74.3	87.3	3	2.6
D、生活质量					70.4	23	16.2
农村居民恩格尔系数	%	49	40	46.1	32.2	4	1.3
农民居住质量指数	%	18	75	55.6	65.9	11	7.2
农民文化娱乐支出比重	%	2.5	7	8.8	100.0	3	3.0
农民生活信息化程度	%	28	60	57.8	93.1	5	4.7
E、民主法制					64.0	6	3.8
农民对村政务公开满意度	%	55	85	73	60.0	3	1.8
农民对社会安全满意度	%	60	85	77.0	68.0	3	2.0
F、资源环境					9.1	7	0.6
常用耕地面积变动幅度	%	-0.3	0	-0.5	-100.0	3	-3.0
森林覆盖率	%	16.5	23	63	100.0	2	2.0
万元农业增加值用水量	立方米/万元	2600	1500	1700	81.8	2	1.6
农村全面小康实现程度合计						100	59.7

十四、江西省农村全面建设小康监测报告

2007年，江西省委省政府坚持以科学发展观统领经济社会发展全局，以社会主义新农村建设为切入点，促进农业和农村经济发展，农民收入增长，积极推动农村全面建设小康社会。按照国家统计局农村统计司制定的农村全面小康标准和综合评价方法，我们对2007年度江西省农村全面建设小康实现程度进行了测算。从测算结果看，江西省农村全面建设小康实现程度达到40.1%，比上年提高了7.6个百分点，取得了显著成绩。

（一）走完了全面建设小康近二分之一进程

2007年，江西农村全面建设小康监测指标体系中包括的经济发展、社会发展、人口素质、生活质量、民主法制、资源环境6个方面指标的全面建设小康实现程度依次为38.3%、60.5%、20.7%、25.0%、67.7%、56.6%。农村社会发展、生活质量方面的全面建设小康的实现程度大幅提升，农村经济发展和农民生活质量的全面建设小康的进程继续加快。具体表现为：

1. 农村经济发展方面，全面建设小康实现程度比上年提升6.8个百分点

反映农村经济发展的三项指标中，2007年，江西省农民可支配收入为3392元，比上年实际增长10.0%，是近几年来增长最快的一年。根据全面建设小康标准，农民可支配收入实现程度为31.4%，比上年增加8.1个百分点；第一产业劳动力比重为38.0%，全面建设小康实现程度为80.0%，比上年增加7.3个百分点；农村小城镇人口比重20%，全面建设小康实现程度21.1%，与上年持平。

2. 农村社会发展方面，全面建设小康实现程度比上年提升18.7个百分点

其中的四项指标，农村新型合作医疗发展加快，全面建设小康实现程度为80.4%，比上年提高了46.8个百分点；万人农业科技人员数的全面建设小康实现程度为33.3%，农村养老覆盖率全面建设小康实现程度为8.2%。这两项指标与上年基本持平；农村居民收入基尼系数达到了全面建设小康标准。

3. 农民生活质量方面，全面建设小康实现程度比上年提升10.7个百分点

其中，农村信息化程度的全面建设小康实现程度为80.0%，比上年提升35.6个百分点；农民居住质量指数全面建设小康实现程度提升9.1 个百分点；由于2007年农村食品价格大幅上涨，农民食品消费支出所占比重提高，文化娱乐支出所占比重下降。同时，农村中小学减免学杂费，教育费用支出大幅降低，农村消费结构中，食品消费支出和文化娱乐消费支出出现年度的波动，恩格尔系数上升，农民文化娱乐支出比重下降，全面建设小康实现程度分别比上年下降5.6个百分点和3.3个百分点。

4. 民主法制方面，全面建设小康实现程度为67.7%

各地加大了农村基层组织建设和村务公开力度，农村民主法制建设和社会安全正发生深刻变化，法制制度不断健全，治安状况良好。2007年江西省农民对村务公开的满意度达63%，实现程度比上年提升了3.3个百分点；农民对社会安全的满意度达72%。

5. 资源环境方面，全面建设小康实现程度比上年提升 2.1 个百分点

江西进一步实施“生态江西”工程，狠抓生态环境建设，依法保护和合理开发利用各种自然资源，农村资源环境获得了有效保护，环境质量继续保持良好状态，森林覆盖率达 60.05%，已超过全面小康标准值，实现程度为 100%；万元农业 GDP 用水量为 1521 立方米，全面建设小康实现程度为 98.1%。

（二）农村全面建设小康大幅提升的特点

1. 农村经济增长加快和农民收入大幅度提高为推进农村全面建设小康提供新的动力

江西省各地贯彻执行“多予、少取、放活”的方针，进一步完善落实支农惠农政策，加大对“三农”投入，实现了农业生产增产、增效。 2007 年，全省第一产业增加值 910.0 亿元，比上年增长 5.0%。全年粮食总产量 1904.2 万吨，增产 7.7 万吨，总产量连续四年创历史新高；完成造林 133.2 千公顷，增长 53.0%；肉类总产量 247.4 万吨，增长 3.0%；水产品产量 196.1 万吨，增长 9.0%。农产品价格普遍上涨，全年农产品生产者价格指数达到 114.98，拉动了农业收入增长。农民劳务收入保持快速增长，家庭经营二、三产业全面发展，促进农民收入大幅度增长。全年农民人均纯收入超过 4000 元，是近几年增长速度最快的一年，是历史上增加额最多的一年。农村贫困状况继续大幅改善，江西省贫困人口 65.99 万人，比上年下降 10%，贫困发生率为 1.97%，下降 0.24 个百分点。

2. 农村社会建设加快极大地推进了农村全面建设小康进程

近几年来，农村社会保障制度逐步建立和完善。实行了以大病统筹为主的农村新型合作医疗制度，农村义务教育阶段“两免一补”政策，农村最低生活保障制度。2007 年，江西省新型农村合作医疗制度扩大到 80 个县（市、区），参合农民 2493.3 万人，参合率 87.5%；农村养老保险覆盖了 221 万农民，覆盖率为 6.59%；农村低保户得到低保金 3.9 亿元，统筹基金使用率达 92.7%。实行农村义务教育阶段免费教育的实施，使农村儿童更多享受到良好的教育。

3. 生活质量不断提高充分体现了全面建设小康的成效

随着收入增加，农民物质消费全面增长，精神文化和健康安全消费明显增加，交通通讯、文教娱乐、休闲旅游、保健等消费快速增长。2007 年，江西省农民人均消费支出 2994.49 元，比上年增加 305.6 元，增长 11.8%。购买高档消费用品增长 17.0%，衣着消费支出增长 12.7%，居住消费支出增长 27.1%，购买交通通讯支出增长 10.5%。新农村建设加快了农村卫生、用水、用电等居住环境的改善。2007 年江西省农民住房面积人均比上年增长 2.4%，使用水冲式厕所的农户比重提高了 46.2 个百分点，饮用自来水的农户所占比重提高 24.8 个百分点，住宅外拥有硬化道路的农户所占比重提高 22.3 个百分点。一年来，江西省农村居民的物质生活向高层次发展，精神生活更加丰富，消费方式和结构更加现代化，向全面建设小康迈进了大步。

（三）农村全面建设小康的难点

1．农民增收难度加大。目前江西农民收入水平较低，很大程度上影响了农村社会建设和农民生活质量的提高，是加快农村全面建设小康建设进程的薄弱环节。2004年以来，在农业生产稳定增长，农产品价格上涨的作用下，农业获得了较好增收，推动新一轮农民收入快速增长。但农产品市场价格处于一个相对高位后，继续向上涨的空间不大，价格增收作用将减弱。农业资源因素对加快农民收入增长的约制增大。九十年代中期以来，农民外出务工是增收的主要来源之一。近来年，新增的外出农民工主要来源是农村劳动力自然增长的新增人员，以及农业机械化程度提高对农业劳动力使用减少而产生的新的富余劳动力。农村劳动力经过前几年的快速转移后，新增富余且具有转移能力的劳动力规模相对减少，外出务工的农民人数增长速度将有所减缓。

2．农村社会保障水平仍然低。目前江西省农村养老保险与全面建设小康目标相差很远。新型农村合作医疗处于“广覆盖、低水平”的阶段，虽然农村参保人员基本上覆盖了全省农村，但标准较低，所能起到的社会保障作用很小，农村“养病难”和 “看病难”问题仍然较突出，因病致贫、因病返贫现象增多。农村卫生院的医疗设备落后，农村医疗机构人才缺乏，存在“人多才少”的现象，很不利于乡镇医疗卫生水平的提高。这些情况反映，虽然从数量上看，农村合作医疗覆盖率指标的全面建设小康实现程度达到80.4%，但水平仍然较低，建立高质量的农村医疗保障体系尚待时日。

3．发展不平衡问题有待进一步解决。城乡居民收入有继续扩大趋势，2007年江西城镇居民可支配收入增长17.5%，高于农民纯收入增长，差距进一步扩大。农村内部最高收入20%人口的收入达到8160元，最低收入20%人口的收入为1556元，两者差距为6600多元，高收入是低收入的5倍，差距继续扩大。农村还存在150多万贫困和低收入人口，其收入不足维系当年的生活消费支出。这些差距制约了农村全面建设小康进程。

（四）加快农村全面小康进程的建议

1．加大对“三农”支持力度。坚持贯彻“多予、少取、放活”的方针，继续增加对农业和农村的投入，加快农业和农村基础设施建设，促进农业和农村持续快速发展；坚持“以人为本”，提高农民社会地位。创新对“三农”补贴的政策措施，切实减轻农民的教育、医疗等方面负担。进一步改善农民务工环境，保护农民合法权益；深化农村改革，放活农村经营，把农民群众的积极性和创造性充分发挥出来。

2．努力增加农民收入。切实加强农业科技推广，提高农业生产效率，积极推进发展高产高质高效农业，实现农业生产稳定增长，不断提高农业效益；积极推进工业化、城镇化，大力发展农村非农产业，促进农村劳动力就业转移，积极引导农民外出务工，鼓励外出务工农民回乡创业，加快非农收入增长。

3．继续大力发展农村教育事业。积极发展提高农民文化科技素质和技能的实用型教育，培养和造就新型农民。加大对农村教育的财政投入，改善农村办学条件。

4．建立健全农村社会保障体系。尽快实现新型农村合作医疗覆盖全省农村，加大医疗资源投入，搞好卫生设备建设，提高农村医务人员水平，使农民人人享有较好的卫生保健，切实解决农民“看病难”的问题。加快农村养老保障制度的实施，办好养老院，让农民老有所养，老有所乐。

2007年农村全面小康综合表（江西）

指 标	单 位	总体小康值	全面小康值	2007年实际值	实现程度	权 数	综合分值
A 、经济发展					38.3	29	11.1
农村居民人均可支配收入	元/人	2200	6000	3392	31.4	20	6.3
第一产业劳动力比重	%	50	35	38.0	80.0	5	4.0
小城镇人口比重	%	16	35	20	21.1	4	0.8
B 、社会发展					60.5	20	12.1
农村合作医疗覆盖率	%	10	90	74.3	80.4	8	6.4
农村养老覆盖率	%	1.8	60	6.6	8.2	4	0.3
万人农业科技人员数	人	1	4	2	33.3	4	1.3
农村居民基尼系数	—	0.35	0.3-0.4	0.3	100.0	4	4.0
C 、人口素质					20.7	15	3.1
平均受教育年限	年	7.4	9	7.8	25.0	12	3.0
平均预期寿命	年	69.5	75	69.7	3.6	3	0.1
D 、生活质量					25.0	23	5.8
恩格尔系数	%	49	40	49.8	-8.9	4	-0.4
居住质量指数	%	18	75	28	17.5	11	1.9
农民文化娱乐支出比重	%	2.5	7	2.72	4.9	3	0.1
农民信息化程度	%	28	60	53.85	80.8	5	4.0
E 、民主法制					67.7	6	4.1
农民对村政务公开的满意度	%	55	85	74	63.3	3	1.9
农民社会安全满意度	%	60	85	78	72.0	3	2.2
F 、资源环境					56.6	7	4.0
常用耕地面积变动幅度	%	-0.3	0	0.77	0.0	3	0.0
森林覆盖率	%	16.5	23	60.1	100.0	2	2.0
万元农业GDP用水量	立方米/万元	2600	1500	1521	98.1	2	2.0
农村全面小康实现程度合计						100	40.1

十五、山东省农村全面建设小康监测报告

近年来，山东各级党委、政府认真贯彻落实中央1号文件精神，坚持“以工促农、以城带乡”和“多予、少取、放活”的方针，以提高农业综合生产能力为基础，以转变农业增长方式为主线，以增加农民收入为核心，全省农村全面小康建设取得新进展。监测结果表明：2007年山东省农村全面建设小康实现程度为64.7%，比上年提高7.5个百分点。

（一）2007年山东农村全面建设小康实现程度进程分析

从农村全面小康六个方面的实现程度看，民主法制、社会发展方面的实现程度最高，全面小康实现程度达80%以上；人口素质、生活质量全面小康实现程度已接近70%；经济发展小康进程已经过半，资源环境小康实现任务仍然艰巨。

1．农村经济实现新突破，全面小康实现程度显著提高

2007年，党中央、国务院出台了一系列更直接、更有力的惠农措施，农业与农村经济呈现出良好的发展局面，粮食生产克服自然灾害影响，实现稳定增产，畜牧业生产恢复性增长，农民收入持续较快增长，农村综合改革迈出重大步伐，农村社会事业蓬勃发展，极大地推动了农村全面小康建设进程。

（1）农村经济持续发展，实现程度为56.4%。2007年，山东种植业结构以粮食安全、主要经济作物为支柱，着重推进布局优化，质量提高。在政策、市场、科技、气候等因素的共同作用下，粮食综合生产能力稳步提高，粮食连续5年增产，粮食总产创8年来新高。农民人均纯收入达4985元，比上年增加617元，增长 14.1%，增幅连续4年实现两位数增长，增速比上年提高3个百分点。山东农村劳动力转移成效显著，到2007末，全省转移到非农产业的劳动力达1908万人，比上年增加119万人，占农村劳动力总量的49.5%。外出务工队伍的发展壮大，促进了农民收入的持续快速增长。据测算，2007年经济发展类指标实现程度为56.4%，比上年提高7.9个百分点。其中，农民人均可支配收入的实现程度为50.4%，提高9.4个百分点；第一产业劳动力比重实现程度为79.6%，提高6.7个百分点；农村小城镇人口比重实现程度为57.4%，提高2.1个百分点。

（2）社会事业蓬勃发展，实现程度为82.2%。随着新型农村合作医疗、农保制度的全面推进，山东农村医疗、卫生、保险等社会事业蓬勃发展。2007年，全省134个有农业人口的县(市、区)，全部建立新型农村合作医疗制度，参合农民达6001万人，4628万人次参合农民从中获益。农村合作医疗覆盖率由上年的57.8%提高到85.2%，实现程度由上年的59.8%上升到94%。新型农保制度建设试点范围不断扩大，到2007年底，全省参保农民达1067万。被征地农民社会保障政策逐步完善，已有48个县(市、区)开展被征地农民社会保障试点工作，参保农民达63万人。农村养老覆盖率实现程度为23.2%，提高2.8个百分点。农业科技人员数实现程度由上年的93.3%上升到100%，农村居民基尼系数仍处在0.3-0.4的合理区间，其实现程度为100%。

（3）人口素质保持稳定，实现程度为68.8%。2007年，山东教育事业坚持以科学发展观为指导，大力实施科教兴鲁和人才强省战略，各级各类教育呈现出竞相发展的良好局面。尤其以加强农村义务教育为重点，促进了基础教育的均衡发展，山东教育在新的起点上实现了新的跨越。农村人口平均受教育年限为8.5年，小康实现程度达68.8%。随着基层医疗卫生服务体系建设的进一步增强，山东农村居民健康状况不断改善，平均预期寿命保持稳定，2007年为73.3 岁，高于全国平均水平，正向着高收入国家平均水平迈进，小康实现程度为69.1%。

（4）生活质量显著改善，实现程度为67.6%。随着收入的不断增长，农村居民生活质量显著改善，其小康实现程度为67.6%，比上年提高4.8个百分点。一是饮食结构优化。主食支出比重下降较多，在外饮食及肉、禽、蛋、奶等副食消费支出增长较快，膳食结构继续向营养型发展。2007年，山东农村居民恩格尔系数为37.8%，已超过全面小康标准值。二是居住质量提高。2007年，农民人均居住面积达31.7平方米，其中，人均楼房面积4.4平方米，增长22.7%；钢筋混凝土结构面积8.1平方米，砖木结构面积22.2平方米，分别增长0.8%和4.6%，每平方米住房价值达323元，增长8.8%。全省75.2%的农户住房拥有取暖设备，31.2%的农户使用清洁能源，95.1%的农户饮用安全卫生水。农民居住质量指数全面小康值为44.8%，实现程度为47.1%，提高7.1个百分点。三是文化生活丰富多彩。随着物质生活条件的日益改善，山东农民对精神文化生活的追求越来越高，2007年，农村居民文化教育及娱乐消费人均支出425元，小康实现程度为54.7%，提高3.1个百分点。四是信息化水平快速提升。农村居民百户拥有彩色电视机103.6台，固定电话86.2部，移动电话86.2部，家用计算机3.6台，农村信息化程度为58.3%，小康实现程度达到94.5%，提高4.6个百分点。

（5）平安山东深入推进，实现程度为82.3%。2007年，山东各级政法综治部门围绕构建社会主义和谐社会，强化措施，加大力度，继续深入推进平安山东建设，全面落实维护社会稳定的各项措施，使社会治安案件、群体性事件、安全生产事故、交通事故明显下降，人民群众安居乐业，全省呈现出和谐稳定的良好局面。各级党委、政府把村务公开民主管理作为实践“三个代表”重要思想、解决“三农”问题、推进依法治村、建设“平安山东”、加快农村全面建设小康社会进程的大事，摆上重要议事日程，本着凡是群众关心的、凡是群众想知道的、凡是群众有疑虑的都要公开的原则，依法规范和设置公开内容，农民群众对社会安全和村务公开的满意度，分别达到82%和78%。

（6）资源环境综合治理，实现程度为15.3%。2007年，山东各地在加快经济发展的同时，进一步加大了对耕地资源的保护和生态省建设工作力度，使耕地资源得到有效保护。全省耕地减少幅度下降至0.1%，该指标的小康实现程度由上年的-67%，回升至-33%，提高34个百分点。按照实现绿色山东和生态省建设的目标要求，进一步优化森林资源结构，改善和提高森林资源质量，加快造林绿化步伐，促进林业产业化经营，林业建设继续保持健康发展的良好态势。森林覆盖率达16.7%，小康实现程度为3.1%。万元农业GDP用水量为1500立方米，小康实现程度达100%。

在反映全面小康的指标中，恩格尔系数等4项指标已达到全面小康标准，森林覆盖率实现程度由负值变为正值，常用耕地面积变动幅度快速回升。

从构成农村全面建设小康评价体系的18项具体指标来看，农村居民基尼系数、恩格尔系数、万元农业GDP用水量、万人农业科技人员数4个指标达到全面小康标准；农村合作医疗覆盖率、农民信息化程度2个指标实现程度达90%以上；第一产业劳动力比重、农民对村政务公开满意度、农民社会安全满意度3个指标实现程度达70%以上；农村居民人均可支配收入、农民文化娱乐支出比重、小城镇人口比重、平均受教育年限、平均预期寿命5个指标实现程度进程过半；农村养老覆盖率、居住质量指数、森林覆盖率、常用耕地面积变动幅度实现程度相对较低，对山东全面小康的实现程度影响较大。

（二）山东全面建设农村小康社会的重点和难点

从测评结果来看，2007年山东农村全面小康实现程度提升较快，但从各分项指标的实现程度看，又存在着较大的差异，建设农村全面小康社会的任务仍十分艰巨。

1．农民持续增收压力增大

2007年，山东省农村居民人均可支配收入为4114元，与全面小康值6000元相差1886元，小康实现程度为50.4%，虽比上年提高9.4个百分点，但要实现全面农村小康社会目标还有一半的进程。农民收入保持快速增长，主要得益于农产品价格上涨和外出务工收入增加。受价格因素影响，农民人均多收入236元，占农民人均增收的38.2%。但随着政策性增收效应的释放，农产品价格上涨增收进入基数，农民持续增收的难度将进一步加大。由于农村劳动力素质普遍较低，难以适应高技能岗位需求，劳动力转移速度减缓，影响工资性收入的增长。农村资源型、高耗能、高污染行业，受国家节能减排政策的严格限制，农村二、三产业收入增长将受到制约。加上农资价格的普遍上涨及高位运行，加大了农业生产成本，压缩了农民增收的空间。

2．农村养老保险参与意识差

当前农村社会养老保险覆盖面小，参保人数少，截止2007年底，只有15.3%的农民参加了养老保险，农村社会养老保险工作进展缓慢。一是由于养老金增值利率一再下调，给付标准也随之降低，对农民缺少吸引力。二是多数农村集体经济薄弱，无力集体补助，基本形成了群众自己交钱自己保的格局，淡化了农保的吸引力。三是部分群众片面认为有钱存银行或参加商业保险利益更直接。四是地方政府对农村养老保险缺乏有效的宣传和引导，致使群众对农村社会养老保险的意义认识不足，且农村社会养老保险受益时间跨度长，群众对此疑虑大，担心交上钱后不能按政策兑现，或因通货膨胀造成货币贬值，因而参与意识差。

3．农村基础设施投入不足

近年来，山东省农村基础设施建设投入不断增加，农业生产生活条件不断改善和提高。但总体来看，农村基础设施投入仍然不足，制约了农村基础设施的建设步伐，成为农业和农村经济发展的“瓶颈”。财政支援农业支出总量逐年增加，但占地方财政支出的比重却呈下降趋势，1980年为12.8%，1990年降到9.0%，2000年又下降到6.7%，2007年为7.2%，虽有所回升，但仍然比1980年、1990年，分别低5.6个、1.8个百分点。由于投入不足，相当部分农田的灌溉和农村的生活用水设施严重老化，造成农民生产生活用水困难。部分村庄缺少垃圾、污水等处理设施，严重影响了农村居民的生产环境和生活质量。

4. 农业发展受资源环境约束严重

山东正处于农产品需求持续增长阶段，数量和质量上的要求越来越高，但农业和农村发展受资源环境的约束却日益突出。一是耕地面积持续减少。目前，全省年末耕地人均仅1.1亩，比全国平均水平少0.3亩；与联合国粮农组织确定的人均0.8亩警戒线相比，仅高出0.3亩。二是淡水资源短缺。山东人均淡水总资源为334立方米，不到全国平均水平（2100立方米）的1/6，仅为世界人均水平的1/25。根据联合国的划分，山东属人均少于500立方米的严重缺水地区。三是农村土壤污染严重。化肥、农药、农膜使用量亩均分别是29公斤、1公斤、2公斤，均高于全国平均水平，施用量的逐年递增，严重影响着农村生态环境和农产品质量安全。

5. 城乡收入差距继续扩大

2007年，全省城镇居民人均可支配收入为14265元，农民人均纯收入为4985元，农民人均纯收入是城镇居民人均可支配收入的34.9%。上世纪80年代初，二者差距为238元，90年代末差距拉大到3259元，目前已相差9280元，名义城乡收入差距为2.9:1，若把基本医疗等社会保障因素考虑在内，山东城乡实际收入差距在4倍以上，差距越来越大。城乡居民收入差距的逐步扩大，不仅制约着“三农”的发展，也影响着社会的和谐共进。

（三）加快农村全面建设小康社会的对策建议

1. 营造良好的农民增收政策环境

各级政府要站在以人为本和统筹城乡发展的战略高度，充分认识提高农民收入水平的重大现实意义，按照新农村建设的总目标和发展思路，在政策重点和工作机制上进行相应调整，切实把党的惠农政策继续抓好落实，不折不扣地施惠于农民。在稳定现有各项农业投入的基础上，新增财政支出和固定资产投资要向农业、农村、农民倾斜，逐步建立稳定的农业投入增长机制，提升农业核心竞争力和综合生产能力。大力发展高产优质高效农业，用现代化的科学技术引领农业，不断推动农业技术推广体系的体制创新、机制创新和管理创新。继续加强对农业生产资料出厂价和流通环节的监管，严厉打击制售伪劣假冒农业生产资料的行为，切实保护农民利益。

2. 推进农村劳动力合理有序转移就业

调整增收结构，提高增收质量，实现农民持续增收目标，最直接最有效的途径就是大力推进农村劳动力合理有序转移就业，提高农民工资性收入水平。一是产业转移，即农业向非农产业转移。转移的关键是大力发展劳动密集型企业和农产品加工龙头企业，扩展民营企业的经营领域，为转移农民提供大量就业机会。二是空间转移和跨区域转移。即由乡村向城市和小城镇转移，本地向外地转移。要以县城和中心镇为重点，加快城镇建设，使人口、信息、资本等要素向农村城镇集中，通过规模效益和集聚效应，使进城打工农民和转为市民的农民收入有较大幅度提高。三是努力开拓海外市场，提高国际劳务市场的占有率，开辟多种渠道，使农村富余劳动力向国外转移。

3．建立和完善农村社会保障体系

完善的农村社会保障体系，是社会稳定的基石和市场经济健康运行的保证。坚持政府统一管理、个人缴费、集体补助、政府补贴的农村养老保险筹资模式；建立参保个人账户和调节储备金相结合的农村社会养老保险制度，统一制定城乡社会保险关系转移、衔接办法；确保公共财政全过程支持农村社会养老保险制度建设，降低农民参保门槛，提高养老保障水平。将农村养老保险制度与其他社会保障机制相结合，逐步提高农民个人积累参保率、覆盖率，扩大社会保障面；把传统“五保制度”、“最低生活保障制度”与社会养老保险制度有机结合起来。在家庭养老保障的基础上，逐步健全发挥补充作用的社会化养老保障体系。

4．构建协调平衡的农业生态系统

为了控制农业生产过程中所造成的资源浪费、环境污染问题，有利于农业资源的合理开发与利用，应积极建立全面协调平衡的农业生态系统。为此，要正确运用生态学原理，尽力避免或淘汰那些有害于生态平衡和良好环境的农业措施，以逐步改善农村生态环境，建立各具特色的持续平衡的农业生态体系，在经济效益、社会效益、生态效益相兼顾的前提下，探索最少投入、最大产出的各种经济结构模式，提高农业生产的综合效益。逐步对主要农业土地、水资源、森林、草地、生物资源进行合理开发利用，并形成科学的监测管理系统，使可再生效益获得更多的增值。当前，尤其要进一步治理整顿土地市场秩序，坚决清理整顿各类名目繁多的开发区，落实最严格的土地保护制度，严格保护耕地，特别是严格保护基本农田。

5．加快推进城乡一体化进程

积极推进农村城市化，消除城乡之间的体制差别，是农业农村发展的基本要求。缩小城乡差距，重要的是逐步缩小城乡居民享有的公共服务和生活水平的过大差距，逐步实现公共服务的均等化。这就要求各级政府始终把发展农村生产力，建立现代农业、增加农民收入放在第一位，全面提升农村经济发展水平；取消各地对农民工的歧视性政策，使农民工在城镇有一个公平的竞争机会，享受与城镇居民同等的就业权利和子女受教育权利；利用财政投入对“三农”支出稳步增长的有力时机，抓好城乡市场的统筹发展、城乡基础设施的统筹建设、城乡教育卫生医疗和社会保障制度的统筹发展，建立起城乡统一的社会保障体系，让农村和农民真正分享城市化、工业化的建设成果。

2007年农村全面小康综合表（山东）

指 标	单 位	总体小康值	全面小康值	2007年实际值	实现程度	权 数	综合分值
A 、经济发展					56.4	29	16.3
农村居民人均可支配收入	元/人	2200	6000	4113.7	50.4	20	10.1
第一产业劳动力比重	%	50	35	38.1	79.6	5	4.0
小城镇人口比重	%	16	35	26.9	57.4	4	2.3
B 、社会发展					82.2	20	16.4
农村合作医疗覆盖率	%	10	90	85.2	94.0	8	7.5
农村养老覆盖率	%	1.8	60	15.3	23.2	4	0.9
万人农业科技人员数	人	1	4	4	100.0	4	4.0
农村居民基尼系数	-	0.35	0.3-0.4	0.33	100.0	4	4.0
C 、人口素质					68.8	15	10.3
平均受教育年限	年	7.4	9	8.5	68.8	12	8.3
平均预期寿命	年	69.5	75	73.3	69.1	3	2.1
D 、生活质量					67.6	23	15.5
恩格尔系数	%	49	40	37.8	100.0	4	4.0
居住质量指数	%	18	75	44.84	47.1	11	5.2
农民文化娱乐支出比重	%	2.5	7	4.96	54.7	3	1.6
农民信息化程度	%	28	60	58.25	94.5	5	4.7
E 、民主法制					82.3	6	4.9
农民对村政务公开的满意度	%	55	85	78	76.7	3	2.3
农民社会安全满意度	%	60	85	82	88.0	3	2.6
F 、资源环境					15.3	7	1.1
常用耕地面积变动幅度	%	-0.3	0	-0.1	-33.0	3	-1.0
森林覆盖率	%	16.5	23	16.7	3.1	2	0.1
万元农业 GDP 用水量	立方米/万元	2600	1500	1500	100.0	2	2.0
农村全面小康实现程度合计						100	64.7

十六、河南省农村全面建设小康监测报告

根据国家统计局制定的《农村全面小康标准》及监测方法，对2007年河南农村全面小康实现程度进行了跟踪监测，结果表明，2007年河南省农村全面小康社会的实现程度为33.2%，比上年提高7.2个百分点。农村全面建设小康又迈进了一步，充分展示了全省落实科学发展观，促进农村经济社会发展，构建和谐社会，推进农村全面建设小康社会的新成就。

（一）农村全面建设小康稳步推进

农村全面小康小康监测指标体系中包括6个方面18项指标。2007年河南农村全面小康监测6个方面的实现程度由高到低依次是：民主法制为82.0%，社会发展为72.3%，生活质量为41.2%，资源环境为12.7%，经济发展为11.0%，人口素质为2.0%。

1. 农村经济发展水平有较大进展，全面小康实现程度为11.0%，比上年提高9.4个百分点

2007年，河南省全年粮食生产再获丰收，全省粮食总产量达到1049亿斤，增长2.6%，连续两年超过1000亿斤，连续四年创新高，连续八年居全国首位。全省农民收入继续保持快速增长势头，2007年河南农民人均纯收入达到3851.60元，比上年同期增加590.56元，增幅为18.1%，高于上年增幅4.5个百分点，扣除价格因素后实际增长12.2%。在反映农村经济发展的三项指标中，农村居民人均可支配收入为3085元，全面小康实现程度为23.3%，比上年增加8.2个百分点，农村小城镇人口比重为17%，达到总体小康水平，全面小康的实现程度为5.3%。

2. 农村社会事业发展加快，全面小康实现程度为72.3%，比上年增加14.5个百分点

从社会发展的四项指标看，万人农业科技人员数和农村居民基尼系数两项指标的实现程度均已达到全面小康目标，农村合作医疗覆盖率实现程度达到80.0%，比上年提高42.5个百分点，农村养老保险覆盖率为2.6%，达到了总体小康水平。

3. 农村人口素质和上年持平，全面小康实现程度为2.0%

2007年，河南农村人口平均受教育年限为7.2年，比全面小康值低1.8年，实现程度为-12.5%；农村人口平均预期寿命72.8年，高于总体小康值3.3年，低于全面小康值2.2年，实现程度为60.0%。表明河南农村人口素质基础欠佳，特别是农村人口平均受教育年限与全面小康社会要求的目标差距较大。

4. 农村居民生活质量稳步提高，实现程度为41.2%，比上年提高5.7个百分点

在农民生活质量方面，四个分项指标中恩格尔系数达到全面小康标准，农村居民居住质量指数为11.1%、农民文化娱乐消费支出比重为31.1%，农民生活信息化程度为66.6%。在农民居住质量指数指标中，住房面积和结构两指标发展较好，人均住房面积已达30.17平方米，97.0%的农村居民住上了砖木结构和钢筋混凝土结构的住房；同时，农民生活信息化实现程度虽已达两位数，在该指标内部构成中，拥有彩电、电话或移动电话的农户所占比重都在50%以上。

5. 民主法制建设稳步发展，实现程度为82.0%

2007年，河南省各级地方政府积极推进基层民主法制建设，进一步健全村务公开和村民自治制度，提高了农民对村务公开的满意度。从调查结果看，2007年农民对村政务公

开和对社会安全满意度分别为79.0%和81.0%，实现程度分别为80.0%和84.0%。

6.农村资源环境继续改善，全面小康实现程度为12.7%，比上年提高11.6个百分点

在资源环境类方面，万元农业GDP用水量的实现程度已达到全面小康标准，森林覆盖率为22.6%，比全面小康标准略低0.4个百分点，实现程度为94.5%。

综上所述，2007年，河南农村经济、社会发展，农村居民生活质量方面的全面小康进程加快，但仍存在不稳定因素。从农村全面小康的18项指标来看，需要注意的是：第一产业劳动力比重、平均受教育年限、常用耕地面积变动幅度三项指标的实现程度都还为负值，还没有达到2000年农村总体小康目标值，对全省农村全面小康的实现程度影响较大。

（二）影响河南农村全面建设小康发展的主要因素

1.农民收入水平相对较低

农民收入是农村全面建设小康的核心指标，在综合评价的18项指标中，农民收入指标占20%的权重。2007年河南农民人均纯收入3852元，与全国水平相比较，河南省农村居民人均纯收入仅相当于全国平均水平的93.0%，在全国31个省、市、自治区中收入水平排在17位。尽管有所加快，但要加快河南农村全面建设小康进程，加速提高河南农民收入水平仍是重中之重。

2.农村城镇化水平低，农业劳动力比重偏大

劳动力就业结构非农化和农村人口城镇化进程是反映城乡社会经济统筹发展状况的重要指标。河南作为一个拥有近亿人口的发展中大省，乡村人口占比重较大，小城镇发展程度不高，农村劳动力非农就业不充分，城乡二元结构特征较为明显。测算结果表明，2007年，河南第一产业劳动力比重仍高达55.0%，未达到总体小康值，全面小康实现程度为-33%。河南农村小城镇人口比重为17.0%，比全面小康低18个百分点。加快农村小城镇建设，转移农村富余劳动力仍是当前的重要任务。

3.农村教育和卫生事业发展困难较多，社会保障水平较低

受医疗保障制度不健全、农民收入低、就医报销手续繁琐等因素制约，加剧了农村社会事业发展与城市相比更加滞后的现实。2007年河南农村人口平均受教育年限仅7.2年，相当于初中二年级的水平，农村合作医疗覆盖率为74.0%，农村养老覆盖率仅为2.6%。由于农村公共医疗卫生投入不足，农村医疗机构设施和人才缺乏，农村医疗条件较差，新型农村合作医疗正处于起步发展阶段，因此农民看病难、费用大，医治效果不尽如人意的状况尚未得到根本解决；与城镇相比，农村社会保障水平较低且保障面较小。农村中小学教学条件落后，缺乏优秀的师资力量和必要的教学实验设备，影响了农村教育事业的发展。

4.耕地资源保护和环境改善难度大

河南省人口多，人均占有资源少。如何有效地保护资源和环境，提高农村的可持续发展能力，促进人与自然的和谐发展，是河南农村全面建设小康的一个难点。

（三）加快农村全面建设小康的对策建议

1.继续加强农业基础地位，加大对农村的有效投入，着力增加农民收入

针对河南农业基础差、底子薄的现状，要不断加大财政支农的力度并将其长期化、制度化，确保一定比例的财政资金用于大型农田水利工程、农业综合开发项目、重大农业科研项目的建设。尤其是加大财政资金支持粮食主产区发展农产品加工业的力度，实现农业增值、农民增收。进一步加大对农村的有效投入，提高农民发展生产的积极性，实现农业资源大省向农业经济强省迈进。

2．加快农村小城镇建设，转移农村富余劳动力

按照《河南省全面建设小康社会规划纲要》要求，2010 年全省城镇化水平达到38%以上，2020 年达到50%以上。为此，一是对农村小城镇的建设要做出全面、科学、合理的布局和规划，搞好小城镇基础设施建设，提升聚集效应，杜绝低价占用农民土地现象的发生。二是要从法律上保护农民的权益，进一步优化农民就业的社会环境，杜绝低价使用农民工及同工不同酬。三是加强并规范对现有农村劳动力的培训，提高其文化素质和劳动技能，增强农民的再就业能力。四要大力发展中小企业和非公有制经济，为广大农民提供更多的就业机会。

3．加快农村社会事业的全面发展，确保农村全面建设小康的顺利进行

首先要加快农村医疗卫生基础设施的建设，完善新型农村合作医疗制度，逐步建立健全农村养老、医疗保险和最低生活保障制度，争取实现 2010 年新型农村合作医疗覆盖率达到95% 的规划目标；其次要加快农村教育网点的系统建设和合理调整，加大农村基础教育投资，保证农村九年义务教育的贯彻落实。第三要以农村改水、改厕为重点，加大农村公共基础设施建设，改善农民的生活条件和居住环境，使农民获得最基本的社会福利，实现老有所养、病有所医、贫有所济。

4．合理开发和节约使用耕地资源，提高森林覆盖率

在加快经济发展的同时，必须高度重视资源环境的保护。必须加大依法保护耕地资源的力度，加强统一规划与管理，正确处理保护耕地与满足建设用地需求的关系，改进土地资源利用方式，完善有偿使用机制，提高资源利用效率，保持耕地动态平衡。全省森林覆盖率还比较低，实施退耕还林、天然林防护、重点地区防护林、野生动植物保护及自然保护区建设、防沙治沙等五大林业生态工程，绿化宜林荒山荒滩荒地。争取到2010 年森林覆盖率达到26%的全面小康规划阶段性目标。

5．进一步完善村民自治制度，提高农民参政议政意识，加强农村民主法制建设，推进农村社会主义政治文明建设

尊重和维护农村居民的民主权利，扩大基层民主，提高广大群众参与民主管理与法制建设的自觉性；坚持和完善政务公开、村务公开等办事公开制度，保证基层群众依法行使选举权、监督权，扩大知情权、参与权等民主权利，切实保障农村居民的合法权益。增强农民的法制观念，使广大农民能够运用法律来保护自己的利益和规范自己的行为，为构建社会主义和谐社会奠定法制基础。

2007年农村全面小康综合表(河南)

指 标	单 位	总体小康值	全面小康值	2007年实际值	实现程度	权 数	综合分值
A、经济发展					11.0	29	3.2
农村居民人均可支配收入	元/人	2200	6000	3085	23.3	20	4.7
第一产业劳动力比重	%	50	35	55	-33.3	5	-1.7
小城镇人口比重	%	16	35	17	5.3	4	0.2
B、社会发展					72.3	20	14.5
农村合作医疗覆盖率	%	10	90	74	80.0	8	6.4
农村养老覆盖率	%	1.8	60	2.6	1.4	4	0.1
万人农业科技人员数	人	1	4	5	100.0	4	4.0
农村居民基尼系数	-	0.35	0.3-0.4	0.30	100.0	4	4.0
C、人口素质					2.0	15	0.3
平均受教育年限	年	7.4	9	7.2	-12.5	12	-1.5
平均预期寿命	年	69.5	75	72.8	60.0	3	1.8
D、生活质量					41.2	23	9.5
恩格尔系数	%	49	40	38.0	100.0	4	4.0
居住质量指数	%	18	75	24	11.1	11	1.2
农民文化娱乐支出比重	%	2.5	7	3.9	31.1	3	0.9
农民信息化程度	%	28	60	49.3	66.6	5	3.3
E、民主法制					82.0	6	4.9
农民对村政务公开的满意度	%	55	85	79	80.0	3	2.4
农民社会安全满意度	%	60	85	81	84.0	3	2.5
F、资源环境					12.7	7	0.9
常用耕地面积变动幅度	%	-0.3	0	-0.2	-100.0	3	-3.0
森林覆盖率	%	16.5	23	22.64	94.5	2	1.9
万元农业GDP用水量	立方米/万元	2600	1500	517	100.0	2	2.0
农村全面小康实现程度合计						100	33.2

十七、湖北省农村全面建设小康监测报告

（一）2007 年湖北省农村全面小康测算结果

根据全国统一的农村全面小康监测指标体系和评价标准测算，2007 年湖北农村全面小康建设实现程度达到 41.9%，比 2006 年的实现程度（35%）提高 6.9 个百分点。

在反映农村全面小康的六个大类指标中，经济发展类指标的实现程度为 28.2%，比上年的 22.4% 提高 5.8 个百分点；社会发展类指标的实现程度为 63.1%，比上年的 40% 提高 23.1 个百分点；人口素质类指标的实现程度为 34.1%，比上年的 30.7% 提高 3.4 个百分点；生活质量类指标的实现程度为 35.3%，比上年的 31.3% 提高 4 个百分点；民主法制类指标的实现程度为 81%，仍保持在较高水平；资源环境类指标的实现程度为 43%，比上年下降 14.1 个百分点。

1. 农村经济发展实现程度为 28.2%，比上年提升 5.8 个百分点

农村经济发展类指标由农村居民人均可支配收入、第一产业劳动力比重和农村小城镇人口比重三个指标组成，在全面小康评价中占 29% 的权重，是六大类指标中权重最大的一类。

根据农村住户调查资料计算，2007 年农民人均可支配收入为 3882.51 元，比上年增长 17.2%，扣除以 2000 年为基期的价格因素影响后，农村居民实际人均可支配收入为 3214 元，相当于全面小康标准（6000 元）的 53.6%，实现程度为 26.7%，比上年提高 8.7 个百分点；2007 年湖北省农村第一产业劳动力比重（逆指标）为 47.5%，与全面小康 35% 的标准还有 12.5 个百分点的差距，实现程度仅为 16.7%；2007 年农村小城镇人口比重为 25.5%，比 2006 年的 25.3% 提高 0.2 个百分点，与全面小康 35% 的标准仍有 9.5 个百分点的差距，实现程度为 50%，比上年提高 1 个百分点。

2. 农村社会发展实现程度为 63.1%，比上年提高 23.1 个百分点

农村社会发展监测指标由农村合作医疗覆盖率、农村养老保险覆盖率、万人农业科技人员数和农村居民基尼系数四项指标组成，在全面小康指标中所占权重为 20%。

2007 年，湖北省农村合作医疗覆盖率已达 80.8%，比上年提高了 44.6 个百分点，实现程度为 88.5%。农村新型合作医疗试点的范围由 2006 年的 41 个县（市、区）扩大到 91 个县（市、区），参加合作医疗的农民总人数已达 3246.5 万人；农村养老保险覆盖率为 12.4%，较上年增加 2.3 个百分点，实现程度为 18.2%，比上年提高 3.9 个百分点；农村居民收入分配的公平程度仍处在相对合理区间，2007 年湖北省农村居民的基尼系数为 0.3111，虽然比上年略有扩大，但小康实现程度仍为 100%；每万农村居民拥有的农业科研人员数为 1.61 人，离全面小康标准要求的每万人应达到或超过 4 人的标准还有很大差距，实现程度为 20.3%。

3. 农村人口素质类指标实现程度为 34.1%，比上年提高 3.4 个百分点

农村人口平均受教育年限和农村人口平均预期寿命是反映人口素质的两大重要指标。

2007 年湖北省农村人口平均受教育年限为 8.01 年，比上年略有提高，但仍然仅相当于初中二年级的学业水平，与大于 9 年的全面小康标准还差近 1 年，平均受教育年限指标的全面小康实现程度为 38.1%，比上年提高 3.7 个百分点；农村人口平均预期寿命为 70.5

岁，全面小康实现程度为18.2%，由于此指标每10年才更新一次，因此实现程度与上年保持持平。

4.农民生活质量实现程度为35.3%，比上年提高4个百分点

恩格尔系数、农村居民居住质量、农民文化娱乐支出比重及农民信息化程度是反映农民生活质量的四个指标。

2007年湖北农村居民恩格尔系数为47.7%，较上年扩大了0.9个百分点，全面小康实现程度为14.4%，比上年回落9.8个百分点，恩格尔系数较上年提高的主要原因是由于食品价格大幅度涨价，导致农民的食品消费支出金额增加；农村居民居住质量指数为30.4%，全面小康实现程度为21.8%，比上年提高了2.8个百分点；农村居民文化娱乐消费支出比重为3.2%，全面小康实现程度为15.1%，比上年回落3.3个百分点；农村居民的信息化程度为58%，比上年上升7.5个百分点，全面小康实现程度为93.8%，比上年下降6个百分点。

5.农村民主法制实现程度为81%，比上年上升1.7个百分点

随着新农村建设中"管理民主"各项措施逐步落实到位，农村基层的民主与法制建设也取得了一些新的进展，在农村税费改革中强制推行的村务公开和"村帐站管"制度已在全省全面普及，监管力度明显加大，农民对村务公开满意度也明显提高。在社会治安方面，近几年我省各地都进一步加大了农村社会治安的管理力度，各级政府都将"社会治安综合治理"纳入一票否决范围，不少村级还建立了"安保"队伍，社会治安状况有所改善，使农民的社会安全感增强，对社会安全的满意率提高。2007年我省农民对村政务公开的满意度达81.8%，比2006年提升0.8个百分点，全面小康实现程度为89.3%；农民对社会安全的满意度为77.6%，虽比上年略降0.4个百分点，但仍保持在较高水平，实现程度为70.2%。

6.资源环境实现程度为43%，比上年下降14.1个百分点

从反映资源环境的三项指标来看，2007年湖北省森林覆盖率为37%，万元农业GDP用水量为1402立方米，均已达到农村全面小康实现程度的标准。随着国家对农用耕地保护力度的加大，农村常用耕地面积的持续下降的局势得到一定程度地遏制，但考虑到城镇规模的扩大和农村"村村通"建设的推进，农用耕地占用仍有扩大趋势，故2007年农村常用耕地面积的取值仍保持略减态势，故其小康实现程度为负值。

从上述评价农村建设全面小康社会的六个大类18个具体统计调查指标来看，2007年湖北省有三项指标实现程度达到100%，即农村居民基尼系数、森林覆盖率和万元农业GDP用水量均已达到了全面小康标准。实现程度超过50%的指标有：农民生活信息化程度(93.8%)、农民对村政务公开满意度（89.3%)、农村合作医疗覆盖率（88.5%)、农民对社会治安的满意度（70.4%）及农村小城镇人口比重（50%）等五项指标。但农民人均可支配收入、第一产业劳动力比重、农村养老保险覆盖率、农民受教育年限及农民文化娱乐支出比重等指标实现程度仍然偏低。

（二）农村全面小康社会进程加快的主要经验与启示

湖北建设农村全面小康社会的经验告诉我们，经济与社会发展、生活质量、民主法

制、人口素质和资源环境这六大方面必须始终坚持统筹兼顾，均衡、协调发展，缺一不可。由于经济发展在评价指标体系中所占权重大，更凸显其重要作用。要实现农村全面小康，关键取决于农村经济的发展速度和效益，因此当前农村全面小康建设的首要任务是加快发展农村经济，切实做到农业丰产，农民增收。

1．必须坚持以科学的发展观指导农业和农村工作

一是要坚持把增加农民收入作为整个“三农”工作的重中之重。富民乃兴农之本，只有民富才能得到农强；二是要坚持城乡统筹发展的原则，将巩固“三农”工作放在国民经济的基础地位，不断加大对“三农”的投入，扩大农村劳动力的就业与转移，拓宽农民增收渠道；三是要坚持科学发展观和遵循市场规律，农村经济和农业产业结构的调整，农业产业化的推进，农村剩余劳动力的转移等，都必须坚持以市场为导向，充分发挥本地资源优势和产业特色，避免农业增产不增收。

2．必须坚持全面落实党在农村的各项政策

2002 年以来，是党和政府出台农村政策实惠最多，也最为直接的时期，农村税费改革，使农民彻底摆脱了沉重负担的困扰，粮食直补和良种等补贴使农民获得了直接实惠，农村金融体制改革，全面推行小额农贷，使农民增加农业投入的积极性不断高涨，乡镇综合改革实行“精兵简政”，取消一切不合理收费，使农民的生产环境不断优化。正是我们不折不扣的落实了这些政策，才不断激活广大农民的生产积极性，保证了农民收入的增长和农村经济的繁荣。

3．必须坚持积极稳妥推进农村改革

改革就是要最大程度地解放和发展生产力。近 30 年的农村改革，我们建立了农村基本经济制度和市场机制，调整了国民收入分配关系，解决了农村上层建筑与经济基础不相适应的某些深层次问题。新一届省委、省政府再度加大了农村各项改革步伐，特别是在农村税费改革后及时推进农村综合改革，保障了农民物质利益的不断增长，维护了农民的民主权利，极大地解放和发展了农村生产力。

（三）当前制约湖北农村全面小康建设进程的主要因素

2007 年湖北农村小康建设的总体特点：一是农村经济方面的全面小康进程明显加快，较上年提高了 8.1 个百分点，但第一产业劳动力比重过大，农民人均可支配收入水平依然偏低，农村经济基础依然薄弱；二是农村居民生活质量虽然得到稳步提高，但反映农民精神文化生活的指标“农民文化娱乐消费支出比重”依然过低；三是农村人口素质有所提升，如平均受教育年限虽有所上升，但农民总体素质仍然不高；四是农村社会发展进程相对较快，特别是农村新型合作医疗的快步推进导致覆盖率大幅上升，但农村养老覆盖率指标的全面小康实现程度仍还很低。这些因素已成为当前乃至今后湖北全面小康建设的重点和难点。

1．农民的总体文化素质偏低成为新农村建设乃至实现全面小康的“瓶颈”

2007 年湖北农民人均受教育程度为 8.01 年，总体上只相当于初中二年级文化程度，这

与新农村建设和实现农村全面小康的要求极不相符。与此同时，当前从农村转移出去的劳动力绝大多数是年轻力壮，文化程度相对较高的农民，而留守在农村从事农业生产和“新农村建设”的主力军则多属“3860部队”（即妇女和老人），其文化程度较低，专业技能缺乏。这部分农民接受新技术、新知识的能力有限，只是用传统的方法从事农业生产，要使传统农业要向现代农业转变的难度很大，必将对农业生产的进一步发展产生一定的制约。

2．农民收入稳定增长的长效机制没有真正建立起来，农村居民收入低水平增长的格局短期内难以得到根本改变，且收入增长不平衡的问题仍很突出

尽管从总体上看，2007年湖北农村居民收入有了突破性地增长，农民人均可支配收入为3882.51元，比上年增长17.2%，扣除以2000年为基期的价格因素影响后，农村居民实际人均可支配收入为3214元，但全面小康的实现程度仅为26.9%，由此看来，农村经济发展是湖北当前所面临的最大难题。此外，地区之间、农户之间以及城乡居民之间收入增长的不平衡性还十分突出，不利于和谐社会的构建。主要表现为：

一是地区之间农村居民收入增长的差距较大。据统计，2007年在市、州中农村居民人均纯收入增加额最高的荆州市增加了635元，而农民增收额最低的恩施州只增加了295元。在县（市、区）中，增收额最高的宜都市为851元，而增收最低的来风县仅增加了272元。

二是农村住户内部的收入差距较大。据调查，2007年全省20%的高收入户人均纯收入为8013.43元，而20%的低收入户人均收入仅为1527.20元。农村高低收入户收入之比达到5.25：1，比上年还有所扩大。

三是城乡居民收入差距较大。调查数据显示，2007年全省城镇居民人均可支配收入为11485元，比农村居民人均纯收入高出了1.87倍，城乡居民收入比达2.87:1，比上年还有所扩大。

3．农村社会发展事业有了长足的发展，但农村社会保障体系建设任重道远

2007年是湖北省新型农村合作医疗试点力度最大的一年，全省参合农民进一步增加，农村合作医疗覆盖率再度提高，长期困扰农民的“看病难、看病贵”问题在试点地区农村得到明显缓解，大病农民通过报销医疗费大大减轻了家庭的经济负担，参合农民真正体验到了国民待遇的感觉。但农村社会保障体系的建立是一个复杂的系统工程，既需要政府的大力支持和关心，也需要广大农民的共同参与，如农村养老保险在农村仍刚起步，还很不完善。据2006年对170个村的抽样调查，平均每3.7个农村劳动力就要供养一个老人，养老负担仍很沉重。此外，农村职业教育、最低生活保障等仍难以满足农民日益增长的需求，必须加快发展。

4．农业技术人员的不足与农民日益增长的农业科技与信息服务需求的矛盾仍很突出

2007年湖北每万农村居民拥有的农业科研人员数仅为1.61人，主要是受经费不足和基层农业信息技术员流失的制约，导致农业新技术的推广应用难度较大，与农民日益增长的信息需求不对称。要全面实现农村小康，就必须进一步推进新农村建设和农村公共事业的发展，培养和造就一批新型的农业科技服务人员队伍，把现代农业技术和科技信息送到农村，全面提高农业劳动生产率。

（四）加快湖北建设全面小康社会的对策研究

1. 千方百计增加湖北农民收入

采取综合措施，多管齐下广辟农民增收的渠道。一是要充分挖掘农业内部增收潜力，扩大养殖、园艺等劳动密集型产品和绿色食品的生产，努力开拓农产品市场。二是发展县域经济，加强农村劳动力技能培训，引导富余劳动力向非农产业和城镇有序转移，带动乡镇企业和小城镇发展。三是要继续完善现有农业补贴政策，逐步建立符合我国国情的农业支持和农产品价格保护制度。四是必须整合农村扶贫和农村低保两个资源，继续加大对贫困人口和低收入群体的扶持力度，使更多的弱势群体共享改革与发展的成果。

2. 推进城乡统筹发展，以建设社会主义新农村促进农村全面小康社会的发展

要按照“生产发展、生活宽裕、乡风文明、村容整洁、管理民主”的要求，坚持从各地实际出发，尊重农民意愿，扎实稳步推进新农村建设。坚持“多予、少取、放活”的方针，加大各级政府对农业和农村投入的力度，扩大公共财政覆盖农村的范围，强化政府对农村的公共服务，建立以工促农、以城带乡的长效机制。搞好乡村建设规划，节约和集约使用土地。推进现代农业建设，加快农业科技进步，加强农业设施建设，调整农业生产结构，转变农业增长方式，提高农业综合生产能力。优化农业生产布局，推进农业产业化经营，促进农产品加工转化增值，发展高产、优质、高效、生态、安全农业。健全农业技术推广、农产品市场、农产品质量安全和动植物病虫害防控体系。积极推行节水灌溉，科学使用肥料、农药，促进农业可持续发展。

3. 大力发展农村公共事业，努力促进农村社会的全面进步与和谐发展

加快发展农村文化教育事业，重点普及和巩固农村九年义务教育和发展农民职业技术教育，培养有文化、懂技术、善经营的新型农民，提高农民的整体素质，通过农民辛勤劳动和国家政策扶持，明显改善广大农村的生产生活条件和整体面貌。加强农村公共卫生和基本医疗服务体系建设，基本建立新型农村合作医疗制度。发展远程教育和广播电视“村村通”。加快乡村道路建设，发展农村通信，继续完善农村电网，逐步解决农村人畜饮水的困难和安全问题。大力普及农村沼气，积极发展适合农村特点的清洁能源。

4. 强化农业科技在农民增收中的作用，进一步凸显农业科技和人才的重要性

2007 年的中央农村工作会议提出，要最大限度调动农业科技进步的力量，加快形成推进农业科技创新与推广应用的合力。农业发展的最大潜力就在于科技进步和劳动者素质的提高。繁荣农村，富裕农民，最终也要靠科技。为此，要根据农业生产结构调整的要求，进一步明确农业科技进步的主攻方向，加强基层农业技术推广体系建设，积极探索农业科技成果进村入户的有效机制和办法，大力培养农村实用人才，以科技手段确保农民收入持续快速地增长。

5. 加强对农用耕地占用的监管力度，确保农村耕地资源的可持续发展

加强对农用耕地占用的监管，确保农村常用耕地面积保持相对稳定，不仅关系到农业的可持续发展，而且也直接关系到农村全面小康建设的进程，应引起各级政府的重视。

2007年农村全面小康综合表(湖北)

指 标	单 位	总体小康值	全面小康值	2007年实际值	实现程度	权 数	综合分值
A 、经济发展					28.2	29	8.2
农村居民人均可支配收入	元/人	2200	6000	3214.0	26.7	20	5.3
第一产业劳动力比重	%	50	35	47.5	16.7	5	0.8
小城镇人口比重	%	16	35	25.5	50.0	4	2.0
B 、社会发展					63.1	20	12.6
农村合作医疗覆盖率	%	10	90	80.8	88.5	8	7.1
农村养老覆盖率	%	1.8	60	12.4	18.2	4	0.7
万人农业科技人员数	人	1	4	1.6	20.3	4	0.8
农村居民基尼系数	-	0.35	0.3-0.4	0.31	100.0	4	4.0
C 、人口素质					34.1	15	5.1
平均受教育年限	年	7.4	9	8.0	38.1	12	4.6
平均预期寿命	年	69.5	75	70.5	18.2	3	0.5
D 、生活质量					35.3	23	8.1
恩格尔系数	%	49	40	47.7	14.4	4	0.6
居住质量指数	%	18	75	30.4	21.8	11	2.4
农民文化娱乐支出比重	%	2.5	7	3.2	15.1	3	0.5
农民信息化程度	%	28	60	58.0	93.8	5	4.7
E 、民主法制					81.0	6	4.9
农民对村政务公开的满意度	%	55	85	82	90.0	3	2.7
农民社会安全满意度	%	60	85	78	72.0	3	2.2
F 、资源环境					43.0	7	3.0
常用耕地面积变动幅度	%	-0.3	0	-0.1	-33.0	3	-1.0
森林覆盖率	%	16.5	23	37	100.0	2	2.0
万元农业GDP用水量	立方米/万元	2600	1500	1402	100.0	2	2.0
农村全面小康实现程度合计						100	41.9

十八、湖南省农村全面建设小康监测报告

根据国家统计局农村全面小康标准及监测方法，湖南调查总队对全省2007年农村全面建设小康进程进行了监测。监测结果表明： 2007年湖南农村全面建设小康社会的实现程度为42.8%，比上年提高10.4个百分点。农村全面建设小康社会又向前迈进了一大步，充分展示了湖南各级党委和政府贯彻落实科学发展观、促进农村经济社会发展、推进农村全面建设小康的新成就。但全面建设小康社会进程的结构差距还较大。必须进一步抓好薄弱环节，促进全面协调发展，实现农村全面小康社会目标。

（一）农村全面小康进程特点

1. 民主法制实现全面小康程度为80.3%

2007年农村民主法制方面的全面小康实现程度达到80.3%。随着农村政务公开的规范化，农民对村政务公开的满意度提高，2007年的满意度为84%，实现程度为96.7%。农民对社会安全的满意度为76%，实现程度为64%。

2. 社会发展实现程度为62.2%

2007年湖南农村社会发展的全面小康实现程度为62.2%，比上年提升16.3个百分点。从社会发展的四个指标看：每万个农村居民拥有的农业科研人员2.8人， 万人农业科研人员实现程度为60%，比上年下降10个百分点。新型农村合作医疗工作取得良好效果，农村合作医疗覆盖率由上年的33.8%提高到76.3%，提升42.5个百分点。养老保险覆盖率继续下降，2007年为1%，实现程度为负1.4%。农村居民收入分配的公平程度仍处在合理区间，基尼系数为0.3051，实现程度为100%。

3. 资源环境全面小康实现程度为61.4%

2007年湖南农村资源环境全面小康实现程度为61.4%。资源环境三个指标中，常用耕地面积变动幅度的实现程度为10%，扭转了上年的负值局面。森林覆盖率为40.6%，实现程度为100%。万元农业GDP用水量实现程度为100%，比上年提升7.7个百分点。

4. 人口素质实现程度为48.4%

2007年湖南农村人口素质的全面小康实现程度为48.4%，比上年提升5个百分点。农村人口平均受教育年限为8.2年，实现程度为50%，比上年提升6.2个百分点。农村居民平均预期寿命为71.8岁，实现程度为41.8%。

5. 经济发展实现程度为29.8%

2007年湖南农村经济发展的全面小康实现程度为29.8%，比上年提升9个百分点。农民收入快速增长是经济发展水平提升的主要原因。2007年农民人均纯收入为3904.26元，比上年增加514.45元，扣除价格因素实际增长8.3%；全面小康实现程度为25.3%，比上年提升7.2个百分点。第一产业劳动力比重为44.9%，全面小康实现程度为34%，比上年提升11.3个百分点。农村小城镇人口比重为25%，全面小康实现程度为47.4%，比上年提升15.8个百分点。

6. 生活质量实现程度为23.2%

2007年农村居民生活质量全面小康实现程度为23.5%，比上年提升1个百分点。从反映农村居民生活质量的四个方面看：恩格尔系数由上年的48.6%上升为49.6%，又回到49%的总体小康值标准，全面小康实现程度为负6.7%。人均居住面积25平方米以上的农户比重、居住钢筋混泥土结构和砖木结构住房的农户比重、饮用自来水、使用清洁能源和使用卫生厕所的农户比重以及农户居室外道路条件等6个居住质量指数加权计算得到居住质量指数为26%，实现程度为14.7%，比上年提高2.1个百分点。生活信息化程度主要由彩电普及率、电话普及率和电脑普及率3个指标加权而成，2007年上述3个指标计算得到生活信息化程度为51%，实现程度达71.9%，比上年提高15.6个百分点。文化娱乐支出占生活消费支出的比重为3.2%，远远低于全面小康值7%的标准，实现程度仅为15.6%，比上年下降11.1个百分点。

（二）推进湖南农村全面建设小康的难点和问题

2000－2007年，湖南农村全面建设小康社会已历经7年。从监测的经济发展、社会发展、人口素质、生活质量、民主法制、资源环境六大类指标来看：资源环境和民主法制已提前进入全面小康；社会发展实现程度达62.2%；人口素质实现程度达48.4%；经济发展和生活质量实现程度分别只有29.8%和23.5%，而这两类的权重达52%，它是影响湖南农村全面建设小康社会的关键性问题。

1. 农民增收和农业劳动力转移难度加大

农民人均可支配收入的增长是经济发展中的核心指标。湖南近两年在政策优势、气候有利的作用力下，农民人均可支配收入虽然保持了7－8%的快速增长，但与全国比较，每年增幅要低1个百分点以上，全面小康实现程度要低6个百分点以上。从湖南2007年城乡收入差距看，突出表现为“三个扩大”：一是城乡收入比差距扩大。城乡收入比较由2006年的3.10:1扩大到2007年的3.15:1（以农民人均纯收入水平为1）。二是收入总量差距扩大。2006年城镇居民可支配收入与农村居民纯收入的差额为7114.76元，2007年为8389.28元，差距扩大了17.9个百分点。三是收入增幅差距扩大。2007年城镇居民可支配收入实际增速为11.2%，农村为 8.3%，城镇比农村高了2.9个百分点。目前及以后若干年，尽管农村政策优势依然存在，但对农民纯收入的增长不会形成大的拉力。现实证明，实现农村全面小康，单靠纯农业是不行的，必须进行产业调整，劳动力必须向二、三产业转移。据统计资料显示，2007年湖南第一产业劳动力仍占44.9%，距全面小康值的差距有9.9个百分点；农村小城镇人口比重只有25%，距全面小康值的差距也还有10个百分点。今后10年每年提高1个百分点的难度将会很大。

2. 农村居民生活质量提高不快

农村居民生活质量指标，是农村全面小康六大类监测指标中权重居第二位的指标。2007年湖南居民生活质量实现全面小康程度居六大类指标的最后一位，它的滞后直接影响了农村建设全面小康的进程。主要问题是：

第一，恩格尔系数出现倒退。恩格尔系数是指食品支出占生活消费总支出的比重。

它是目前国际上通用的反映居民消费结构的主要指标。一般情况下，随着居民整体生活水平的提高，恩格尔系数呈下降趋势。2001年至2007年，湖南农村居民恩格尔系数分别为52.9%、52.5%、51.9%、52.4%、52%、48.6%和49.6%，2007年恩格尔系数回到比总体小康值还低0.6个百分点上，实现程度为－6.7%。成为中部六省中实现程度为负的少有的省份之一。

第二，居住质量指标提高不快。居住质量指数主要由人均居住面积25平方米以上的农户比重、居住钢筋混泥土结构和砖木结构住房的农户比重、饮用自来水、使用清洁能源和使用卫生厕所的农户比重以及农户居室外水泥路和石头硬质道路条件等7个指标综合评价决定。2007年上述7个指标分别为75.8%、99.4%、9.4%、13.7%、14.3%和38.9%、32.4%，加权计算得到居住质量指数为26%，实现程度为14%，比上年提高1.4个百分点。其中，饮用自来水、使用清洁能源和使用卫生厕所的农户比重以及农户居室外水泥路和石头硬质道路条件等5个指标比较偏低，是影响居住质量提高的重要因素。

第三，农民文化娱乐支出比重较低。湖南农民家庭文化娱乐支出的比重一直在较低水平徘徊，2007年农民文化娱乐支出人均106.3元，占生活消费支出的比重为3.2%，远远低于全面小康值7%的标准，这一指标的实现程度仅为15.6%，比上年下降了11.1个百分点。

3.养老保险处于倒退状态

1991年，湖南积极稳妥地推动农村社会养老保险，经省政府报经民政部批准先行在株洲市试点。为规范发展农村社会养老保险，1996年以75号令颁布了《湖南省农村社会养老保险办法(试行)》。截至2007年，农村60岁以上老年人中享受社会养老保险的人数仅占农村60岁以上老年人总数的1%，在2006年下降的基础上又下降了0.72个百分点，实现小康程度为-1.4%。据平江县调查，1993年该县根据国家有关政策成立了“平江县农村社会养老保险办公室（以下简称“平江县养老办”），直属于县民政局，负责全县农村养老保险工作。从1993年至2006年12月30日，平江县参保农民达49501人，投保金额达1273.18万元，利息收入488.12万元。之后，由于多方面原因，参保对象频频要求退保。根据“投保自愿、退保自由”政策规定，自2001年以来，全县参保对象退保人数达30657人，退保金额达788.24万元。截至2007年10月，全县还有约340万元的养老保险金（只退本金，不包括利息）没有退给要求退保的农民。自2002年以来，另有634万元养老保险金(包括利息等增值部分）被挪用。

（三）加快湖南农村全面小康社会建设的几点建议

1.继续坚持 “多予、少取、放活”的方针，大力解决“三农”问题

坚持“多予、少取、放活”的方针，大力支持解决“三农”问题，仍将是2008年中央财政预算安排的重中之重。2008年中央财政用于“三农”的各项支出将达5625亿元，比上年增加1307亿元，这是我国中央财政支农资金增加量首次超过千亿元。在中央财政政策下，湖南各地应不断加大财政支农的力度并将其长期化、制度化，确保一定比例的财政资金用于农田水利工程、农业综合开发项目、重大农业科研项目的建设。尤其应加大

财政资金支持粮食主产区发展农产品加工业的力度，实现农业增值、农民增收。应加快农村贫困人口脱贫步伐，努力缩小城乡居民收入差距，实现共同富裕。

2．大力推进农村劳动力向非农产业和城镇有序转移

一是对农村小城镇的建设要做出全面、科学、合理的布局和规划，搞好小城镇基础设施建设，提升聚集效应，杜绝低价占用农民土地现象的发生。二是要从法律上保护农民的权益，进一步优化农民就业的社会环境，杜绝低价使用农民工及同工不同酬现象。三是加强并规范对现有农村劳动力的培训，提高其文化素质和劳动技能，增强农民的再就业能力。四是大力发展中小企业和非公有制经济，为广大被转移的农村劳动力提供更多的就业机会。

3．建立健全农村社会保障体系

首先，要加快农村医疗卫生基础设施的建设，不断完善新型农村合作医疗制度，逐步建立健全农村养老、医疗保险和最低生活保障制度。按照规划，2007年扩大到73个县市区，2008年扩大到100个以上县市区，到2010年将全面覆盖全省122个县市区，实现2010年新型农村合作医疗覆盖率达到100%的目标。农民参合率达80%以上，使农民获得最基本的社会福利，实现病有所医、贫有所济。其次，要将农村养老保险纳入制度化、规范化、法制化轨道，建立农村养老保障金，办好农村养老院，使农村老人老有所养，老有所乐。

4．改善农村居民消费结构，提高生活质量

目前，湖南农村居民的恩格尔系数还处在总体小康水平上，除饮食习惯外，文化娱乐、饮用自来水、使用清洁能源、使用卫生厕所和居室外水泥路等生活设施条件还比较差。这些问题，在一定程度上影响了消费结构的改善。解决这些问题的关键是：政府要大力支持农村公共生活基础设施建设，使农村居民同等享受城市居民公共生活基础设施待遇。当前，要以农村改水、改路、改厕为重点，改善农村居住条件。调整财政支出结构，将更多的农村生活基础设施项目纳入公共财政领域，在资金上给予支持。在农村提倡使用清洁能源，鼓励农民美化村庄环境，改善自身生活条件。

2007年农村全面小康综合表（湖南）

指 标	单 位	总体小康值	全面小康值	2007年实际值	实现程度	权 数	综合分值
A、经济发展					29.8	29	8.7
农村居民人均可支配收入	元/人	2200	6000	3159.7	25.3	20	5.1
第一产业劳动力比重	%	50	35	44.9	34.0	5	1.7
小城镇人口比重	%	16	35	25	47.4	4	1.9
B、社会发展					62.2	20	12.4
农村合作医疗覆盖率	%	10	90	71	76.3	8	6.1
农村养老覆盖率	%	1.8	60	1	-1.4	4	-0.1
万人农业科技人员数	人	1	4	2.8	60.0	4	2.4
农村居民基尼系数	-	0.35	0.3-0.4	0.3051	100	4	4.0
C、人口素质					48.4	15	7.3
农村人口（6岁以上）平均受教育年限	年	7.4	9	8.2	50.0	12	6.0
农村人口平均预期寿命	年	69.5	75	71.8	41.8	3	1.3
D、生活质量					23.2	23	5.3
恩格尔系数	%	49	40	49.6	-6.7	4	-0.3
居住质量指数	%	18	75	26	14.0	11	1.5
农民文化娱乐支出比重	%	2.5	7	3.2	15.6	3	0.5
农民信息化程度	%	28	60	51	71.9	5	3.6
E、民主法制					80.3	6	4.8
农民对村政务公开的满意度	%	55	85	84	96.7	3	2.9
农民社会安全满意度	%	60	85	76	64.0	3	1.9
F、资源环境					61.4	7	4.3
常用耕地面积变动幅度	%	-0.3	0	0.03	10	3	0.3
森林覆盖率	%	16.5	23	40.6	100	2	2.0
万元农业GDP用水量	立方米/万元	2600	1500	1087	100.0	2	2.0
农村全面小康实现程度						100	42.8

十九、广东省农村全面建设小康监测报告

为反映广东农村全面建设小康社会的现状，广东调查总队根据国家统计局制定下发的《农村全面建设小康社会标准》及相关监测方法，对2007年广东农村全面建设小康进行了监测。

（一）2007年广东农村建设全面小康社会监测结果

根据农村全面建设小康社会统计监测指标体系测算，2007年广东农村全面建设小康实现程度为64.8%，比上年提升6.5个百分点。农村全面小康六个方面的实现程度如下：

1. 农村经济发展方面，全面小康实现程度78.3%，比上年提升7.8个百分点

在反映农村经济发展的三项指标中，农村居民人均可支配收入5039元（按2000年不变价），比上年实际增长9.0%，是1997年以来增长最快的一年。根据农村全面建设小康收入标准，全面小康实现程度为74.7%，提高10.9个百分点。农村劳动力继续向非农产业转移，第一产业劳动力比重由上年的30.4%下降为29.0%，全面小康实现程度自2004年开始已实现100%。农村小城镇建设持续发展，农村小城镇人口比重29.1%，提高0.3个百分点，全面小康实现程度为68.9%，提高1.6个百分点。

2. 农村社会发展方面，全面小康实现程度67.3%，比上年提升13.1个百分点

在反映农村社会发展的四项指标中，农村合作医疗覆盖率达83.8%，全面小康实现程度92.3%，提高28.0个百分点。农村养老保险覆盖率12.8%，全面小康实现程度18.9%，提高4.6个百分点。万人农业科技人员数2.0人，全面小康实现程度33.3%，提高5.3个百分点。反映农村居民内部收入分配差距的基尼系数仍处在相对合理区间，全面小康实现程度为100%。

3. 农村人口素质方面，全面小康实现程度42.5%，比上年提升1.5个百分点

在反映农村人口素质的二项指标中，人口平均受教育年限7.98年，全面小康实现程度36.3%，提高了1.9个百分点。农村人口平均预期寿命采用2000年人口普查时的73.2岁，全面小康实现程度67.3%。

4. 农村居民生活质量方面，全面小康实现程度53.9%，比上年提升2.0个百分点

在反映农村居民生活质量的四项指标中，居住质量指数54.3%，全面小康实现程度63.7%，提高5.8个百分点。农民信息化程度指数61.6%，全面小康实现程度100%，提高1.6个百分点。农村居民文化娱乐支出比重3.1%，全面小康实现程度13.3%，下降2.2个百分点。农村居民恩格尔系数49.0%，全面小康实现程度0%，下降4.4个百分点。

5. 农村民主法制方面，全面小康实现程度80.3%，比上年提升8.5个百分点

在反映农村民主法制的二项指标中，农村居民对村政务公开的满意度78.0%，全面小康实现程度76.7%，提高6.7个百分点。农村居民社会安全满意度81.0%，全面小康实现程度84.0%，提高10.4个百分点。

6. 农村资源环境方面，全面小康实现程度71.4%，比上年提升5.3个百分点

在反映农村资源环境的三项指标中，农村常用耕地面积变动幅度-0.2%，全面小康实现程度33.3%，与上年持平。森林覆盖率采用2002年森林资源清查数据为47.4%，全面小康实现程度100%。万元农业GDP用水量由上年的1705立方/万元下降为1325立方/万元，全面小康实现程度100%，提高18.6个百分点。

综上所述，2007年广东农村全面建设小康社会的主要特点是：农村经济、社会和民主法制方面的全面建设小康进程加快；农村资源环境的全面建设小康进程减缓；农村人口素质和农村居民生活质量方面的全面小康进程相对缓慢。从农村全面建设小康的18项指标看，农村养老覆盖率、万人农业科技人员数、平均受教育年限、恩格尔系数、文化娱乐支出比重和常用耕地面积变动幅度等指标的全面建设小康实现程度较低；农村居民恩格尔系数和文化娱乐支出比重的全面建设小康实现程度比上年下降。

（二）2007年广东农村全面小康进程评价

根据测算，2007年广东农村全面小康实现程度64.8%，比上年提升6.5个百分点，高于2000-2006年平均每年提升4.9个百分点的速度。

从农村全面小康评价的六个部分的实现程度看：2007年实现程度由高到低分别为：民主法制80.3%、经济发展78.3%、资源环境71.4%、社会发展67.3%、生活质量53.9%和人口素质42.5%。从六个部分实现程度的提升速度看：社会发展提升13.1个百分点、民主法制提升8.5个百分点、经济发展提升7.8个百分点、资源环境提升5.3个百分点、生活质量提升2.0个百分点、人口素质提升1.5个百分点。这表明，加快广东农村全面小康建设，不仅要大力发展经济，更重要的是要加快农村基础设施建设特别是农村基础教育的投入，提升农民的生活质量和农村的人口素质。与此同时，要加强资源环境的保护。

从各省情况看，根据国家统计局对2007年全国及各省（区）农村全面小康实现程度的测算结果，广东在各省（区）中仍排在第三位，但与第一、二位浙江和江苏的差距由上年的9.8和2.5个百分点分别扩大到16.4和3.9个百分点，而与第四位山东的差距由上年的1.1个百分点缩小到0.1个百分点。2007年农村全面小康实现程度排位前四名的省区依此是：浙江（81.2%）、江苏（68.7%）、广东（64.8%）和山东（64.7%）。

按照国家标准和计分方法，2000-2006年广东农村全面小康的实现程度平均每年提升4.9个百分点。2007年提升的实现程度比2000 2006年平均加快了1.6个百分点，其主要原因是农村合作医疗覆盖率提升较快、农民收入增长幅度创近十一年来新高和农民社会安全满意度提高。

（三）广东农村全面小康建设存在主要问题

近年来，在省委、省政府以及各级党委、政府的高度重视下，广东农村全面小康建设取得了一定的成效，农村全面建设小康社会已走完五分之三路程，但与十六大提出的全面小康社会要达到的目标相比，仍存在一定差距。主要问题是：

1. 农村社会保障水平仍比较低

目前广东农村养老覆盖率与全面建设小康目标相差较远，农民养老仍以家庭赡养和土地保障为主；新型农村合作医疗存在“水平低、差异大”的情况，主要表现在：一是水平仍较低，以大病统筹为主。2007年广东新型农村合作医疗平均住院费用实际补偿比例只有34%，个人支付仍然占了较大比重，门诊费用基本上是个人承担。多数地区补偿封顶线仅为1万元。二是地区差别较大。在珠江三角洲地区，最高筹资水平已经达到每人每年250元，补偿封顶线可达6万元，部分县市已经开展门诊补偿。但东西两翼和粤北山区等欠发达地区，新型农村合作医疗筹资水平参差不齐，只能勉强达到全国基本的筹资标准。

2. 基层农业科技人员流失严重

基层农业科技人员被誉为“农业政策宣传员、农业技术服务员、结构调整设计员、农业信息传播员、产品市场营销员”，在促进农业技术的推广，发展农村经济中起着至关重要的作用。但是，由于目前存在农业科技推广管理体制不顺，乡镇农技站“空壳”现象严重；农业科技推广经费投入不足；农业科技推广人员待遇低、人心不稳；留守农村劳动力素质低，致使农业新技术推广难；农业科技推广运行机制陈旧，技术推广需求与供给脱节等因素，基层农业科技人员流失严重，影响农业比较效益的提高。

3. 农村人口文化素质偏低

由于农村科技教育文化事业发展相对滞后和农村较高素质的劳动力大量流向城市，农村居民文化素质提升的难度非常大。据农村住户抽样调查推算，2007年广东农村居民平均受教育年限只有7.98年，相当于初中二年级水平，文化程度仍明显偏低。

4. 恩格尔系数居高不下

恩格尔系数是指食品支出占生活消费总支出的比重。它是目前国际上通用的反映居民总体消费水平与结构的主要指标。一般情况下，随着居民整体生活水平的提高，恩格尔系数呈下降趋势。从恩格尔系数看，广东农村居民生活质量长期处在温饱阶段，离全面小康标准相差甚远。2001年至2007年，广东农村居民恩格尔系数分别为49.9%、47.6%、47.9%、48.8%、48.3%、48.6%和49.0%，平均每年下降0.15个百分点，按这个速度计算，要达到全面小康标准难度非常大。

5. 精神文化生活改善不明显

目前，农村居民在精神文化生活方面存在一些欠缺，他们大多数人的文化生活方式是在家里看电视或者听广播，偶尔打打扑克，搓搓麻将或下象棋，只有极少数人会读书看报或作其他文化活动。农村未成年人的精神文化生活整体来看缺乏指导、监督和引导。老年人的文化生活比其他年龄的人群显得更为贫乏。农村住户调查资料显示，2001-2007年农村居民文教娱乐消费支出占生活消费支出比重分别为2.3%、2.7%、3.1%、3.1%、3.4%、3.2和3.1%，平均每年只上升0.12个百分点。

6. 资源和环境保护压力大

随着经济的高速增长，资源和环境问题日益凸显。一是广东目前正处在城市化和工业化加快进程中，建设用地需求量不断加大，耕地占补平衡的矛盾日益突出，可开发资源日益减少，保证耕地面积动态平衡的任务相当艰巨，事实也证明，近年来广东常用耕地变动幅度年年负增长；二是在农业和农村经济发展中，化肥、农药、农膜的不合理使用、农村卫生设施落后、污水灌溉以及工业不断向农村转移，加剧了农业资源和农村环境污染，一些农村仍存在饮用不清洁水源，既损害农民的健康，又威胁农产品安全。资源和环境状况与全面建设小康社会要求和人民群众的期望还有较大的差距。

（四）对推进广东农村全面小康建设的建议

1．统筹城乡经济社会发展，深化农村各项改革，增加农民收入

在新的发展水平和发展环境下，农业和农村发展已与城市经济、国民经济的发展紧密地交织在一起，如果经济建设得不到较快的发展，农民收入得不到较快的增长，农村的其它各项事业就没有坚实的基础和财力的支持，这不仅将延缓经济发展，而且也势必影响到社会发展、生活质量等。因此，要从全局的高度，坚持统筹城乡经济社会发展的方略，实行工业反哺农业、城市支持农村的方针，解决新的发展阶段下的“三农”问题。要巩固农村税费改革成果，全面深化农村各项改革，加大支持“三农”力度，倾斜“三农”政策，切实减轻农民负担，建立农民增收减负的长效机制，保证农村居民生活消费有更高层次改变。

2．促进就业和健全社会保障体系，努力促进社会和谐发展

要实行积极的就业政策，扩大就业渠道，努力创造更多的就业机会；加强对农村劳动力技能培训，提高农村劳动力素质，缓解就业结构性矛盾；加快建立和完善城乡并重的就业制度和统一开放的劳动力市场，不断优化农民进城务工经商的政策环境和体制环境；加快区域人力资源交流平台、劳动力市场信息系统和远程招聘系统的建设。不断完善农村社会保障体系，从医疗设施、人员技术上等方面实实在在地改善农村医疗条件和服务，确保参加合作医疗的农民的医疗保障水平；逐步提高农民的养老保障水平，鼓励有条件的地方进行多种形式的农村养老保险试点，协调农村养老保险与其它社会保障的关系，为农民生活改善提供新保障。

3．强化农业科技和人才支撑，大力发展社会化服务

加强农业科技创新体系建设，积极探索农业科技成果进村入户的有效机制和办法，推进农业科技的转化与推广应用；大力培养基层农村科技实用人才，改善工作环境和提高待遇；健全农村市场体系和培育农村流通主体，建立健全适应现代农业发展要求的大市场、大流通。大力推进农村信息化，积极探索信息服务进村入户的有效途径和办法。

4．大力发展农村教育事业，不断提高农民的文化素质

建设农村全面小康的主体是农民，没有高素质的农民，就难以加快全面小康的建设。改革开放以来广东的农村教育事业取得一定的成效，但农民的文化素质仍然偏低，农村教育事业不能有丝毫的松懈。要在进一步高质量巩固普及农村义务教育的同时，突出抓好素质教育，大力发展高中阶段教育和职业教育，适度扩大办学规模，培养和造就更多

的新型农民。要继续加大对农村教育的财政投入，努力改善农村办学条件。

5. 调整消费结构，拓宽消费领域，合理引导消费

虽然目前广东农村居民生活已达到了较高水平，但消费结构仍不够合理，住房、教育、文教娱乐等消费水平还相对落后，与全面小康标准不相称。因此，要大力发展相关产业，尤其是第三产业，不断拓宽消费领域，使农村居民的消费结构达到全面协调发展。同时，要把握农民消费的阶段性特征，注意引导消费，着力培育新的消费点，满足农村居民消费在各个阶段的热点和重点，将对开拓农村市场、促进农民消费产生积极的作用。

6. 节约资源，增强环保意识，全面提高生活质量

从现在到2020年是经济社会发展的重要战略机遇期，做好这一时期的节约资源和环保工作，对于顺利实现全面建设小康社会的奋斗目标至关重要。要坚持以人为本、人与自然和谐，坚持环境保护基本国策，严格控制破坏地表植被的开发建设活动；加强环境保护教育，增强环保意识；加大防治环境污染的资金投入；集中搞好垃圾、污水等处理，解决农村“脏、乱、差”的问题；严格控制主要粮食生产和菜篮子基地的污灌，合理使用农药、化肥，减少对粮食、蔬菜的污染；处理好水资源开发利用与生态保护的关系，维护健康的河流生态系统，全面提高农村居民生活质量。

2007年农村全面小康综合表（广东）

指 标	单 位	总体小康值	全面小康值	2007年实际值	实现程度	权 数	综合分值
A 、经济发展	-	-	-	-	78.3	29	22.7
农村居民人均可支配收入	元/人	2200	6000	5039	74.7	20	14.9
第一产业劳动力比重	%	50	35	29.0	100.0	5	5.0
小城镇人口比重	%	16	35	29.1	68.9	4	2.8
B 、社会发展	-	-	-	-	67.3	20	13.5
农村合作医疗覆盖率	%	10	90	83.8	92.3	8	7.4
农村养老覆盖率	%	1.8	60	12.8	18.9	4	0.8
万人农业科技人员数	人	1	4	2.0	33.3	4	1.3
农村居民基尼系数	-	0.35	0.3-0.4	0.329	100.0	4	4.0
C 、人口素质	-	-	-	-	42.5	15	6.4
平均受教育年限	年	7.4	9	7.98	36.3	12	4.4
平均预期寿命	年	69.5	75	73.2	67.3	3	2.0
D 、生活质量	-	-	-	-	53.9	23	12.4
恩格尔系数	%	49	40	49.0	0.0	4	0.0
居住质量指数	%	18	75	54.3	63.7	11	7.0
农民文化娱乐支出比重	%	2.5	7	3.1	13.3	3	0.4
农民信息化程度	%	28	60	61.6	100.0	5	5.0
E 、民主法制	-	-	-	-	80.3	6	4.8
农民对村政务公开的满意度	%	55	85	78.0	76.7	3	2.3
农民社会安全满意度	%	60	85	81.0	84.0	3	2.5
F 、资源环境	-	-	-	-	71.4	7	5.0
常用耕地面积变动幅度	%	-0.3	0	-0.2	33.3	3	1.0
森林覆盖率	%	16.5	23	47.4	100.0	2	2.0
万元农业GDP用水量	立方/万元	2600	1500	1325	100.0	2	2.0
农村全面小康实现程度合计	%	-	-	-	64.8	100	64.8

注：农村居民人均可支配收入已按2000年不变价折算；平均预期寿命为2000年人口普查数；森林覆盖率为第六次全国森林资源清查数；“农民对村政务公开的满意度”和“农民社会安全满意度”是通过问卷调查综合评定。

二十、广西壮族自治区农村全面建设小康监测报告

近年来广西各党委和政府认真贯彻和落实“中央1号文件”精神，高度重视农民增收问题，强化各项支农惠农政策，加大对农业建设的投入，加快农业结构的力度，扎实推进新农村建设，促进了农业和农村经济稳定发展。根据国家统计局制定的农村全面小康标准和监测方法，对广西农村全面小康建设进程进行监测和评价，监测结果表明：2007年广西农村全面小康实现程度为27.1%，比2006年提高了6.8个百分点，全面建设小康进程又向前迈进一步。

一、农村全面建设小康实现程度分析

从所测评的经济发展、社会发展、人口素质、生活质量、民主法制和资源环境等六大方面，已全部进入总体小康至全面小康阶段，得分分别为1.0分、10.7分、2.1分、4.1分、5.8分和3.5分。

（一）经济发展实现程度为3.4%，比上年提高4.9个百分点

1. 2007年广西农村居民人均可支配收入获得了大幅增长，达到3135元，比上年增长了16.1%；按小康监测要求以2000年价格计算为2668元，比总体小康值（2200元）超出468元，但比全面小康值（6000元）低3332元。广西农村居民人均可支配收入指标分值比上年增加了0.9分，实现全面小康目标程度为12.3%，比上年提高4.5个百分点。

2. 第一产业劳动力比重仍高于总体小康值和全面小康值的目标要求。近年来广西农村第一产业劳动力占农村总劳动力的比重呈逐年下降趋势，2007年此比重为54.9%，但仍高于总体小康值（50%）和全面小康值（35%）的目标要求。

3. 农村小城镇人口比重为16.8%，超过总体小康值（16%）0.8个百分点，实现程度为4.2%，比上年提高11.6个百分点。

（二）社会发展实现程度为53.3%，比上年提高22.0个百分点

1. 农村合作医疗覆盖率。历经五年的发展，广西新农合覆盖面稳步扩大，补助标准进一步提高，保障能力不断增强，越来越多的农民享受到了实实在在的好处。特别是新农合在减轻农民医疗负担、缓解因病致贫和返贫状况、保障农民健康方面，发挥着越来越重要的作用。2007年广西农村合作医疗全面提高，覆盖率不断扩大达到68.3%，实现程度为72.9%，比上年提高49.0个百分点。

2. 农村养老保险率。2007年广西农村养老保险率实现程度为4.6%，比上年略有增加；农村养老保险率低，主要受财力和农村养老保险事业发展滞后的限制。

3. 万人农业科技人员数是衡量农村科技水平的重要指标。2007年广西万人农业科技人员数为1.6人，实现程度为20.0%。

4. 农村居民基尼系数是衡量农村居民之间收入水平差距的指标。随着农民收入的增

长，农村居民之间收入水平会产生一定的差距，农村居民基尼系数向全面小康迈进。2007年广西农村居民基尼系数为0.296，实现程度为95.5%，比上年提高11.5个百分点。

（三）农村人口素质小康实现程度为14.1%，比上年提高5.0个百分点

2007年广西农村人口平均受教育年限为7.5年，超过总体小康的目标要求，与全面小康还有一定的差距。平均预期寿命是72岁，超过了总体小康69.5年的目标要求，但没有达到全面小康目标（要求为75年）。

（四）生活质量实现程度为17.8%，比上年提高3.8个百分点

1. 恩格尔系数是农村居民食品支出占生活消费支出的比重，是国际上衡量居民消费水平高低的重要指标。2007年广西农村居民恩格尔系数反弹到50.2%，高于上年水平，没有达到总体小康49%的目标要求。

2. 农民居住质量指数是反映农村居民居住条件好坏的指标。随着新农村建设的推进以及生活水平的提高，广西农村居民在人均住房面积、饮用水状况、使用清洁能源、卫生厕所配套状况以及居住外道路条件等六个方面得到进一步改善。对上述指标加权测算，2007年广西农民居住质量指数为30.8%，实现程度为22.5%，比上年提高5.4个百分点。

3. 农民文化娱乐支出比重是指农民文化娱乐支出占全年生活消费支出的比重。2007年广西农民文化娱乐支出比重下降，仅占2.34%，比上年下降0.64个百分点，没有达到总体小康2.5%的目标要求。

4. 农民生活信息化程度是反映农村居民对信息产品消费能力和信息获取能力的综合指标。由彩色电视机普及率、电话普及率和计算机普及率三个指标加权而成，住户调查资料显示，2007年彩色电视机普及率为85.5%，上升4.7个百分点；电话普及率为62.8%，上升1.5个百分点；家用计算机普及率为1.0%。据测算2007年广西农村居民生活信息化程度为42.5%，实现程度为45.3%，比上年提高20.3个百分点。

（五）民主法制小康实现程度为97.0%，比上年提高23.3个百分点

近年来按照建设富裕文明和谐新广西的要求，各级政府积极推进基层民主建设，进一步健全村务公开和村民自治制度，加大力度打击犯罪活动，维护农村社会稳定，农民对村务公开和社会安全满意度继续提高。从抽样调查结果看，2007年广西农民对村政务公开的满意度83.2%，高于总体小康55%的目标要求，低于全面小康目标（要求为85%），实现程度为94.0%，比上年提高10.7个百分点；农民对社会安全满意度为90.4%，比上年提高14.4个百分点，超过全面小康目标（要求为85%），小康实现程度为100%。

（六）资源环境小康实现程度为49.4%，比上年下降28.6个百分点

资源环境小康实现程度下降主要是常用耕地变动幅度影响所致。2007年广西常用耕地变动幅度为0.01%，按计算方法实现程度只有3.3%，比上年大幅度下降，仅得0.1分。广西森林覆盖率达到41.3%，已达到全面小康的水平，但不能掉以轻心，必须继续坚持保

护森林，保护生态环境。广西万元农业GDP用水量为1853立方米，比2006年减少330立方米，实现程度为67.9%，比上年提高30.0个百分点。

二、广西全面小康建设的难点

（一）农民收入不断提高，但总体水平仍然较低

农民收入是农村全面小康的核心指标，在农村全面小康综合评价18项指标中，农民收入指标占有20%的权重。因此这项指标的高低，对整个小康综合水平的影响举足轻重。2007年广西农民人均纯收入突破3000元，达到3224.1元，比上年增加453.6元，增长16.4%，增速加快5.3个百分点，高于全国15.4%的增长幅度，是1997年以来广西农民收入增长速度最快的一年，人均纯收入增加额创历史最高。但与全国平均水平相比较，广西农村居民人均纯收入仅相当于全国平均水平的78%，该比例比上年提高0.7个百分点；尽管有所加快，但要加速广西农村全面小康进程，加速提高广西农民收入水平的力度仍是重中之重。

（二）城乡居民收入和农民贫富收入差距继续扩大

广西城乡居民收入的差距由2006年的3.6：1扩大到2007年的3.8：1（以农民为1）；2007年广西农村居民人均纯收入仅相当于同期城镇居民人均可支配收入的26%，比上年下降2个百分点。同时，农民内部高收入户与低收入户也由2006年人均纯收入4.5：1扩大到2007年的4.7：1；2007年低收入户人均纯收入仅相当于同期高收入户的21%，比上年下降1个百分点。因此，缩小广西城乡收入差距和农民贫富差异是我们当前面临的挑战。

（三）第一产业劳动力比重过大，农村城镇化发展滞后

2007年广西农村第一产业劳动力的比重高达54.9%，比上年有所下降，但高于全面建设小康起步值4.9个百分点，仍有大量的农村劳动力没有转移到二、三产业；另一方面，虽然近年来广西为促进小城镇的健康发展，在户籍管理制度方面进行了一些改革，但小城镇发展仍然缓慢，2007年小城镇人口只占16.8%，远远低于全面小康的目标要求。农村劳动力向非农产业转移缓慢和城镇化水平滞后，是影响广西农村全面小康进程的两方面经济发展主要因素。

（四）农村社会保障水平低，特别是农民的养老难问题尤为突出

农村全面小康综合评价对农村社会保障水平给予了极大的关注，农村合作医疗覆盖率赋予了8%的权重，农村养老保险覆盖率被赋予了4%的权重，两者合计占到12%的权重。近年来广西各级政府狠抓农村合作医疗建设和投入，取得一定的成效，覆盖率大幅度提高。而农村养老保障能力不容乐观，2007年广西农村养老保险覆盖率仅为4.6%，小康实现程度为4.8%，与全面建设小康的覆盖率大于等于60%的要求相比相差更远。可见，进

一步提高农村养老保险覆盖率是建设农村全面小康社会的难点之一。

三、促进农村全面小康社会建设的建议

（一）继续加大对农业的支持力度，建立农民增收长效机制

近年来，各种惠农和保护支持政策，是农民增收的重要因素之一，今后政府应多渠道加大对农业生产的扶持、补贴政策的力度，着力改善农业生产条件，提高农业综合生产能力，发展现代农业和特色效益农业，促进农村产业结构的优化升级，扩大农产品收购保护价的范围，确保农业产出效益的稳定增加。同时国家应采取各种措施加大对农业生产资料的生产管理和价格监控的力度，以保护农民的利益，实现农民增收。

（二）大力发展劳务经济，加快农村劳劳动力的转移

发展劳务经济是解决搁□□问题、实现富民的重要途径。要以社会主义新农村建设为契机，加快农村小城镇建设和二、三产业以及农村非农产业的发展；加快推进农村劳动力转移就业，继续改善农民工的劳动和生活条件，解决好农民工劳动保险、养老保险、子女受教育等一系列问题，使劳动力的转移有序而持久，促进农民劳务收入持续稳定增加。

（三）完善农村社会保障体系，解决农民的后顾之忧

严格落实农村“五保”老人、残疾人社会福利制度，逐步提高最低生活保障、新型农村合作医疗、农村“五保户”等农村社会福利补助标准；加速养老保障事业政策和措施的推进，扩大养老保险覆盖面；同时建立健全与经济发展水平相适应的农村居民基本生活保障制度，将农村社会保障纳入法制化、规范化的轨道。

（四）加强农村基础设施建设，继续改善农民居住环境

加强农业基础设施建设，提高农业防灾抗灾能力；加快农村社会事业发展，改善农村道路交通状况，解决农村生活用水问题和用水质量，扩大广播电视和通讯网络的覆盖面积，将更多地公共资源用于农村，缩小城乡社会事业和基础设施差距；改善农民居住环境，提升农民生活质量。

2007年农村全面小康综合表(广西)

指 标	单 位	总体小康值	全面小康值	2007年实际值	实现程度	权 数	综合分值
A 、经济发展					3.4	29	1.0
农村居民人均可支配收入	元/人	2200	＞6000	2668	12.3	20	2.5
第一产业劳动力比重	%	50	＜35	54.9	-32.7	5	-1.6
农村小城镇人口比重	%	16	＞35	16.8	4.2	4	0.2
B 、社会发展					53.3	20	10.7
农村合作医疗覆盖率	%	10	＞90	68.3	72.9	8	5.8
农村养老保险覆盖率	%	1.8	＞60	4.6	4.8	4	0.2
万人农业科技人员数	人	1	＞4	1.6	20.0	4	0.8
农村居民基尼系数	-	0.35	0.3-0.4	0.296	96.0	4	3.8
C 、人口素质					14.1	15	2.1
农村人口平均受教育年限	年	7.4	＞9	7.5	6.2	12	0.7
农村人口平均预期寿命	年	69.5	＞75	72.0	45.5	3	1.4
D 、生活质量					17.8	23	4.1
农村居民恩格尔系数	%	49	＜40	50.2	-13.3	4	-0.5
农民居住质量指数	%	18	＞75	30.8	22.5	11	2.5
农民文化娱乐支出比重	%	2.5	＞7	2.34	-3.6	3	-0.1
农民生活信息化程度	%	28	＞60	42.51	45.3	5	2.3
E 、民主法制					97.0	6	5.8
农民对村政务公开的满意度	%	55	＞85	83.2	94.0	3	2.8
农民对社会安全满意度	%	60	＞85	90.4	100.0	3	3.0
F 、资源环境					49.4	7	3.5
常用耕地变动幅度	%	-0.3	＞0	0.01	3.3	3	0.1
森林覆盖率	%	16.5	＞23	41.33	100.0	2	2.0
万元农业GDP用水量	立方米	2600	＜1500	1853.0	67.9	2	1.4
综合实现程度							27.1

二十一、海南省农村全面建设小康监测报告

按照国家统一的农村全面小康标准和监测方法，国家统计局海南调查总队对2007年海南农村全面小康实现程度进行了跟踪监测，结果显示，2007年海南在农村全面小康建设进程中又向前迈进了一大步。

（一）2007年海南农村全面小康监测结果

2007年，海南省各级政府在又好又快地发展海南经济的指导思想下，以农民增收为核心，以结构调整为主线，积极推进城乡经济社会的协调发展，农村经济发展的内生动力增强， 2007年海南省农村全面小康实现程度为35.7%，比2006年提高4.5个百分点。

1.经济发展：全面小康实现程度为22.0%，比上年提高8个百分点。在反映农村经济的三项指标中，农村居民人均可支配收入为3210元，全面小康实现程度为26.6%，比上年提高9.5个百分点，第一产业劳动力比重为55%，全面小康实现程度为-33.3%，比上年提高6.7个百分点，农村小城镇人口比重为29%，全面小康实现程度为68.4%，比上年提高2.6个百分点。

2.社会发展：全面小康实现程度为65.7%，比上年提高8.7个百分点。从分指标来看，农村合作医疗覆盖率为85%，全面小康实现程度为93.8%，比上年提高17.5个百分点，农村养老保险覆盖率为6.2%，全面小康实现程度为7.6%，比上年提高1.6个百分点，万人农业科技人数为2，全面小康实现程度为33.3%，比上年提高6.6个百分点，农村居民收入分配的公平程度仍处于相对合理区间，基尼系数为0.33，全面小康实现程度为100%。

3.人口素质：全面小康实现程度为22.8%，比上年提高5个百分点。从反映人口素质的监测指标看，2006年海南农村人口平均受教育年限为7.7年，农村人口平均预期寿命为71.6。

4.生活质量：全面小康实现程度为43.1%，比上年提高2.7个百分点。在反映农村居民生活质量的四项指标中，农民信息化程度为61%，全面小康实现程度为100%，农民文化娱乐支出比重为5%，全面小康实现程度为55.6%，与上年持平，居住质量指数为51%，全面小康实现程度为57.9%，比上年提高1.3个百分点，农村恩格尔系数为56%，全面小康实现程度为-77.8%。

5.民主法制：全面实现程度为30.3%。近年来海南省积极推进基层民主建设，进一步健全村务公开和村民自治制度，农民对村务公开满意度提高，各级公安部门加大力度打击犯罪活动，社会治安进一步好转，农民对社会安全的满意度提高。

6.资源环境：全面小康实现程度为14.3%，比上年有较大幅度的下降。从反映资源环境的三项指标来看，森林覆盖率为57.1%，全面小康实现程度为100%，万元农业GDP用水量低于1500立方米的标准值，为902立方米/万元，全面小康实现程度为100%，常用耕地面积逐年减少是导致资源环境全面小康实现程度较低的主要原因。

（二）2007年海南农村全面小康进程评价

1.2007年海南农村全面小康进展顺利

按照国家标准和统计方法，2002-2007年，海南农村全面小康的实现程度提升速度依次为3.1、4.1、3.2、6.6、8.4和4.6个百分点，平均每年提升5个百分点。照此速度推算，到2020年，农村全面小康的目标将基本实现。

2.在2007年海南农村全面小康实现提升过程中，经济发展贡献大

在农村全面小康实现程度4.5%的增长幅度中，经济发展方面贡献了2.3个百分点。从农村小康评价分值表可以看出，经济发展类指标在农村小康评价中占有29%的权重，对农村小康实现程度影响重大。只有经济发展水平提高了，农村小康的实现程度也较高，反之亦然。由于经济增长是社会全面进步的源动力。无论是经济发展质量的提高还是社会发展质量的改善都有赖于经济水平的提高，因此经济发展水平的高低就成了决定农村小康能否如期实现的关键。农村居民人均可支配收入大幅提高是推动经济发展小康实现程度的主要动力。

3.社会发展稳步推进

由于各级政府加大对农村卫生、科技、社会保障的支持力度，农村社会事业发展加快，社会公共供给机制正发生重大而深刻的变化。海南省自2003年12月开展新农合试点以来，经过四年多的努力，已实现全省所有市县、乡镇全面推行新农合制度，2007年12月底，全省共有466.81万人缴纳了2008年度参合金，分别比2006年度和2007年度增加了45.22万人和9.7万人，参合率也分别由76.23%和86.03%提高到今年的92.38%； 2007年3月，财政部财政科学研究所和卫生部卫生经济研究所《海南省新型农村合作医疗评估与研究报告》对海南省新农合工作给予了充分肯定，认为海南省新农合处于全国先进，取得了“广覆盖、高参合、高筹资、高补偿、高满意”的良好绩效，实现了“农民得实惠、政府得民心、卫生得发展”的目的。

4.农民生活质量逐步提高

提高农民生活水平和质量是全面建设小康的出发点和落脚点，随着农民收入的增长以及农村基础设施的不断建设，农民的生活质量继续提高。

综上所述，2007年海南农村全面小康建设取得重大进展，总的特点是，经济发展提升速度较快，农村社会事业稳步推进，农民生活质量日益提高，但农村全面小康进程尚处在初级阶段，农村全面小康实现程度仅为43.1%，农村全面建设小康进程只走了不到一半的路程，人口素质低，可持续发展能力不高仍是农村全面小康建设的主要制约因素，在新的较高的起点上推进农村全面小康建设任重而道远。

三、农村全面建设小康的亮点和难点

尽管近年来海南省农村经济取得了较大的发展，但是农村基础设施薄弱，农业综合生产能力较差，农村社会事业发展滞后的现实尚未改变。

1．经济发展有长足进步，但经济发展水平仍然不高。从目前情况来看，全省农村离全面小康还有较大距离。按照实现全面小康社会的标准，人均GDP应达到3000美元，第三产业比重达到50%，农民人均可支配收入达到6000元以上，恩格尔系数在30-40%。我省目前农民人均可支配收入只有3210元，只及全面小康水平的26.6%。可见，海南省农村离全面小康还有相当长的路程。此外，农村的贫富差距明显，2007年基尼系数达到33%，全省农村仍有12.8万贫困人口，低收入人口37.3万，如果这部分人群的生活状况不能迅速改变，农村的贫困问题将严重制约全面小康建设的进程。

2．新农合制度覆盖全省。海南省新农合制度的全面推行，有效地减轻了农民群众看病就医经济负担，得到了广大农民群众的普遍欢迎和社会各界的广泛赞誉，获得了国务院和卫生部、财政部的高度评价。初步建立了具有一定特色的新农合管理体系和运行机制：建立了“以县（市、区）为单位统筹，以农民家庭为单位自愿参加，个人缴费、集体扶持和政府资助相结合”的筹资机制；形成了“以收定支、大病统筹为主、参合农民自主择医、县内现场结算报销医疗费用”的补偿机制；建立了以“三规范”（ 规范制度模式、规范药品目录和病种目录、规范补偿办法）、“五统一”（ 统一征收机构、统一财政专户、统一财会制度、统一代理银行、统一公示制度）为主要内容的基金管理制度和监督机制。

海南省新农合制度建设虽然取得了较大的成绩，但毕竟只是制度建设全面覆盖后的起步阶段，还存在不少困难和问题，这些困难和问题主要是：

一是筹资水平仍然相对较低，保障程度还不够高。尽管海南省住院实际报销比例目前已提高到35.59%，在全国也处于较高水平，但仍有6成以上的医药费用还需农民自己支付，个人负担水平仍较高。逐步提高筹资水平和保障水平，应该是我们长期努力的方向。二是统筹基金支出压力较大而家庭帐户资金使用率不高。新农合制度建设有效地释放和刺激了参合农民的医疗需求，卫生服务需求量增大，卫生服务利用水平逐步提高，不少医疗机构（特别是县及县以上医疗机构）病床使用率同比增长了30%以上，不少参合农民期望补偿水平高，要求获得更多的医药费补偿。三是经办机构人员少，监管能力薄弱。四是一些定点医疗机构服务和收费行为还不够规范。五是农村卫生人才缺乏，直接影响了新农合工作的可持续发展。

3．农村社会保障程度低。城乡差别的一个显著特征就是体现在社会保障方面。农民就医难，因病致贫，因病返贫的现象时有发生。截至2007年底，全省18个市县221个乡镇3712个村（居）委会、110个乡镇企业开展了农村社会养老保险工作，参保人数共计26.34万人，比上年减少参保1.4万人，领取养老金0.84万人。

农村社会保障程度低的主要原因是：

一是制度不健全。农保工作开展十多年来，没有出台相关的法律法规。目前，农保基金的征收、发放、管理和监督以及相关的财务、会计等方面的管理，仍执行民政部《关于印发＜县级农村社会养老保险基本方案（试行）＞的通知》（民办发[1992]2号）以及

《海南省农村社会养老保险规定》（海南省人民政府令1995年第75号），制度建设没有随着工作的发展及时补充修订，造成制度运行滞后于工作发展实际。

二是管理体制未理顺。农保机构的管理目前仍未统一，分属人劳、民政两个部门管理。在人劳系统，有的专门成立农保局，有的将农保业务划入社保局。

三是覆盖面小，保障水平低，没有发挥好农保功能。2007年全省参保人数仅占农业人口的5%，覆盖面小。全省有14个县市、4个区月人均领取养老金额低于当地农村最低生活保障标准，占所有领取人员的89%。

四是政策扶持力度弱，财政补贴未能体现社会公平。2006年在全省筹集的农保基金总额中，农民缴的保费占74%；集体占4%；财政补22%。全省18个市县仅有6个市县财政给农保补贴。

如何解决农村养老问题，促进城乡和谐发展是全社会必须关注的一大课题。

绿色海南，保护耕地任重道远。“中国的后花园”，“东方夏威夷”一直是海南引以为傲的名片。多年来，海南一直致力于环境保护，开展退耕还林，关闭“五小”企业，森林覆盖率逐年提高，2007年达57.1%。但工业化、城市化对农地的需要与耕地保护任务的矛盾依然突出，耕地面积逐年减少是一个不容忽视的现实，2007年耕地减少的幅度比上年有较大增加，如果不改变传统的高投入、高消耗、低效率的粗放型增长方式，经济发展必然会越来越多地受到资源的约束，因此，必须以党的十六届五中全会提出的“加快资源节约型、友好型社会”建设为指导思想，加大生态环境治理力度，以调整产业结构为手段，做到经济效益、社会效益、生态效益同步提高，实现可持续发展。

2007年农村全面小康综合表(海南)

指标	单位	总体小康值	全面小康值	2007年实际值	实现程度	权数	综合分值
A、经济发展					22.0	29	6.4
农村居民人均可支配收入	元/人	2200	6000	3210	26.6	20	5.3
第一产业劳动力比重	%	50	35	55	-33.3	5	-1.7
小城镇人口比重	%	16	35	29	68.4	4	2.7
B、社会发展					65.7	20	13.1
农村合作医疗覆盖率	%	10	90	85	93.8	8	7.5
农村养老覆盖率	%	1.8	60	6.2	7.6	4	0.3
万人农业科技人员数	人	1	4	2	33.3	4	1.3
农村居民基尼系数	-	0.35	0.3-0.4	0.33	100.0	4	4.0
C、人口素质					22.8	15	3.4
平均受教育年限	年	7.4	9	7.7	18.8	12	2.3
平均预期寿命	年	69.5	75	71.64	38.9	3	1.2
D、生活质量					43.1	23	9.9
恩格尔系数	%	49	40	56	-77.8	4	-3.1
居住质量指数	%	18	75	51	57.9	11	6.4
农民文化娱乐支出比重	%	2.5	7	5	55.6	3	1.7
农民信息化程度	%	28	60	61	100.0	5	5.0
E、民主法制					30.3	6	1.8
农民对村政务公开的满意度	%	55	85	72	56.7	3	1.7
农民社会安全满意度	%	60	85	61	4.0	3	0.1
F、资源环境					14.3	7	1.0
常用耕地面积变动幅度	%	-0.3	0	-1.49	-100.0	3	-3.0
森林覆盖率	%	16.5	23	57.1	100.0	2	2.0
万元农业GDP用水量	立方米/万元	2600	1500	902	100.0	2	2.0
农村全面小康实现程度合计						100	35.7

二十二、重庆市农村全面建设小康监测报告

2007年重庆各级认真贯彻落实中央一号文件精神，稳步推进新农村建设，抓住作为城乡改革试验区的机遇，围绕胡总书记对重庆的“314”总体部署，在直辖十年效应推动下，粮食产量呈恢复性大幅增产，农民收入快速增长，农村社会事业迅猛推进，农民生活质量显著改善，民主法制与资源环境建设情况较好地适应了农村各方面发展的需要，总体来讲，农村全面小康进程速度呈加快发展的良好局面。监测结果显示，目前重庆农村全面建设小康社会的综合实现程度为30.6%，走完了农村全面建设小康社会近1/3的路程。

（一）重庆农村全面建设小康社会的主要成就

1. 农村全面建设小康综合实现程度提速升位

测算数据表明，目前，重庆农村全面建设小康社会的综合实现程度为30.6%，比2006年提高了9.2个百分点，比上年增长了43.0%，是从2001年开始测算以来增幅最高的一年。（见下图）

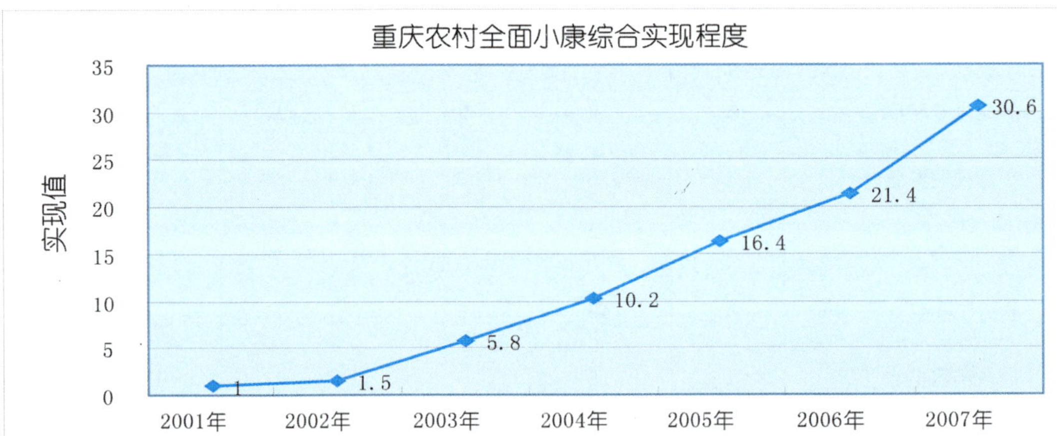

从图中越来直越陡的折线图可以看出，2007年全市农村全面小康的实现程度比前5年实现值总和高43.0%，相当于以前2－3年的实现值。从而为重庆农村全面小康建设综合实现值在西部地区的位次上升。作为西部地区唯一的直辖市，经过各级的艰苦努力，根据前几年监测资料的情况综合来看，重庆在西部的位次有所上升，与全国平均水平的差距也将有所缩小，如果按这样的趋势继续发展，重庆在西部地区“率先”实现农村全面小康的目标将较为乐观。

2. 农村社会事业迅猛发展为实现全面小康立下头功

农村社会事业（主要包括农村合作医疗、农村养老保障、万人农业科技人员等），关系着农民的保障和生存环境，是缩小城乡差距，提高农民地位的主要表现，在建设全面小康监测综合分值中占有20%的权重，是实现农村全面小康的重要方面。2007年的监测数据表明，在社会事业发展方面，全面小康实现程度达51.1%，比上年提高了20.6个百分点，根据其在农村全面小康测算中所占权重测算，由于农村社会事业的发展，为农村全

面小康实现程度综合值盈得了 10.2 分，成为六大方面指标中，对综合分值贡献最大的一项，从而为 2007 年实现农村全面小康立下了头功。(见下图)

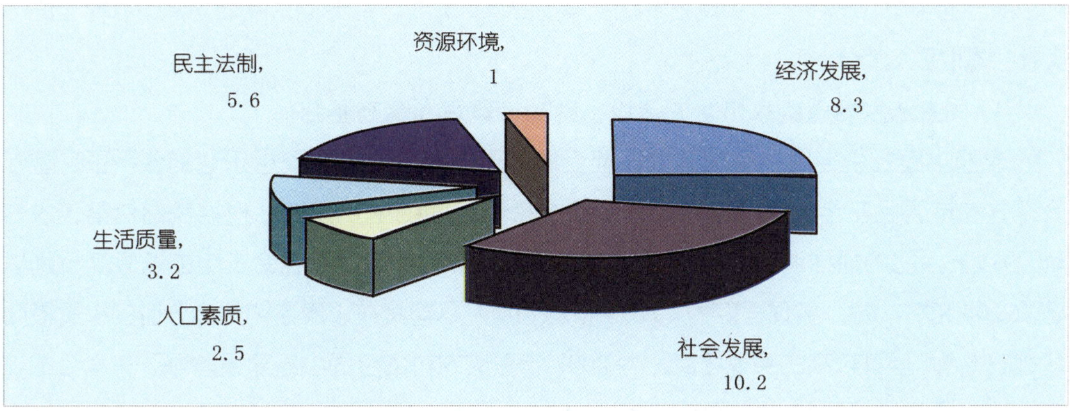

从构成农村社会事业发展的具体指标来看，农村新型合作医疗发展情况最好。为解决农民“看病难和看病贵”问题，减少农民生病致贫和返贫现象的发生，重庆各级统筹安排财力，因地制宜地稳步推进农村合作医疗，这项工作从 2005 年开始在近郊经济发达地区开始试点，随后在各区县迅速铺开，到 2007 年底止，全市农村参加新型合作医疗的人数达 1800 万人左右，农村合作医疗覆盖率为 75.0%，根据这方面农村全面小康标准(农民参加农村合作医疗的比例为 90%）测算，其实现程度达为 81.3%，为全市农村全面小康综合实现值赢得了关键的 6.5 分，从而给重庆农村建设全面小康社会奠定了基础。

3. 农村经济发展显著，为农村全面建设小康社会奠定了坚实的物质基础

农村经济是全面建设农村小康社会的物质基础，是农村各方面工作的关键，在小康监测综合分值中占有 29%的权重，其重要性位列六大方面测算指标的第一名。测算数据显示，2007 年重庆农村经济的小康实现程度为 29.5%，比上年增加了 12.1 个百分点，由于其权重大、比例高，为全面建设农村小康综合分值赢取了 8.6 分。从反映农村经济发展的三大指标来看，首先，农民收入的增加为经济发展奠定了基础。2007 年重庆农民人均可支配收入在国家惠农力度加大、农产品价格回升、农民务工收入增加等多种力量推动下，得到了大幅提升，同时由于农民收入是农村各方面经济情况的综合体现，其权重在农村建设全面小康社会中最大（占 20%），因而它的增减对建设农村全面小康社会有非常重要的作用。监测资料表明，2007 年重庆农民的人均可支配收入为 3319 元，扣除物价因素（以 2000 年不变价）后为 2909 元，比上年实际增长 8.8%，是近几年来增幅较大的一年。根据小康测算标准（6000 元/年/人），2007 年农民可支配收入的小康实现程度为 18.7%，比上年增加了 6.3 个百分点，从而为重庆农民进行全面小康建设综合分值赢取了实实在在的 3.7 分，在经济发展方面为农村建设全面小康贡献了（总分值 8.3 分）43.0%的力量。其次，城市化建设进程的加快，推动全市小城镇人口比重的提高。到 2007 年末，全市农村小城镇人口比重达 33.4%，与全面小康标准值（35%）相比，其实现程度达到 91.6%，比上年提高了 41.1 个百分点，为重庆农村全面小康建设增添了 3.7 分。另外，农民非农从业比重的上升减少了农民一产业从业的比

重。监测资料显示，2007年全市非农从业比重达到46.5%，比上年下降了1.9个百分点，由于这个指标在全面小康建设实现程度测算方面是个逆向指标，它下降就意味这方面的发展向小康方面更进了一步，其实现程度比上年提高了13.3个百分点，从而为建设农村全面小康社会赢取了1.2分。

4. 民主法制为重庆农村全面建设小康社会奠定了精神基础

全面小康社会是民主更加健全、社会秩序更加稳定、人民安居乐业的公平正义型社会，是农村居民在全面小康建设进程中精神文明方面的主要体现。根据我们对重庆农村18岁以上人口的抽样调查，农村居民对村政务公开的满意度和社会安全的满意度分别达到76.0%和75.0%，实现程度为70.0%和60.0%，尽管其在小康监测综合分值的权重最低（只有6%），但其较高的实现程度，为2007年重庆农村的全面小康建设增添了3.9分的综合分值，是六大类指标中全面小康建设完成情况最好的。

5. 农民居住质量逐渐改善，加速了农村全面小康建设步伐

全面小康社会是农村消费结构优化，居住环境不断改善，信息化程度稳步提高，农民生活质量较高的社会。提高农村居民的生活质量是全面建设小康社会的出发点和最终目标。从2007年的监测数据来看，反映农民居住质量（占11%的权重）的综合评价指数，根据人均住房面积、住房结构、饮用水状况、使用清洁能源、卫生厕所配套状况以及居室外道路条件等6个方面，按照一定的加权得到的测算数据表明，2007年重庆农村的居住质量指数为33.6%，实现程度为27.4%（目标值为75%），比上年提高了19.5个百分点，从而为农村建设全面小康社会在居住方面赢取了3分。而其它反映农民生活质量的指标与上年相比变化不大。

（二）重庆在西部地区率先实现农村全面小康的主要困难

1. 农民增收的途径不多，持续增收难

在农村全面小康综合评价18项指标中，农民收入水平在全面建设小康指标体系中占20%的权重，是头等重要的指标，对于能否实现全面建设小康目标具有举足轻重的作用。从目前来看，农民增收的主要支撑因素是政策倾斜、农产品价格上涨、农产量增加和外出务工，从目前来看，由于各方面原因，农产品价格对农民增收的促进作用有所减弱，农业生产资料价格上涨以及农民外出务工的难度加大是大势所趋，农民收入保持较快增长的难度必将不断加大。从全面建设小康进程看，2007年农村居民可支配收入全面建设小康实现程度虽然达到18.7%，比上年增加了6.3个百分点，但谁都明白，2007年重庆农民收入的较大增幅是在2006年遭遇特大旱灾，农民收入只比上年增长了2.3%的基础上的恢复，今后几年就再难有这么大的增幅。如果到2015年要率先实现农村全面建设小康目标，农民收入每年要平均增加386元左右，按现价计算，农民收入每年要增加450元以上，难度之大可想而知。

2. 农村教育仍然落后，人口素质提升难

在农村全面小康综合评价体系中，农村人口受教育程度是仅次于农民收入的第二位重要指标，占有12%的权重。从开始测算农村全面小康实现程度这7年来，重庆农村人口素质的提高一直比较缓慢，2007年实现程度为11.8%，离全面建设小康的实现标准还有21.3%的路程，任重道远。从目前来看主要存在两大难度：一是农村人口的文化程度普遍偏低。2007年我市农村劳动力平均受教育年限只有7.6年，只相当于初中二年级的水平，其中文盲半文盲比例占到了6.0%。二是农村较高文化程度的劳动力大量流向城市，农民文化素质在短期内难以有较大的提高。农村劳动力素质不高，直接影响农民掌握科学技术及生产技能的能力和收入水平的提高，成为农村全面小康进程中的重要制约因素。

3.农民养老保障低，社会事业发展难

最近几年，虽然市委、市政府加大养老保险工作的力度，但农村养老保险覆盖率提高非常有限，到2007年底止，全市农村仅有50余万人享受农村最低生活保障制度，从近几年农村养老保险发展的情况看，参保人数增加缓慢，在全部指标中处于落后地位，对小康综合分值的贡献为负0.3， 按全面建设小康社会在农村养老保险方面的目标衡量还没有起步，难度非常大，如果国家财政不大力支持，农村养老保险覆盖率低的问题将长期制约我市农村全面小康建设进程。

4.食品价格上升速度加快，农民生活质量提高难

全面小康建设的根本目的是改善人民群众的生活质量，在农村全面小康综合评价六大类指标中，农民生活质量占23%的权重。2007年，农民生活质量全面建设小康实现程度13.7%，还有相当长的路程。特别是作为反映居民总体消费水平与结构的主要指标－恩格尔系数（食品支出占生活消费支出的比重），由于2007年食品价格上涨幅度大、速度快，使食品支出增加，2007年的实际值达54.5%，与2006年相比，不降反升了2.3个百分点，还处于恩格尔定律所界定的温饱阶段。从而使其在全面建设小康社会方面的实现程度为-61.1%，与上年相比，还下降了25.5%，不但对农村全面小康实现程度的综合分值没有贡献，还反拉了2.4分，离全面小康目标相距甚远。

5.常用耕地持续减少，耕地保护难，

尽管实行严格的耕地保护制度，但随着城市规模的扩大、农村城镇化进程的加快以及三峡工程淹没占地，重庆市常用耕地连年减少（也是相当长时期内耕地变动的趋势），而新增耕地微乎其微，在评价农村全面小康的18项指标中，7年来，常用耕地面积变动幅度年年都是负值，在小康值测算中，由于常用耕地面积变动幅度以大于0为目标值，该指标很难达到建设全面小康社会的要求。统计数据显示，2007年，通过实行严格的耕地保护政策，全市常用耕地面积尽管只比上年减少了0.1%，但其变动幅度为负，其在全面建设小康实现程度的值仍为-100%，从而对农村全面小康的综合分值向相反方向拉了3分。

6.地区间发展不均衡，整体全面小康难

重庆是一个幅原广大的直辖市，地区间由于自然和历史原因，经济发展具有不平衡性，全市各区县农村全面小康实现程度差异在50个百分点左右。特别是18个国定、市定

贫困县的农村全面小康进程相当落后，不可避免地要拉全市的后腿，对全市全面小康实现程度造成影响。从2007年的资料来看，贫困人口的人均纯收入2736元，只相当于全市平均水平的78.0 %，全市尚未解决温饱的绝对贫困人口仍有50余万人。其它反映农民全面小康实现程度的指标（如教育、医疗、生活环境等）的差距更大，这种奔小康过程中的发展不平衡现象，从很大程度上影响了全市整体向农村全面小康迈进的步伐。

（三）促进小康进程的对策建议

1．大力发展农村经济，促进农民持续快速增收

推进农村全面小康建设，必须加大政策 “三农”力度，建设现代农业，发展农村经济，建立农民增收的长效机制。具体来讲，一是要在农业内部深挖潜力。继续加快推进农业结构调整，向农业的深度和广度进军。在确保粮食生产安全的前提下，力求把农产品的质量调“高”，把农业布局调“优”，把农业产业链调“长”；二是要在农业和农村外部开辟增收渠道：加大城市对农村经济的辐射，加大城市智力及资金资源向农村转移，大力发展农村二三产业，实现农民从农业外增收；三是认真贯彻落实“中央一号”文件精神，继续坚持对农民“多予、少取、放活”的方针，增加对农业的投入等各项惠农政策，切实保护农民的利益，为农业增产、农民增收提供有力的政策保障。

2．完善社会保障制度，发展农村社会事业

目前重庆城乡之间包括教育及医疗资源、养老保险等诸多领域都存在着不小的差距，是全面建设小康社会，构建和谐重庆不可忽略的一个重要方面，与目前3.9:1的城乡居民收入水平相比，城乡社会事业发展的差距更大，尤其是消费环境、文化教育、医疗条件及养老保险体制等方面亟待改善和提高。农村消费环境不完善，突出表现在：供水、道路等基础设施条件差；商业网点少且布局不合理；市场秩序不够健全和完善，售后服务基本空白等，这些严重制约了农村居民生活水平和消费质量的提高。农村医疗条件差，医疗设施、技术水平与城市相比都有很大差距，不少乡镇卫生院只能完成简单的下腹部手术，尽管目前我市农村参合率提高较快，但要实现完善的医疗卫生体系，难度还很大。与城市居民相比，养老保险更是大部分农村居民可望而不可及的事情，而农村社会养老保障制度，应该是实现农村全面小康的关键制度，从某种意义上讲，一个地区经济不论增长几番，只要养老问题没解决都不是全面的小康。从我市目前的情况来自，2007年底全市农村养老保险覆盖率只有2.1%，要实现60%的全面小康目标任务还相当艰巨。随着劳动力的大量向外转移，不少中青年人由短期转移变为长期在外定居，农村老年人靠家庭养老已基本成为空话，不少老年人甚至中青年人均渴望政府完善农村养老保险制度，让他们能够像城市居民一样按月领取退休金，以彻底解决后顾之忧。因而，政府各级一定要通过多种方式，采用多种渠道，要拿出比推行农村合作医疗制度更大的工作力度，在国家出大头，农民家庭适当出资的情况下逐步解决农民老有所养问题。

3．引导农民调整消费结构，提高生活质量

随着收入的增加，合理引导农民进行科学消费是非常重要的问题，从目前重庆的情

况来看，反映居民生活质量的重要指标棣－恩格尔系数始终在50%左右徘徊，其数值并不因为收入的增加而下降，这其中很大因素是农民的消费观念存在问题，舍不得消费、不敢消费、不会消费是其基本表现，因而在拓宽农民消费领域，激活农村消费市场，最大可能满足农民物质消费需求的前提下，要特别重视农民娱乐享受、旅游通讯、生存发展、社会服务等非物质领域的消费引导，保证农民恩格尔系数的下降与农民收入的增长都有利于农村全面建设小康社会的发展，全方位提高农民生活质量。

4．大力发展农村教育事业，努力提高农村人口素质

农村居民素质的全面提高，是加快全面小康实现进程，建设社会主义新农村的迫切需要，也是增加农民收入转变农民消费观念并以此提高农民生活质量的关键所在。加大农村教育事业的投入，培育和造就一代新型农民是当务之急。重点加强农村基础教育，提高农民的文化素质的同时要积极推行农民劳动技能培训，增强农民的就业与创业能力。合理配置师资力量及各种硬件设施，避免优秀的农村中小学老师及学生向城区学校流动，提高农村学校教育水平。

2007年农村全面小康综合表(重庆)

指 标	单 位	总体小康值	全面小康值	2007年实际值	实现程度	权 数	综合分值
A、经济发展					29.5	29	8.6
农村居民人均可支配收入	元/人	2200	6000	2909	18.7	20	3.7
第一产业劳动力比重	%	50	35	46.5	23.3	5	1.2
小城镇人口比重	%	16	35	33.4	91.6	4	3.7
B、社会发展					51.1	20	10.2
农村合作医疗覆盖率	%	10	90	75	81.3	8	6.5
农村养老覆盖率	%	1.8	60	1.6	-0.3	4	0.0
万人农业科技人员数	人	1	4	1.1	3.3	4	0.1
农村居民基尼系数	-	0.35	0.3-0.4	0.29	90.0	4	3.6
C、人口素质					11.8	15	1.8
平均受教育年限	年	7.4	9	7.6	12.5	12	1.5
平均预期寿命	年	69.5	75	70	9.1	3	0.3
D、生活质量					13.7	23	3.2
恩格尔系数	%	49	40	54.5	-61.1	4	-2.4
居住质量指数	%	18	75	33.6	27.4	11	3.0
农民文化娱乐支出比重	%	2.5	7	2.9	8.9	3	0.3
农民信息化程度	%	28	60	42.9	46.6	5	2.3
E、民主法制					65.0	6	3.9
农民对村政务公开的满意度	%	55	85	76	70.0	3	2.1
农民社会安全满意度	%	60	85	75	60.0	3	1.8
F、资源环境					42.9	7	3.0
常用耕地面积变动幅度	%	-0.3	0	-0.1	-33.3	3	-1.0
森林覆盖率	%	16.5	23	27	100.0	2	2.0
万元农业GDP用水量	立方米/万元	2600	1500	750	100.0	2	2.0
农村全面小康实现程度合计						100	30.6

注：小城镇人口比重较上年增幅较大，主要原因有两方面，一是经济的快速发展使镇区人口快速增加，二是个别区县、乡镇区划调整增加了小城镇人口比重。

二十三、四川省农村全面建设小康监测报告

按照国家统计局制定的农村全面小康评价指标体系量化标准和监测方法，以2000年为起点，2020年全面小康值为目标，我们根据相关资料从经济发展、社会发展、人口素质、生活质量、民主法制和资源环境六个方面共18项指标对2007年四川农村全面小康实现程度进行了测算。并上报国家统计局核定，2007年四川农村全面小康实现程度为30.0%，比上年提高7.4个百分点。

（一）2007年农村全面小康实现程度

1. 农村经济发展方面的全面小康实现程度为20.2%

从经济发展3个指标的具体情况来看，2007年在国家粮食直补等惠农政策、农副产品价格上涨及粮食增产等多种因素共同作用下，四川农民人均可支配收入（按2000年价格计算）达到了3095元，农民可支配收入的全面小康实现程度为23.6%。2007年第一产业劳动力比重为51.0%，其全面小康目标的实现程度只有-6.7%。2007年农村小城镇人口全面小康目标的实现程度为36.8%。

2. 农村社会发展方面的全面小康实现程度为37.6%

从社会发展的4个指标来看，农村合作医疗如今仍未全面开展，实现程度为80.5%。农村养老保险覆盖率的起点较低，2007年实现程度只有7.2%。2007年每万个农村居民拥有的农业科研人员实现程度为-10.0%。农村居民收入分配尽管内部间差距在拉大，但总体来说其分配公平程度仍处在合理区间，2007年农村居民基尼系数为0.23，全面小康实现程度为30%。

3. 农村人口素质刚刚达到总体小康水平

最能反映农村人口素质状况的指标是农村人口平均受教育年限和平均预期寿命。2007年农村人口平均受教育年限为7.4年，仅相当于初中一年级的水平。2007年农村人口平均预期寿命69.5岁。

4. 农民生活质量方面的全面小康实现程度为31.3%

从反映生活质量的四个方面看，食品支出在农民生活消费支出中所占的比重逐年下降，2007年农村恩格尔系数为52.3，全面小康目标实现程度为-36.1%。农民居住质量指数稳步提高，2007年为23.4%，居住质量指数全面小康实现程度为9.5%。农民文化娱乐支出比重较小，2007年农民文化娱乐支出占生活消费总支出的比重为6.4%，其实现程度为86.7%。农村信息化发展很快，2007年农村每百户农户拥有彩色电视机93台，比2000年增加56台，拥有固定和移动电话149部，比2000年增加138部，拥有电脑1.6台。2007年农民信息化程度为60.0%，信息化的全面小康目标实现程度高达100%。

5. 农村民主法制方面的全面小康实现程度为92.5%

随着农村政务透明公开，农民对村政务公开的满意度不断提高。2007年农民对村政务公开的满意度为83.5%，比2000年提高5.5个百分点，实现程度为95.0%。农民对社会安

全的满意度有所提高，但提高不快，2007年农民对社会安全的满意度为82.5%，比2000年提高3.9个百分点，实现程度为90.0%。

6. 农村资源环境方面的全面小康实现程度为55.8%

在反映农村资源环境全面小康目标的3个指标中，2007年四川森林覆盖率高达32.5%，大大超过全面小康目标值，实现程度为100%。在城市化和工业化进程中，保证耕地面积动态平衡的任务还相当繁重，2007年常用耕地面积变动幅度的全面小康实现程度为0%。2007年万元农业GDP用水量为1550立方米/万元，其全面小康实现程度为95.5%，节约水资源，提高农业用水效率任务仍很重。

（二）农村全面小康建设的重点和难点

在上述综合评价农村全面小康的六个方面18项指标中，农村经济发展、农村社会发展、农村人口素质等方面发展相对缓慢。农信息化程度、森林覆盖率这2项指标实现程度都为100%，达到全面小康标准。与全面小康目标值相比，农民人均可支配收入等16项指标都存在不同程度的差距。其中，第一产业劳动力比重、万人农业科技人员数、恩格尔系数三个指标实现程度为负。农村居民人均可支配收入、农村养老覆盖率、农村人口素质、农民居住质量、常用耕地面积变动幅度指数等指标的实现程度很低，这些方面是今后四川农村全面小康社会建设的重点，也是农村全面小康建设的难点。

1. 收入问题位居首位，增加农民收入是重点

农民收入问题是“三农”问题的核心，在农村全面小康综合评价18项指标中占有20%的权重，是头等重要的指标。目前，农民增收的长效机制还没有真正建立起来，农民增收还存在许多不确定因素：一是农产品价格经过两年多的上升周期后，进入相对稳定期，部分农副产品价格进入相对高位期，农产品价格对农民增收的促进作用会减弱；二是农业生产资料价格上涨，对降低农业生产成本有难度；三是政策性增收步子会放慢。2004、2005、2006、2007年党中央、国务院、四川省委出台了减税免税、粮食直补和良种补贴等等一系列更直接、更有力的惠农措施，农民收入实现较快增长，2004年至2007年间，四川农民人均纯收入和全国相比差距越拉越大。如：农村人均纯收入2005年扩大到了452元，2006年扩大到了485元，2007年扩大到了593元。由于四川省连续几年部分地区牧业生产遭受病症影响、农业遭受干旱、病虫等自然灾害，农业经历了严峻考验，政府尽管采取了相应措施，确保了大灾之年不减收，农民人均纯收入增幅确保了在10%以上，却与全国差距进一步扩大。因此，农民增收仍然是农村全面小康建设中的重中之重。

2. 农村教育相对落后，提高人口素质是难点

十年树木，百年树人。在农村全面小康综合评价18项指标中，农村人口平均受教育年限成为仅次于农民收入的第二位重要的指标，占有12%的权重。目前，四川农村人口平均受教育年限只有7.4年，低于全国平均水平。一方面，农村教育经费投入不足制约农村义务教育发展。另一方面，从农村考出去的大学生回到农村的很少，这些因素影响了农村人口受教育年限的提高。因此，发展农村教育，提高农村人口的总体素质，是农村全

面建设小康社会必须解决的一个难点问题。

3．农民生活条件差，改善居住环境是重点

“小康不小康，关键看住房”。居住质量成为全面小康建设的重要内容，在衡量全面小康标准的18项指标中占有11%的权重，排行第三。然而，长期以来农村公共基础设施建设投资匮乏，农村居民住房设施配套不完善、卫生条件差、室外环境脏乱差的现象相当普遍。2007年农村居民人均居住面积达35.2㎡，比2000年增加6.9㎡，砖木结构人均居住面积达16.8㎡，钢混凝土结构人均居住面积11.0㎡,但饮用自来水和使用水冲式厕所的农户只有9.5%和12.5%，48%以上的农户都在使用煤炭和柴草作燃料，使用清洁能源的农户不到30%，废物垃圾随处倒，污染环境。“远看房子不错，近看蝇虫满地，下雨天道路泞泥。”是目前四川贫困山区不少村庄居住环境差的真实写照。

4．农村小城镇发展慢，转换就业结构是难点

近几年来，四川小城镇建设取得了一定的成效，但由于小城镇主导产业不突出，基础设施建设投资不足，城镇聚集效应比较差，小城镇发展步伐比较缓慢。至2007年，农村小城镇人口比重实现程度只有36.8%，不仅离全面小康目标差距大，而且也严重制约了农业劳动力的转移。2007年第一产业劳动力比重高达51.0%，全面小康实现程度只有-6.7%，这无疑加重了今后十几年农村产业结构调整的压力。

5．农村社会保障起步晚，建立保障体系是重点

据四川省2007年统计公报：全省常住人口中乡村人口为5233.8万人，目前的社会保障体系基本上涉及到城市居民，对占多数人口的广大农村来说，社会保障体系的建立还处在起步阶段。2007年参加农村基本医疗保险的人数为98万人；工伤保险98.9万人。农村社会保障欠帐太多，起步太晚，短期内难以得到大的改善。如何按照科学发展观的要求，统筹城乡社会发展，提高农村合作医疗覆盖率和养老保险覆盖率也是建设农村全面小康社会的重点之一。

6．农民消费习惯偏重“吃”，改善农村居民居住条件是难点

“民以食为天”，长期以来四川农民消费习惯偏重于“吃”。2007年农民人均食品消费支出为1435.5元，占生活消费总支出的比重为52.3%，食品消费支出占生活消费总支出接近1/2。食品消费支出比重居高不下不仅影响了恩格尔系数的下降幅度，也影响了农村居民居住消费支出比重的上升。2007年农民居住消费支出366.5元，占生活消费总支出的比重不到13.3%。因此，改善农村居民居住条件是四川农村建设全面小康社会的又一难点。

（三）四川农村全面建设小康社会的主要困难

四川是城市、农村并存的省，全省有近65%的人口在农村，农村经济的发展和奔小康的进程决定着全省小康的进程。当前，四川农村的生产力水平不高，农民生活水平低，农村社会事业发展滞后，教育文化和医疗卫生条件亟待改善，城乡差距和地区差距仍在扩大，与全面小康社会的目标要求还有很大的差距。

1. 农民增收压力大

农民人均可支配收入在农村全面小康综合评价 18 项指标中，农民收入占有 20% 的权重，是头等重要的指标。尽管 2007 年农民人均可支配收入增长了 19.2%，超过了实现全面小康所要求的年均增长 5% 的目标，但是由于前几年欠帐较多，2007 年农民人均可支配收入实现程度只有 23.6%，这意味还有 76.4% 的任务要在 13 年中完成，任务非常艰巨，压力十分巨大。

2. 农村人口素质提升难

在农村全面小康综合评价体系中，农村人口受教育程度是仅次于农民收入的第二位重要的指标，占有 12% 的权重。目前四川农村劳动力平均受教育年限只有 7.4 年，万人农业科研人员数只有 0.7 人，对于 5233 多万农民来说，实在是微乎其微。由于农村科技教育文化事业发展滞后，影响了农村儿童入学率和辍学率，再加上农村较高素质的劳动力大量流向城市，农民文化素质提升的难度非常大。

3. 农村社会保障体系不健全

农村全面小康指标体系对农村社会保障水平非常重视，农村合作医疗覆盖率被赋予了 8% 的权重，农村养老保险覆盖率被赋于了 4% 的权重，两者合计占到 12% 权重。从四川的情况看，农村社会保障体系不健全，严重滞后于城市。参加农村合作医疗参合率为 74.4%，仍有近 2900 万农民未参加农村新型合作医疗。2007 年农村养老覆盖率 6.0%，农村养老覆盖率实现程度为 7.2%。如果不加以解决，农村合作医疗覆盖率和农村养老保险覆盖率低的问题将长期制约四川农村全面小康建设进程。

4. 居住质量亟待改善

农民居住质量指数在农村全面小康综合评价体系中，是第三位重要的指标，占有 11% 的权重，包括人均住房面积、住房结构、饮用水、清洁能源、卫生厕所配套情况和室外道路条件等 6 个方面。2007 年四川农民居住质量指数为 23.4%，与全面小康 75% 的居住质量指数相差甚远。如果农民居住质量得不到有效改善，建设全面小康只是一句空话。

（四）加快农村全面小康建设的对策建议

通过对四川农村全面小康进程的目标实现程度、目标差距及实现农村全面小康的重点与难点的具体分析，展望四川全面建设小康社会前景，虽然实现农村全面小康的任务艰巨、时间紧迫，全面完成各项主要指标的压力较大，但只要进一步解放思想，践行科学发展观，针对农村全面小康建设进程中的薄弱环节，咬住全面小康目标不放松，思考对策，抢抓机遇，开拓创新，加快发展，农村全面小康定会提前实现。把增加农民收入作为农村全面建设小康社会的中心任务。按照统筹城乡经济社会发展的要求，坚持“多予、少取、放活”的方针，积极推进农业、农村经济结构调整，努力提高农业的综合素质和整体效益，从农业深度要增收。加快农村城镇化建设，促进农村富余劳动力的转移，从非农业中要增收。同时，要加快农村贫困人口脱贫步伐，努力缩小城乡居民收入差距，实现共同富裕。

1．推进社会主义新农村建设，培育农民收入新的增长点

建设社会主义新农村，是全面建设小康社会的重大举措。四川农村发展和改革已进入一个新的阶段，必须按照统筹城乡发展的要求，贯彻工业反哺农业、城市支持农村的方针，积极推进社会主义新农村建设，解决“钱从哪里来？人往哪里去？”的新农村建设的核心问题，加快农村经济发展步伐。新农村建设将为农民增收创造新的机遇，要以此为契机，积极培育农民收入新的增长点。在社会主义新农村建设中，一是要尽量吸收农民工，增加农民务工收入；二是要进一步推动农村小城镇建设，加快农村人口向城镇流动和转移，提高农村小城镇人口比重，拉动农民收入增长；三是要大力发展农村二、三产业，加快农村第一产业劳动力向二、三产业转移，增加农民家庭经营二、三产业收入，尽快建立农民增收的长效机制。

2．大力发展农村教育事业，全面提高农村人口素质

要调整支农资金的使用方向，增加农村义务教育投入，将资金重点用于农村教育基础设施建设和减免农村学生学杂费支出，要坚决贯彻中央决定，在2007年全部免收农村学生义务教育阶段杂费，保障所有农村学生都能享受九年制义务教育，争取高中教育；加大财政对农村教育的支持力度，彻底改变取消农业税改革后农村教育经费投入不足问题，大力发展农村教育事业，增加农村人口受教育年限，提高农村人口素质，造就一代新型农民。在生产力诸要素中，人是最根本、起决定作用的因素。农民素质的高低决定农业生产力的发展和提高，影响农村社会的进步。各级政府要大力发展农村教育事业，要从资金、人力、物力等方面给予保障和支持，努力提高适龄儿童的入学率，有效控制流失率，真正将九年义务教育落到实处。同时，逐步完善农村职业培训体系，加大对农村劳动力的职业技术培训，造就一代有较高素质的新型农民。

3．加快农村基础设施建设，着力改善农村居住条件

农村生活水平提高最直观、最明显的变化就是住房条件的逐步改善。改善农村生活基础设施又是提高农村居民生活质量的前提条件。因此，在发展经济、增加收入的同时，还应加快农村生活基础设施建设。建设重点应放在改水、改厕、改路和环境治理上，推动农村自来水革命、厕所革命和厨房革命。政府应适当调整财政支出结构，将更多的农村生活基础设施项目纳入公共财政领域，给予资金支持；政府应将改水、改厕、改路和环境治理列入日常工作议事日程，作为大事来抓，在农村提倡使用清洁能源，鼓励农村居民美化村庄环境，改善农村生活条件，提高农村居民生活质量。改善农村生活设施是提高农民生活质量的前提条件，各级政府在改善农村交通、农村用电的基础上，重点要逐步转向农村改水、改厕和环境治理，在农村提倡使用清洁能源，鼓励农民美化村庄环境，改善农村生活条件。

4．统筹城乡社会发展，建立健全农村社会保障体系

近年来，四川农村经济社会发展的滞后、不断扩大的城乡差距，突出表现在农村社会发展方面。因此，在今后13年内，应该把加快农村社会的发展放在更为重要的地位，

要按照统筹城乡社会发展的要求，建立健全农村社会保障体系。一是要尽快建立新型农村合作医疗，重构农村合作医疗网。发展农村医疗卫生事业，建立以大病统筹为主的新型合作医疗制度和医疗救济制度，使农民人人享有初级卫生保健，让广大农民看得起病，不再为生病担惊受怕。二是要以农村低保为突破口，发展各种形式的农村社会福利事业，将农村无劳动能力的居民纳入社会救济范围。三是要积极引导农民参加养老保险，扩大农村养老保险覆盖面，加快城乡一体化社会保障建设。首先要加快农村医疗卫生基础设施建设，不断完善农村新型合作医疗制度，力争在3-5年建立起覆盖全市的农村新型合作医疗体系，使农民享有初级卫生保健。其次，要将农村养老保险纳入制度化、规范化、法制化轨道，建立农村养老保障金和办好农村养老院，使农民老有所养，老有所乐。

5. 注重发展农村文化事业，活跃农村居民文娱生活

文化娱乐生活是衡量农村居民生活质量的一个重要方面。为此，必须加快发展农村文化事业，积极引导广大农民增加文娱生活投入，提高农民文化娱乐消费支出比重，充实农民精神生活。

6. 加大保护资源、环境力度，努力实现人与自然和谐发展

应加大依法保护资源、环境力度，节约耕地，努力保持常用耕地动态平衡；节约用水，努力提高农业用水效率；进一步提高全区森林覆盖率，提高农村的可持续发展能力，促进人与自然的和谐发展。

7. 加快恢复5.12汶川地震灾区农业生产能力

摸清灾区的实际情况，及时组织恢复重建和生产。地方政府、民政等部门要指派专人进驻村社，督促检查生产进度，协调解决农业生产中的困难，确保农业生产条件早日恢复。在解决灾区群众生活困难的基础上，要考虑的恢复重建灾区民房，制定城市和村镇规划、工程建设等方面政府要给予技术和资金支持，帮助灾区群众早日重建家园。要把灾地区恢复重建与灾区经济的长远发展有机结合起来，及早制定灾区恢复重建规划，加强防灾减灾基础设施建设，注重发挥当地的优势资源，发展当地的特色产业，实现灾区的可持续发展。

2007年农村全面小康综合表(四川)

指 标	单 位	总体小康值	全面小康值	2007年实际值	实现程度	权 数	综合分值
A、经济发展					20.2	29	5.9
农村居民人均可支配收入	元/人	2200	6000	3095	23.6	20	4.7
第一产业劳动力比重	%	50	35	51	-6.7	5	-0.3
小城镇人口比重	%	16	35	23	36.8	4	1.5
B、社会发展					37.6	20	7.5
农村合作医疗覆盖率	%	10	90	74.4	80.5	8	6.4
农村养老覆盖率	%	1.8	60	6	7.2	4	0.3
万人农业科技人员数	人	1	4	0.7	-10.0	4	-0.4
农村居民基尼系数	-	0.35	0.3-0.4	0.23	30.0	4	1.2
C、人口素质					0.0	15	0.0
平均受教育年限	年	7.4	9	7.4	0.0	12	0.0
平均预期寿命	年	69.5	75	69.5	0.0	3	0.0
D、生活质量					31.3	23	7.2
恩格尔系数	%	49	40	52.3	-36.1	4	-1.4
居住质量指数	%	18	75	23.4	9.5	11	1.0
农民文化娱乐支出比重	%	2.5	7	6.4	86.7	3	2.6
农民信息化程度	%	28	60	60	100.0	5	5.0
E、民主法制					92.5	6	5.6
农民对村政务公开的满意度	%	55	85	83.5	95.0	3	2.9
农民社会安全满意度	%	60	85	82.5	90.0	3	2.7
F、资源环境					55.8	7	3.9
常用耕地面积变动幅度	%	-0.3	0	0	0.0	3	0.0
森林覆盖率	%	16.5	23	32.5	100.0	2	2.0
万元农业GDP用水量	立方米/万元	2600	1500	1550	95.5	2	1.9
农村全面小康实现程度合计						100	30.0

二十四、贵州省农村全面建设小康监测报告

农村全面小康进程监测调查表明，2007年贵州农村全面小康实现程度为6.7%，比2006年提高6.5个百分点，稳步向前推进。

（一）农村全面小康建设中采取的措施

1.加大农村扶贫开发工作力度

在2007年中，贵州继续完善扶贫整村规划，增加资金投入重点抓好产业化扶贫，扶持农户发展生态畜牧业，加大农村基础设施建设。采取政府补助，农户自愿的方式，将生存条件较差的部分农户移居到新建小城镇创业或搬迁到生产生活条件相对较好的地方居住，年内扶贫开发取得了明显成效。贫困地区的交通、通讯、水力、电力等基础设施建设不断加强，生产力水平不断提高，农村经济持续稳定增长，绝对贫困人口和低收入人口大幅度下降。

2.全面建立农村最低生活保障制度

贵州于2007年下半年在88个县（市、区）中建立农村最低生活保障制度，全省近260万农村绝对贫困人口进入保障范围，在解决生存问题的基础上，保障对象扩大生产的能力增强。

3.扩大农村合作医疗实施范围

2007年贵州农村合作医疗实施已普及到全省各县（市、区），农民家庭成员患病基本得到治疗。随着公益事业投入的逐步加大，农村缺医少药的状况有所缓解，促进了经济、社会全面发展。

4.抓好新农村建设百村试点

各地在新农村建设中，按照《贵州省社会主义新农村建设“百村试点”实施意见》的要求，加强组织领导，广泛宣传发动，科学制定村级规划，加大资金投入，强化组织指导，加强检查督促，总结推广经验。通过各项措施的落实，2007年取得了明显成效。

5.贯彻落实各项惠民政策

为促进农村经济社会全面发展，加快小康建设进程，财政扶贫资金投入加大，农业综合开发实施项目增加，农民种粮补贴和购置农机具补贴及时发放，扩大生猪饲养补贴范围，出台产煤县乡农民生活用煤补贴政策，起步规划石漠化治理工程项目等，为加快农村经济社会全面发展奠定了基础。

（二）全面小康建设进程情况

1.经济、社会全面发展

全省农村居民人均纯收入达到2374元，考虑价格因素数比上年增长11.6%，人均可支配收入也由2006年的1827元增加到2181元，考虑价格因素增长11.4%，单项指标的全面小康实现程度为-9%，比2006年提高5.1个百分点；第一产业劳动力比重、小城镇人口比重的实现程度由2006年的-79.3%、-19.5%上升到-78%和-17.9%，分别提高1.3个及1.6个百

分点；农村合作医疗覆盖率的实现程度由2006年的27.3%上升到85.6%，提高58.3个百分点。

2. 生活质量逐步提高

随着农村卫生、教育事业的发展，逐步改善了农村居民的生活环境。收入水平的快速提高，增强了农村居民改善生活的支付能力。居住质量系数的实现程度由2006年的14.4%上升到23.9%，提高9.5个百分点；农民信息化程度的实现程度由2006年的-12.2%上升到-3.1%，提高9.1个百分点。

3. 民主法制逐步健全，资源环境有所改善

随着贵州党的基层组织建设不断加强，村务公开内容、范围的逐步扩大，农村社会治安综合治理成效明显，生态建设稳妥推进，使全省民主法制逐步健全，资源环境得到改善。农村居民对村务公开满意度由2006年65%上升到71%，提高6个百分点；对社会安全的满意度仍保持在较高的水平，安居乐业；森林覆盖范围逐步扩大，提前达到全面小康目标值。

4. 经济发展慢于社会发展

由于历史和地势、地貌等原因，贵州农村经济基础较差，严重制约了经济社会的快速发展。但通过多年的农村扶贫开发和农村合作医疗、最低生活保障制度的建立，使农村社会发展快于经济发展。农村全面小康建设进程表明，2007年社会发展的实现程度已达到54%，而经济发展的实现程度仅为-22.1%，两者差距最大。

（三）农村小康建设中的难点

1. 农村发展的基础十分薄弱

与西部不发达省区比较看贵州农村现状：从2004年起，随着农业生产资料价格的持续上涨，中央对粮食主产省区农民加大扶持，而贵州农村经济发展相对缓慢。一是乡村人口规模相对较大。贵州虽不是人口大省，但乡村人口规模远超过陕西、甘肃和西藏。就全国农村最不发达的几个省区而言，乡村人口规模决定贫困人口的规模，决定扶贫开发工作量的大小及其政府对解决“三农”问题的投入。二是人均耕地占有量小，农业持续增收的难度大。三是牧草地资源相对不足，林地资源未占优势。四是农业机械应用少，劳动强度大。五是旱涝保收面积少，农用化肥施用量相对不足。六是固定资金、流动资金量小，农民家庭经营投入相对不足。

2. 自然灾害发生频繁

农业生产在很大程度上“靠天吃饭”。在2001-2007年的七年中，除2004年外，贵州均程度不同受到自然灾害的影响，其中2002年和2006年最为严重，导致粮食生产不稳定。

3. 农民素质低，难以适应市场变化

根据农村住户调查，2006年农村劳动力中，文盲、半文盲比重仍高达14.5%，比云南高1.6个百分点，是全国农村劳动力文盲、半文盲比重最高省份之一；高中以上文化劳动力的比重为6.4%，分别比云南、甘肃、陕西低0.1个、7.6个和8.5个百分点。农民素质低

有两大不利因素：一是没有市场风险意识，应变能力弱。二是转移就业难度大。农民文化素质低，很难转移进入较高技能的非农产业岗位。

4．国家对粮食主产省区农民加大扶持，贵州处于弱势

自2004年以后随着农资价格的上涨，中央对粮食主产省区农民种粮加大补贴，项目包括种粮补贴、良种补贴、购置和更新大型农机具补贴、农资综合补贴等。相比之下，贵州等西部非粮食主产省区农业生产发展处于弱势。

5．农村卫生、教育落后，人口素质提升难

贵州近年来文化教育和卫生落后的状况虽然得到进一步的缓解，但由于基础较差，农村居民文盲、半文盲比重大，边远贫困地区、少数民族聚居区缺医少药现象仍普遍存在，导致整体人口素质低下。2007年人口素质的全面小康实现程度为4.2%，是严重制约全面小康进程的重要因素。

6．农村基础设施薄弱，社会事业发展滞后

由于省内多数地区基础设施建设规模小，速度慢，使社会事业发展相对滞后。农村居民吃水难、灌溉难、行路难、上学难、就医难、用电难、通讯难等问题仍十分突出。

7．农村居民收入水平低，提高生活质量难

贵州农村居民收入水平低，反应在生活上食品支出比重大，居住条件差，文化娱乐支出比重小，信息化程度低，制约着全面小康建设进程，2007年生活质量的全面小康实现程度为8%，全面小康建设任重道远。

8．地方财政困难，各项支农投入严重不足

贵州经济总量小，各级财政困难，尤其是贫困县乡多数属于“吃饭财政”，靠上级财政转移支付保运转，缺乏资金投入农村建设和扶贫开发。由于财政支农投入有限，农民自我发展能力弱，加之贫困地区农村金融环境较差，农业银行收缩网点等原因，近几年信贷扶贫资金投入逐年萎缩，农村各项建设面临着较大困难。

9．农村贫困面大、贫困程度深的问题仍十分突出

2007年全省仍有农村绝对贫困人口215万、低收入贫困人口388万，两项合计为603万人，占全省乡村人口的18%左右，占全国农村绝对贫困人口和低收入人口的14%。还有相当多的农村贫困群众住茅草房、简易房。贫困地区农民生产生活条件还未得到根本改善，脱贫致富难度相当大，初步解决温饱的贫困人口因灾因病等返贫现象十分突出。

（四）加快农村全面小康建设的对策建议

1．加快农业结构调整步伐，促进农产品优质化

各地在农业结构调整中，以市场为导向，以科技为动力，以提高质量和效益为中心，以增加农产品有效供给和农民收入为重点，推进农产品种植区域化、优势化。在巩固油菜籽和烤烟支柱地位的同时，按照区域化布局、规模化生产的要求，规划建设特色果、蔬、茶、药生产加工基地，逐步形成、实现区域化布局和规模效益。在农业产业化布局上，着力突出抓好三大基地建设：一是优质农产品基地建设。建设一批优质专用商品粮、

油菜籽、蔬菜、以及果、茶、药生产基地。二是特色农产品基地建设。重点抓好遵义辣椒、黑糯米、苡仁米、魔芋、野生蔬菜、苦丁茶等产品生产和加工，创名优品牌，开拓市场空间。三是优质高产粮油种子基地建设。以“双低”油菜籽和优质玉米为主，加快优质粮油种子生产基地建设，逐步提高省内生产用粮的自给率和向周边省区供种的能力。在区域化布局上，逐步向区域化、规模化和专业化方向发展。

2. 加快发展畜牧业，促进农民增产增收

按照把贵州建设建成畜牧业大省的要求，抓好“四良四改三提高”技术普及的基础上，以品种改良为突破口，优化养殖结构，转变更新养殖方式，扶持规模饲养企业和农户，重点发展商品牛羊，积极发展高效特种动物养殖，着力实施“百万户生态养殖增收致富工程”和“百亿工程”。

3. 加快乡镇企业结构调整力度，促进乡镇企业稳定健康发展

改革开放以来，乡镇企业为贵州国民经济稳定增长做出了巨大贡献。今后贵州乡镇企业发展要按照科技兴黔、开放带动和可持续发展三大战略的要求，坚持以市场为导向，以效益为中心，以科技为依托，大力发展畜牧产品加工、生物医药、原材料深加工、新型建材、商品流通和中介咨询服务，加快实现乡镇企业的“四个转变”。

4. 大力推进农业产业化经营，积极引导农民进入市场，实现增产增收

要以市场为导向，积极稳妥；统筹规划，分类指导；突出重点，先易后难；形式多样和自愿互利原则，扶持一批龙头企业，并确定农业产业化经营的主导产品，建成一批农业产业化主导产品基地，促进了农业生产结构调整。

5. 进一步加大扶贫开发力度，迅速增加贫困地区农民收入

要以解决贫困群众 “三个基本问题”为扶贫开发工作的主要着力点。一是着力解决农村人畜饮水困难，加强农田水利设施建设，实施通村道路工程，加强农村能源建设，解决困难群众住房困难，帮助贫困群众改善基本生产生活条件。二是努力促进粮食稳定增产，加快发展生态畜牧业，大力发展特色农产品，积极发展乡镇企业、旅游业等二、三产业，加快农村剩余劳动力转移步伐，帮助贫困群众拓宽基本增收门路。三是大力抓好教育“两基”攻坚，积极推广农业先进适用技术，加快农村信息化建设，加强人口、卫生、文化工作，加强农村基层组织、民主法制和精神文明建设，帮助贫困群众提高基本素质。

6. 加快农村劳动力转移就业步伐，拓宽农民增收渠道

采取政府主导、民间社会团体牵线、农民自发参与等多种形式，在扶持农村第二、三产业发展的同时，引导农民有序外出从业创收。

7. 进一步深化农村改革，充分调动广大农民发展生产的积极性，实现农民持续增收

在稳定和完善农村基本经济制度的前提下，充分落实农民生产经营的自主权，搞活土地流转；切实贯彻落实国务院关于深化粮食流通体制改革的决策措施，特别是按保护价敞开收购农民余粮的政策，搞活农产品流通；切实抓好金融体制改革，充分发挥农村

信用社在支农中的作用，改进贷款方式，提高服务质量；落实好基本农田保护措施，实现耕地占补平衡，正确处理好退耕还林还草与稳定发展种植业的关系；按照中央的要求结合贵州实际，提前在贫困乡村减免农业税。

8. 加快农村公益事业发展，快速提升人口素质

与临近省区和沿海经济发达地区比较，贵州农村社会发展仍十分落后，主要体现在农村中缺医少药和看病难、看病贵的现象还普遍存在；部分地区教育设施简陋，教师教学水平有待提高和中、小学生上学路途遥远，容易辍学；部分“五保”供养对象和特困人群不能及时得到救助，农村最低生活保障标准过低，社会保障体系还不健全等。这些问题的存在，在很大程度上影响了农村人口素质的提高，也制约着经济、社会的全面发展。只有进一步加大财政支农投入力度，才能确保农村公益事业向前发展，推动社会不断进步。

9. 制订规划，明确主抓机构，加快小康建设进程步伐

全面小康建设是建设社会主义新农村的一项重要内容，实现这一宏伟目标，需要全社会的共同奋斗，需要符合本省实际且较之科学、合理的规划，更需要职责分明的工作机构来组织实施。建议在农业综合部门中的扶贫或新农村建设主管机构增加全面小康建设职能，将扶贫开发、全面小康建设与新农村建设同步规划，分步实施，协调推进。

2007年农村全面小康综合表(贵州)

指 标	单 位	总体小康值	全面小康值	2007年实际值	实现程度	权 数	综合分值
A 、经济发展					-22.1	29	-6.4
农村居民人均可支配收入	元/人	2200	6000	1859	-9.0	20	-1.8
第一产业劳动力比重	%	50	35	61.7	-78.0	5	-3.9
小城镇人口比重	%	16	35	12.6	-17.9	4	-0.7
B 、社会发展				—	54.0	20	10.8
农村合作医疗覆盖率	%	10	90	78.5	85.6	8	6.9
农村养老覆盖率	%	1.8	60	3	2.1	4	0.1
万人农业科技人员数	人	1	4	1.2	6.7	4	0.3
农村居民基尼系数	—	0.35	0.3-0.4	0.3	90.0	4	3.6
C 、人口素质				—	-44.2	15	-6.6
平均受教育年限	年	7.4	9	6.8	-37.5	12	-4.5
平均预期寿命	年	69.5	75	65.6	-70.9	3	-2.1
D 、生活质量				—	8.0	23	1.8
恩格尔系数	%	49	40	52.2	-35.6	4	-1.4
居住质量指数	%	18	75	31.6	23.9	11	2.6
农民文化娱乐支出比重	%	2.5	7	3.7	26.7	3	0.8
农民信息化程度	%	28	60	27	-3.1	5	-0.2
E 、民主法制				—	68.7	6	4.1
农民对村政务公开的满意度	%	55	85	71	53.3	3	1.6
农民社会安全满意度	%	60	85	81	84.0	3	2.5
F 、资源环境				—	42.9	7	3.0
常用耕地面积变动幅度	%	-0.3	0	-0.1	-33.3	3	-1.0
森林覆盖率	%	16.5	23	23.8	100.0	2	2.0
万元农业GDP用水量	立方米/万元	2600	1500	1430	100.0	2	2.0
农村全面小康实现程度合计						100	6.7

二十五、云南省农村全面建设小康监测报告

2007年云南省各级党委政府认真贯彻中央一号文件精神，深入贯彻落实科学发展观，始终把解决“三农”问题作为工作的重中之重，紧紧围绕富裕民主、文明开放、和谐云南的奋斗目标，扎实稳步推进社会主义新农村建设，着力建设农村经济发展五大体系，认真落实各项惠农政策，切实解决农村民生问题，面对自然灾害严重、市场竞争加剧、供求关系趋紧、要求明显提高的情况，在党中央建设社会主义新农村的政策鼓励和鼓舞下，经过各地区、各部门的共同努力，加快了全面建设小康社会的步伐，出现了全面、协调、健康的发展势头，有力地促进了农村全面小康建设进程。

（一）云南农村全面建设小康实现程度综合测算结果

根据国家统计局制定的农村全面小康标准和方法测算，2007年云南省农村全面小康实现程度为20.7%。这一结果说明，通过云南各级党委政府和全省各族人民的艰苦努力，从2000年开始用了7年时间，云南农村向全面建设小康社会的宏伟目标迈进了五分之一的路程。2007年云南农村全面建设小康六大监测指标实现了全面推进：

—— 农村民主法制逐步健全，实现程度达96.0%。民主法制系列指标，云南农村全面建设小康实现程度比上年提高了1个百分点，实现程度位居第一。

—— 农村社会事业发展加快，实现程度达64.1%。社会事业系列指标农村全面建设小康实现程度，比上年提高23.8个百分点。实现程度位居第二。

—— 农民生活质量显著提高，实现程度达41.7%。农民生活质量系列指标，农村全面建设小康实现程度比上年提高12.4个百分点。实现程度位居第三。

—— 农村资源环境趋于和谐，实现程度达38.8%。资源环境系列指标农村全面建设小康实现程度位居第四。

—— 农业农村经济稳步发展，实现程度-16.3%。农村经济发展系列指标实现程度比上年提高6.5个百分点。农业农村经济发展系列指标，是云南农村全面建设小康实现程度最低、发展最困难、成长最缓慢的指标。以农民收入、农村产业结构和农村城镇化水平为标志的农业农村经济发展指标，距离农村全面建设小康目标，还有很艰难而漫长的路程要走。

—— 农村人口素质逐步提高，实现程度-36.4%。实现程度位居最后。农村人口素质系列指标农村全面建设小康实现程度，虽然提高了5个百分点，但是云南农村人口素质状况仍然没有达到总体小康水平，还存在很大差距。

从2007年云南农村全面小康监测情况看，各项指标的实现程度参差不齐，差异较大，仍存在着一些亟待解决的问题。以推进社会主义新农村建设为契机，加快云南农村全面建设小康社会步伐，面临的任务比全国绝大多数省区更为艰巨和繁重。

（二）云南农村全面建设小康进程评价

从2007年云南农村全面小康监测十八个具体细项指标看：三个指标已经达到农村全

面小康目标， 四个指标农村全面小康实现程度大于50%，七个指标农村全面小康实现程度0-50%，四个指标农村全面小康实现程度为负值，具体指标是：

1．已经达到农村全面小康目标的指标

(1）农村居民基尼系数（0.4），实现程度100%。

(2）农民对村政务公开的满意度（85%），实现程度100%。

(3）森林覆盖率（50%），实现程度100%。

2．农村全面小康实现程度大于50%的指标

(4）农村合作医疗覆盖率（85.6%），实现程度94.5%。

(5）农民对社会安全满意度（83%），实现程度92.0%。

(6）万元农业GDP用水量（1657立方米），实现程度85.7%。

(7）农民文化娱乐支出比重（5.3%），实现程度62.2%。

3．农村全面小康实现程度0-50%之间的指标

(8）农民生活信息化程度（43.7%），实现程度49.1%。

(9）农村居民居住质量指数（39.5），实现程度37.7%。

(10）万人农村科技人员数（1.8人），实现程度26.7%。

(11）农村居民恩格尔系数（46.5），实现程度27.8%。

(12）农村小城镇人口比重（19.8%），实现程度20.0%。

(13）农村人口平均预期寿命（70.5岁），实现程度18.2%。

(14）农村养老保险覆盖率（4.5%），实现程度4.6%。

4．农村全面小康实现程度为负值的指标

(15）农村居民人均可支配收入（2097.8元），实现程度-2.7%。

(16）常用耕地变动幅度（－0.1%），实现程度-33.3%。

(17）农村人口平均受教育年限（6.6年）实现程度-50.0%。

(18）第一产业劳动力比重（64.5%），实现程度-100%。

1．农村经济稳步发展，全面小康建设任重道远

据国家统计局云南调查总队对40个县 2400户农村居民家庭抽样调查结果显示：2007年云南省农民人均纯收入达到2634.1元，扣除物价上涨因素，实际增长10.1%。2007年人均可支配收入为2097.8元（2000年不变价），同比增加146.4元。农村第一产业劳动力比重64.5%，农村小城镇人口比重为19.8%，前二项指标均未达到小康基期值，实现程度处于负值阶段。分项监测指标情况为：

(1）农村居民人均可支配收入连年增加，但离实现农村全面小康目标差距大。2007年全省农村居民人均可支配收入为2097.8元(2000年不变价)。 与全国6000元的农村全面小康目标相比，实现程度为-2.7%，比上年的-6.5%提高3.8个百分点。

(2）第一产业劳动力比重稳步下降，但仍然高于全面小康的目标要求。2007年云南农村第一产业劳动力比重64.5%，与35%的农村全面小康目标相比，全面小康实现程度

为-100%。云南农村产业、劳动力结构以农为主的困境并未出现根本改变。

（3）农村城镇人口比重逐步提高，农村全面小康处于起步阶段。2007年云南农村城镇人口比重19.8%，同比上升了4.4个百分点，实现程度20.0%。目前云南农村城镇人口比重逐步提高，处于农村全面小康的起步阶段。

2. 农村社会事业发展加快，和谐社会建设成效明显

云南省第八次党代会提出了建设富裕文明开放和谐云南的战略构想，在努力推进农村经济稳步发展的同时，关注民生，进一步加强农村社会事业的不断进步和发展。农村合作医疗、农村养老保险、农村科技人员数等各项事业都不同程度地得到发展。2007年云南农村社会发展指标，在农村全面建设小康监测体系中，综合实现程度为64.1%，比上年提高了23.8个百分点。

（1）全省农村合作医疗覆盖率达85.6%，全面小康实现程度为94.5%。

（2）农村养老保险覆盖率达4.5%，全面小康实现程度为4.6%，比上年提高0.8个百分点。

（3）万人农村科技人员数1.8人，全面小康实现程度为26.7%，比上年提高3.5个百分点。

（4）农村居民基尼系数0.38，达到全面小康标准，农村居民收入差异程度仍然保持在合理区域。

3. 农村人口素质稳步提高，文化教育卫生差距明显

一年来，省委省政府不断加大对农村义务教育的投入力度，并在贫困地区出台了“两免一补”和“一费制”等政策，农村义务教育发展取得显著成效。2007年，云南省农村人口素质的实现程度是-36.4%，比去年提高了4.7个百分点。

（1）农村人口平均受教育年限6.6年，实现程度? 0.0%，比上年提高了12.5个百分点。我省农村人口受教育年限长期以来，一直处于较低水平，2007年平均6.6年的人口受教育水平，与农村全面小康水平9年相比，差距高达2.4年。

（2）农村人口平均预期寿命70.5年，与全面小康还有差距，实现程度仅为18.2%。

4. 农民生活质量普遍提高，消费结构不断优化

2007年，云南省农村居民收入水平显著增长，消费水平不断提高。据调查，2007年全省农村居民人均生活消费支出2367.2元，比上年增加441.6元，增长20.1%。农村使用清洁能源的农户比重比上年增长66.7%；农村安全饮用水的比例达62.4%，住宅外水泥或柏油路面的农户数比例为12%，比2006年提高3个百分点；人均拥有住房面积26.7平方米，增长3.4%；其中：楼房、砖瓦房面积17.4平方米/人，比上年增长12.3%；钢混砖木结构的房屋面积10.9平方米/人，增长14.7%。消费水平不断提高的同时，居民的消费结构也进一步得到改善，生活质量逐步提高，各个领域的消费变化十分显著，整体结构不断趋于优化。农村居民消费结构逐步趋于合理，在居民的全部消费中，反映基本生存需要的比重明显下降，而体现享受与发展需要的比重迅速上升。测算结果显示：反映云南农民生

活质量的综合指标，其实现程度为41.7%，比去年上升了12.4个百分点。

（1）农村居民恩格尔系数46.5%。与农村全面小康40%相比，差异明显。2007年农村居民恩格尔系数全面小康实现程度为27.8%。

（2）农民居住质量指数39.5%。与农村全面小康75%相比，尚有很大差距，2007年农民居住质量指数全面小康实现程度为37.7%。

（3）农民文化娱乐支出比重5.3%。2007年农民文化娱乐支出比重全面小康实现程度为62.2%，同比提高了6.6个百分点。

（4）农民信息化程度43.7%。2007年农民信息化程度全面小康实现程度为49.1%。

5．农村民主法制逐步健全，社会更加和谐稳定

2007年云南省各地加大了农村基层组织建设和村务公开的力度，农村民主法制建设和社会治安正发生巨大变化，各项制度不断健全，治安状况有所改善。据测算，2007年云南农村民主法制全面小康实现程度高达96.7%。

(1)农民对政务公开的满意度85.0%，全面小康实现程度100%，是云南省18个全面小康监测三项达标指标之一。农民对政务公开的满意度提高到一定水平，并不意味着该项工作已经完成任务。随着农村经济社会发展和农民素质的不断提高，农民参与政府、村务管理的机会将更多，诉求必然会更加多样化。因此，加强农村民主制度建设，完善政府执政能力建设，将变得更加急迫。

(2)农民对社会安全满意度83%，全面小康实现程度92.0%，同比上升了2个百分点。

6．农村资源环境得到有效保护，人与自然更加和谐

2007年，在云南省委、省政府的领导下，狠抓生态环境建设，合理开发利用各种自然资源，农村资源环境质量继续保持良好状态。农村资源环境全面小康实现程度81.4%。

(1)全省耕地变动幅度－0.1%，农村全面小康实现程度为-33.3%。

(2)森林覆盖率达到50%，农村全面小康实现程度为100%。

(3)万元农业GDP用水量1657吨，全面小康实现程度为85.7%。

（三）云南农村全面实现小康的难点

目前云南省在农村小康监测的六大类18个指标中，达到的水平相当低，而且不全面、不平衡，农民生活水平比较低，还有196.4万人处于绝对贫困、400万人处于低收入状态；农村生产力水平还不高，不少地方的农业生产仍然主要依靠畜力和手工劳动；农村社会事业发展落后，文化教育、医疗卫生条件差的问题相当突出。推进农村小康建设的任务十分艰巨，还面临着下列难题：

1．农民收入水平低、收入结构不合理，仍以家庭经营即种、养为主，二、三产业所占的额度较低

农村经济体制改革以来，农村生产有了较快的发展。农村产业结构有了较大的调整，二、三产业发展逐年有所进步。但是作为农业生产的主体——农民来讲，由于他们的市

场意识淡薄，市场参与能力差。在由政府为主的市场主导型过渡时期，仅依靠群众零星的、自发、分散的调整农村产业结构，往往不能形成规模、特色，难以实现一个多层次增值、促进农业生产合理布局、优势互补、共同发展的机制，农民仍然是以家庭经营为主，收入对农业的依赖性较大，农村产业化发展不快，影响农民收入增长的速度，与发展现代农业要求甚远。2007年云南省农民人均家庭经营性纯收入为1910.2元，占农民人均纯收入的72.5%。结果表明，家庭经营性纯收入是总收入的主体。

2. 农民缺信息和技术，抵御市场风险能力弱

农业产业结构调整，各部门雷声大、雨点小，成效不明显，农民进行产业结构调整往往是根据上年市场效益，决定种什么，怎么种，却缺少正规渠道提供综合的、系统的市场需求信息和技术知识。有关职能部门要定期发布市场信息，正确指导农民科学种地和养殖家畜家禽，引导农民走出小农经济和作坊式生产为特征的家庭经营管理理念。

3. 农村贫困人口多，贫困面较广

2007年云南农村贫困监测结果，有196.4万人处于绝对贫困、400万人处于低收入状态。贫困及低收入人口所处的自然、社区、经济环境条件较差。他们或是生活在自然条件恶劣的地区、或是人力资源严重不足、或是因为各种原因收入稳定性差、抗风险能力弱，他们在自然环境、基础设施、经济状况及文化教育水平等方面与其他农户相比显然处于更差的状态。贫困程度越深，这种劣势表现得越明显。

4. 农村教育落后，人口素质低

从农村全面建设小康实现程度来看，人口素质的实现程度较慢，离实现全面小康差距很大。近年来农村文化程度相对高的劳动力大量外出务工，成为农民增收的一大亮点。但同时也存在着一些普遍性的问题，如：外出务工人员文化程度低，缺乏非农职业技能，工作难找、工资待遇低，不适应劳动力市场的需要，只能从事脏、累、重的体力活，甚至还存在整月找不到事做的务工者。

5. 农村基础设施落后

农产品交易市场普遍简陋，难以承担大规模、集中性的农产品交易；乡村级道路建设滞后，农民需要的农资运不进，农副产品又运不出，多次倒运又增加成本，花卉、水果、蔬菜等易损品种运输难，不能及时变成商品，甚至烂掉了；农田水利设施严重失修，由于农业资金投入不足，造成塘、库、渠等农田水利基础设施陈旧老化，农业结构转化缺乏应有的基础。

（四）云南省实现农村全面建设小康社会的对策建议

全面建设小康社会，我们必须始终坚持解决好“三农”问题是全省工作重中之重的战略思想丝毫不能动摇，促进农业稳定发展、农民持续增收的重要任务丝毫不能放松，支农惠农的政策力度丝毫不能减弱，扎实推进新农村建设的各项工作丝毫不能松懈，继续保持清醒的头脑，客观分析农业农村的新情况，科学把握农村经济社会发展规律，趋

利避害，因势利导推动传统农业向现代农业转变，顺势而为推进社会主义新农村建设，探索出一条具有自己特色的率先发展、科学发展、和谐发展之路，进一步加快云南省农村全面小康社会建设。

结构调整、制度创新和劳动力转移三轮驱动，加快农民增收。长期以来，农业收入是我国农民收入的主要来源，多渠道增加农民收入。农业生产对农民增收具有重要的促进作用。大力调整农业结构，大力发展乡镇企业和农村二三产业，壮大县域经济，对促进农民持续增收、加快改善农民生活、推进新农村建设具有十分重要的作用。

一是坚持不懈地推进农业、农村经济结构调整，提高农业生产的综合能力和整体效益，向农业的深度要收入；二是以农村税费改革为契机，加快农村金融、公共财政、流通体制、土地流转等制度建设为主要内容的改革，向制度创新要收入；三是以农村劳动力外出打工为动力，推动农村人口流动和城镇化建设，向农业外要收入。

大力发展农村教育事业，用10年时间造就一代新型农民。国内外经济发展的实践证明，教育投资的回报率是最高的，值得倾10年之功，加大对农村人力资源的投入，培育和造就一代新型农民。第一，建议调整扶贫资金的使用方向，将扶贫资金重点用于减免贫困地区农村学龄儿童的学杂费支出，保障所有儿童都能享受九年制义务教育，争取高中教育。如果把扶贫资金的70%用于贫困地区中低收入家庭学龄儿童的学费支出，不仅能直接减轻这些家庭的致贫负担，而且能提高扶贫资金的使用效益，真正实现新世纪扶贫规划纲要提出的“直接面向穷人”的扶贫目标。如果不从根子上解决贫困地区孩子失学辍学问题，10年或20年以后，一批新的文盲或半文盲将成长起来，成为新的贫困人口。第二，农村税费改革后，目前“以县为主”的农村教育投资体制难以有效解决农村义务教育经费投入不足问题，省政府应按税费改革前的基数，从税费改革后财政收入中切出一定的比例，专门用于教育。第三，调整政府财政支出结构，加大省级财政和地方财政对农村教育的支持力度。

建立健全农村社会保障体系。第一，完善农村社会保障的法律框架，省人大应尽快制定《农村社会保障条例》，将农村社会保障纳入制度化、规范化、法制化的轨道。第二，全面发展农村合作医疗事业，各级政府每年增加的卫生事业经费应主要用于发展农村医疗卫生事业，建立以大病统筹为主的新型合作医疗制度和医疗救济制度，使农民人人享有初级卫生保健。第三，以农村“低保”为突破口，发展各种形式的农村社会福利事业，为农村无劳动能力的居民提供救济和社会保险。目前农村贫困人口中丧失劳动能力和资源极度缺乏地区的贫困人口，他们靠开发式扶贫难以脱贫，需要纳入社会救济，建议将国家扶贫资金的20%用作这部分人口“低保”制度的建立。

加快农村生活基础设施建设，改水、改电、改厕，建设社会主义新农村。改善农村生活基础设施是提高农村居民生活质量的前提条件，不仅关系到全面小康的实现，而且关系到扩大内需，促进国民经济持续稳定发展的大局。近几年，国家实施积极的财政政策，在改善农村交通条件和农村电网方面，取得了明显成效。当前积极财政政策在农村的投资重点应转向改水、改厕和环境治理，推动农村自来水革命、厕所革命和厨房革命。为此，建议省政府适当调整财政支出结构，将更多的农村生活基础设施项目纳入公共财政领域，在资金上给予支持。各级政府应将通电、通水、普及卫生厕所列入日常工作的议事日程，在农村提倡使用清洁能源，鼓励农民美化村庄环境，改善农村生活条件。

统筹城乡就业政策，加快农村劳动力的流动和转移。按照农村全面小康社会目标，本世纪头20年，云南省需要将640万左右的农业劳动力转移到非农产业，按乡镇企业的就业成本测算，新增一个就业岗位需要新增投资2万元左右，每年需要新增64亿元的投资才能创造足够的就业机会。因此，农村劳动力就业压力非常大。为此，一要统筹城乡就业政策，将农村劳动力就业纳入政府的整体就业规划，把积极的财政政策与积极的就业政策结合起来。二要积极调整产业布局，重视劳动密集型制造业的发展，积极扶持乡镇企业，再创农村非农产业辉煌，努力创造就业机会。三要大力开展对农村劳动力的职业技术培训，增强农村劳动力自就业能力。

积极调整小城镇布局，加快产业培育，推动农村城镇化。第一，制定积极的小城镇发展战略，科学规划，合理布局，加大对小城镇道路、供排水、通讯、电力等基础设施的投入。目前农村人口转移的基本格局是70%以上到小城镇，不到30%到大中城市，而省级财政对小城镇建设的投资聊聊无几。据测算，一个农村人口转移到大城市的直接成本在5万元左右，中等城市需要3万元左右，而转移到小城镇不到2万元，从节约成本的角度讲，省级财政也应该加大对小城镇建设的资金支持力度。建议省政府设立小城镇建设专项基金，用于小城镇基础设施和重点项目建设。第二，加快小城镇撤乡并镇的步伐，扩大小城镇规模。据研究，小城镇人口达到3万人以后，其公共服务设施（包括供水、供暖、供电、供气等）才能实现合理配给和经营性运作。第三，以乡镇企业为主体，以第三产业为依托，大力发展小城镇经济，培育主导产业，努力创造就业机会。第四，建立和健全小城镇社会保障制度，解决进镇农民的后顾之忧。要把养老和医疗保险事业作为小城镇社会保障制度建设的重要内容，提供就业保障，把小城镇建设与促进劳动力就业有机结合起来。

以富带穷，加快缩小地区间的贫富差距。针对云南省农村奔小康过程中存在发展不平衡的状况，各级政府部门要切实制定好有利于脱贫、扶贫、帮贫的有关政策和重大措施，对扶贫开发工作重点县，要继续加大对不发达地区的财政转移支付力度。从宏观上制定各种优惠政策，加大招商引资力度，充分利用国债项目支持贫困地区发展经济。通过利用“退耕还林”等各项支农政策，制定全面建设农村小康的发展规划，促成强弱结对子，要求经济实力较强的地区从人、财、物、项目等方面给予贫困地区更多的帮助，建立严格的帮、扶目标责任制和考核奖惩制度，鼓励城乡结合、企业与农户联合，促进欠发达地区尽快脱贫致富。

加强基层组织建设，抓好致富模范的示范作用。全面小康建设是全民的事，更是全党的事。农村基层党组织是农村的领导核心。首先，各级领导对全面小康建设要有使命感、责任感和紧迫感，要从政治的高度来认识农村全面小康建设，把广大群众的积极性和创造性调动起来，引导广大群众在国家产业政策上寻找增长点，在资源条件上确定立足点，在生产经营上选择制高点，全面发展农村经济。要在全面小康建设中，始终把建设一流的农村基层党组织作为加快发展农村经济的重要工作来抓，着力建设一支敢打硬仗，能打胜仗的干部队伍。要选好一个带头人，带好一个组织；要培养好一个组织中的每只“领头雁”，带动一片群众。针对目前云南省农村基层组织年龄偏大、文化偏低、结构不合理、不适应市场经济发展的现状，通过调整、培训，提高每个带头人和每只“领头雁”带领群众奔小康的真实本领。另外，从农村中寻找能人，对先富裕起来的农户，要敢于扶植，让他们以户带户的形式，形成各式各样的致富的联合体，走向共同富裕。

进一步加强农村精神文明和政治文明建设，加快农村奔小康的进程。农村精神文明建设是小康建设的重要组成部分，物质文明发展的最终目的是精神文明的发展，同时精神文明又为物质文明的发展提供了精神动力和智力支持，而政治文明又为精神文明和物质文明提供了政治保障。因此，精神文明和政治文明建设关系到小康建设的成败。要通过教育塑造人，努力提高农村居民的思想道德和科学文化素质和法制观念，使广大农民能够用法律手段来保护自己的切身利益，不违法行事。要通过改善环境，引导居民确立与现代文明相适应的生活方式。通过加强管理，培养农村居民的文明意识，规范居民的生产、生活行为，使广大农村居民逐步走上自我教育、自我管理、自我规范的轨道，成为具备现代文明意识的新型农民，从而为全省全面小康社会的实现奠定坚实的基础。

适应新形势要求，进一步加强党对农村全面小康建设的领导。全面建设农村小康社会，加快推进社会主义新农村建设，是当前我国农业和农村工作的基本任务和奋斗目标。因此，各级党委和政府必须按照党中央的战略部署，从讲政治和全局的高度，把农村全面小康建设作为实践“三个代表”重要思想的硬任务来抓，真正把农村小康建设工作摆在重要位置，扎扎实实抓出成效。各级党委和政府要制订小康建设规划，建立目标管理责任制，从建设小康示范村、示范乡镇抓起，把农村全面小康建设的组织、指导、协调、督促、检查、监测、考核、认定等各项工作落到实处，从组织领导上确保了小康工作的顺利进行。

2007 年农村全面小康综合表（云南）

指 标	单 位	总体小康值	全面小康值	2007 年实际值	实现程度	权 数	综合分值
A 、经济发展					-16.3	29	-4.7
农村居民人均可支配收入	元/人	2200	6000	2097.8	-2.7	20	-0.5
第一产业劳动力比重	%	50	35	64.5	-100.0	5	-5.0
小城镇人口比重	%	16	35	19.8	20.0	4	0.8
B 、社会发展					64.1	20	12.8
农村合作医疗覆盖率	%	10	90	85.6	94.5	8	7.6
农村养老覆盖率	%	1.8	60	4.5	4.6	4	0.2
万人农业科技人员数	人	1	4	1.8	26.7	4	1.1
农村居民基尼系数	-	0.35	0.3-0.4	0.38	100.0	4	4.0
C 、人口素质					-36.4	15	-5.5
平均受教育年限	年	7.4	9	6.6	-50.0	12	-6.0
平均预期寿命	年	69.5	75	70.5	18.2	3	0.5
D 、生活质量					41.7	23	9.6
恩格尔系数	%	49	40	46.5	27.8	4	1.1
居住质量指数	%	18	75	39.5	37.7	11	4.1
农民文化娱乐支出比重	%	2.5	7	5.3	62.2	3	1.9
农民信息化程度	%	28	60	43.7	49.1	5	2.5
E 、民主法制					96.0	6	5.8
农民对村政务公开的满意度	%	55	85	85	100.0	3	3.0
农民社会安全满意度	%	60	85	83	92.0	3	2.8
F 、资源环境					38.8	7	2.7
常用耕地面积变动幅度	%	-0.3	0	-0.1	-33.3	3	-1.0
森林覆盖率	%	16.5	23	50	100.0	2	2.0
万元农业 GDP 用水量	立方米/万元	2600	1500	1657	85.7	2	1.7
农村全面小康实现程度合计						100	20.7

二十六、陕西省农村全面建设小康监测报告

按照国家统一的农村全面建设小康标准和监测方法，国家统计局陕西调查总队对2007年陕西农村全面建设小康社会各项指标进行了跟踪监测，结果显示：2007年陕西省农村全面建设小康实现程度达到31.7%，比2006年提高8.9个百分点，在全面建设农村小康社会的进程中又向前迈了一大步，取得了新的成就。

（一）2007年陕西农村全面小康社会建设进程评价

从“农村全面小康综合评价标准”的六个方面看，2007年陕西的经济发展、社会发展、生活质量、民主法制、资源环境指标值站在了农村全面小康的起点值以上，人口素质已接近起步值，总体水平完成了农村全面小康社会建设的初级阶段。

1、经济发展实现程度4.4%

2007年，陕西省农村经济发展的综合实现程度为4.4%，突破了总体小康值，迈进了全面小康的起步阶段，实现了一个质的跨越，比2006年提高7.7个百分点。反映农村经济发展的三项指标中，农村居民人均可支配收入占主导地位，在测算农村全面小康的18项指标中赋予20%的权数。2007年，陕西农村经济稳步发展，农民人均纯收入达到2645元，用人均可支配收入测算的全面小康建设实现程度-3.2%，已逐步接近全面小康的起步值，为建设全面小康社会做出了积极的贡献。

2、社会发展实现程度72.7%

2007年，陕西省农村社会发展的综合实现程度为72.7%，比上年提高了22.3个百分点，在六大类指标中实现程度列第一位。近年来，由于各级政府不断加大对农村卫生、科技、社会保障等事业的支持力度，农村社会事业发展进程明显加快，给农民带来的实惠也越来越多。截至2007年底，实行新型农村合作医疗104个县、区，提前3年实现了全覆盖，参合农民2435万人，参合率达到87.7%，农村合作医疗覆盖率的实现程度达97.1%。全省新农村合作医疗基金补偿支出9.9亿元，基金使用率81.6%，补偿受益人口达357.9万人次。

3、人口素质实现程度-1.7%

2007年，陕西省农村人口素质的实现程度为-1.7%，是农村全面小康指标值中仅有的两个未达到起步值之一。虽然未达到起点值，但随着教育事业迅速发展和实力的不断增强，陕西农村义务教育有了新进展，并取得了显著的成效。2007年，全省小学学龄人口入学率99.38%，初中学龄人口入学率为99.25%，普通高中在校生也增长了0.3%，促进陕西省农村人口平均受教育年限达到7.3年，接近了农村全面小康7.4年的起点值。

4、生活质量实现程度47.5%

2007年，陕西省农村生活质量的综合实现程度为47.5%，比上年提高了5.1个百分点。提高农民生活水平和质量是建设农村全面小康社会的出发点，也是落脚点。随着陕西省政府全面落实科学发展观，繁荣群众文化生活，加强基层文化建设，农村文化建设“五

大工程”取得显著进展。全省启动了35个文化站的试点建设，并完成农村广播电视节目无线覆盖年度建设任务，全省广播综合覆盖率达到94.42%，电视人口覆盖率达到95.92%。

5、民主法制实现程度58.7%

2007年，陕西省民主法制的综合实现程度为58.7%，比上年提高了3.7个百分点，在六大类指标中实现程度排第二位。去年陕西省各级政府加大了农村基层组织建设和村政务公开的力度，重视满足农民对民主权利和安全的需求，法制制度不断健全，治安状况日益向好。2007年，农村居民对村政务公开的满意度和社会安全的满意度分别达到71%和76%，实现程度比上年分别提高了3.3和4个百分点。

6、资源环境实现程度24.3%

2007年，陕西省资源环境的综合实现程度达到24.3%，比2006年有了较大幅度的提高，上升了11.1个百分点。主要是在各级政府的共同努力下，全省常用耕地面积的变动幅度控制到全面小康标准值的范围内，对资源环境方面做出了较大的贡献。资源环境的另两项指标森林覆盖率为37.3%、万元农业GDP用水量为1478立方米，已超过全面小康指标值，实现程度为100%。

（二）农村全面小康社会发展存在的主要问题

1、农民增收难仍是全面小康建设的主要问题。在农村全面小康标准考核指标体系中，指标越重要，所占的权数就越大。在农村全面小康监测的18项指标中，“经济发展”中的农民人均可支配收入仍未达到全面小康的起步值，其实现程度为负值。而其占到农村全面小康18个指标的权重高达20%，显而易见，农民收入的高低直接影响着农村全面小康社会的实现程度。2007年陕西农村居民人均纯收入尽管达到2645元，增速17%，但仅为全国平均水平的64%，在全国31个省、直辖市、自治区排名28位，只高于云南、甘肃、贵州三省。因此，农村经济水平低，发展速度缓慢，是影响陕西农村全面小康社会顺利实现的最大难点。

2、农村城镇化发展缓慢。农村人口城镇化进程和农村劳动力就业结构非农化是赋予城乡社会经济统筹发展状况的重要指标。陕西是传统的农业省份，乡村人口占到74%，城乡二元结构特征明显，小城镇发展步伐缓慢，吸纳农村人口的能力有限，制约了农村剩余劳动力的转移。测算结果表明：2007年，陕西小城镇人口比重仅为18.3%，实现程度12.1%，要达到农村全面小康的标准还有87.9%的路程，其任务非常艰巨。

3、农村居民生活质量改善任务重。农村居民的居住质量指数是实现全面小康的又一重要标志，属第三位，占到11%的权重。虽然近几年陕西省采取了一系列的政策措施，努力改善农村居民的生活质量，并取得了一定的效果。但由于长期以来陕西农村经济相对落后，农村公共基础设施建设投入不足，农村居民生活环境较差，特别是一些贫困地区，脏乱差的现象还相当普遍。据2007年农村住户调查资料，目前陕西省饮用自来水的农户38.3%；使用清洁能源的农户14.4%；使用水冲式厕所的农户只有1.7%。住房配套设施不完善、卫生达不到标准、生活用水自然排放、废物垃圾得不到及时处理，严重影响着农村居民的生活质量。

4、农村社会保障事业发展滞后。90年代初开始的农村社会养老保险制度建设基本处于停顿状态，参保的农民很少，能享受养老保险金的农村老人则更少。农村全面小康综合评价对农村社会保障水平给予了极大的关注：农村养老保险覆盖率赋予了4%的权重，而目前陕西省新型农村社会养老保险正处在试点阶段，2007年农村养老保险覆盖率只有3.2%，实现程度仅为2.4%。农村社会保障的不健全必然影响农村居民的生活质量，影响农村居民的预期寿命，最终很难保证农村全面建设小康社会目标的顺利实现。

（三）加快建设农村全面小康社会的对策建议

“统筹城乡经济社会发展，建设现代农业，发展农村经济，增加农民收入，是全面建设小康社会的重大任务”。农民收入是农村实现全面小康的基础和前提，是农村实现全面小康目标的关键。当前，促进陕西农村居民快速增收，就必须推进农业产业化进程、加强城市化的发展速度、促进剩余劳动力的快速转移、建立健全农村社会保障体系。

1、发展特色区域产业，加快农民增收。陕西地处西部，物产丰富，具有比较优势的特色产品较多，加快“一村一品”建设，对增加农民收入有重大的现实意义。要立足本地资源优势，按照市场需求，因地制宜，利用农业科技发展的优势，提高农产品的科技含量，形成具有陕西特色的农产品支柱产业，增加农产品的附加值，提高农业综合效益，增加农民收入。建立企业化的农业生产，逐步培育有区域特色的农产品加工产业群，重点发展区域特色经济，培育农产品生产的规模化品牌，形成产业生产的核心竞争力，实现产品集群。通过农业产业化经营，最大限度的注入科技因素，实现对传统农业的根本性改造，提高农产品进入市场的竞争力，帮助农民走上现代农业发展的道路。

2、加快城镇化发展步伐，促进剩余劳动力转移。要富裕农民，就是要真正地把农民从土地中解放出来。而农业就业份额的降低必须依附于城镇的发展，农村居民收入水平的提高与城镇化的进程有着不可替代的作用，加快小城镇建设，提高城市化水平，从本质上来说就是农村的城市化，即农村人口城市化，劳动力就业非农化，生活方式居民化。因此，加快城镇化发展的步伐，形成城乡统筹，有效地解决农村剩余劳动力的就业问题，以小城镇建设调整产业结构，带动农村经济发展，促进农村居民增收，是实现农村全面小康社会的有效途径。

3、加强农村基础设施建设，改善农民的生活环境。大力加强农村基础设施建设，不仅有利于改善村容村貌，提高农村居民的生活质量，而且有利于增加农村非农产业的就业，提高农村居民的收入。因此，各级政府应进一步增加对农村生态环境建设与基础设施建设项目的投入，通过社会主义新农村建设，大力开展农村水利、道路、电力、通讯、上下水管道、垃圾和污水处理等基础设施的建设和改造，既改善了农村居民的生活环境，又创造了大量的就业机会，直接和间接地增加了农民收入。

4、健全农村社会保障体系，为农民提供有效的生活保障。新型农村合作医疗制度已覆盖我省的全部县区，参合率达到了87.7%。新型农村养老保险在陕西处于试点过程中，应因地制宜，循序渐进，科学规范的推进。鼓励有条件的地区从本地区实际出发，开展农村社会养老保险试点，协调好农村养老保险和其他社会保障的关系，确保农民受益。要着眼于探索研究新型农村养老保险的有效途径，解决服务体系、政策措施、运行机制等问题，并重点推进农村养老保险制度的建设。通过民政和扶贫部门对丧失劳动能力和贫困地区人口提供社会救济，建立起一套完善的农村社会保障体系，为农村居民提供有效的生活保障。

2007年农村全面小康综合表(陕西)

指 标	单 位	总体小康值	全面小康值	2007年实际值	实现程度	权 数	综合分值
A、经济发展					4.4	29	1.3
农村居民人均可支配收入	元/人	2200	6000	2076.9	-3.2	20	-0.6
第一产业劳动力比重	%	50	35	45.7	28.7	5	1.4
小城镇人口比重	%	16	35	18.3	12.1	4	0.5
B、社会发展					72.7	20	14.5
农村合作医疗覆盖率	%	10	90	87.7	97.1	8	7.8
农村养老覆盖率	%	1.8	60	3.2	2.4	4	0.1
万人农业科技人员数	人	1	4	3	66.7	4	2.7
农村居民基尼系数	—	0.35	0.3-0.4	0.3	100.0	4	4.0
C、人口素质					-1.7	15	-0.3
平均受教育年限	年	7.4	9	7.3	-6.3	12	-0.8
平均预期寿命	年	69.5	75	70.4	16.4	3	0.5
D、生活质量					47.5	23	10.9
恩格尔系数	%	49	40	40	100.0	4	4.0
居住质量指数	%	18	75	26.1	14.2	11	1.6
农民文化娱乐支出比重	%	2.5	7	4.5	44.4	3	1.3
农民信息化程度	%	28	60	53.8	80.6	5	4.0
E、民主法制					58.7	6	3.5
农民对村政务公开的满意度	%	55	85	71	53.3	3	1.6
农民社会安全满意度	%	60	85	76	64.0	3	1.9
F、资源环境					24.3	7	1.7
常用耕地面积变动幅度	%	-0.3	0	-0.23	-76.7	3	-2.3
森林覆盖率	%	16.5	23	37.3	100.0	2	2.0
万元农业GDP用水量	立方米/万元	2600	1500	1478	100.0	2	2.0
农村全面小康实现程度合计						100	31.7

二十七、甘肃省农村全面建设小康监测报告

为了准确把握全省农村全面建设小康社会的进程，甘肃省统计局根据国家统计局制定的农村全面小康评价指标体系和测评方法，向各市州下发了《关于开展农村全面小康监测与评价工作的通知》，部署全省农村全面小康监测工作。同时根据国家统计局办公室《关于开展2007年农村全面建设小康社会实现程度测算工作的通知》的有关要求，对2007年全省农村全面小康实现程度进行了测算，现将甘肃农村实现全面小康的进程、全面小康建设的难点及对策建议等情况作如下汇报：

（一）甘肃省农村全面小康进程

按照全国农村全面小康指标体系和量化标准，至2007年，甘肃省农村全面小康综合评分为5.6分，即农村全面小康实现程度为5.6%，农村全面小康建设才刚刚起步。

1. 从反映农村全面小康的六个方面看，至2007年，社会发展、生活质量、民主法制、资源环境等四方面已实现总体小康，实现程度分别为61.1%、18%、46%和0.7%，但与全面小康的差距还很大，经济发展、人口素质等两方面的实现程度均为负数，实现程度分别为-9.8%和-71.8%，人口素质方面的问题尤为突出，要实现农村全面小康任务还十分艰巨。

2. 从反映农村全面小康的18项指标来看，农村居民基尼系数和常用耕地变动幅度达到全面小康要求，实现程度为100%；农村小城镇人口比重、农村合作医疗覆盖率、万人农业科技人员数、农村居民恩格尔系数、农民文化娱乐消费支出比重、农民生活信息化程度、农民对村政务公开的满意度和农民对社会安全的满意度8项指标实际值介于总体小康值和全面小康值之间，实现程度为正值。随着2007年6月最后16个县区启动新型农村合作医疗医药费用报销程序，新型农村合作医疗制度已覆盖全省86个县（市、区），农村合作医疗覆盖率快速增长；农村居民人均可支配收入、第一产业劳动力比重、农村养老保险覆盖率、农村人口平均受教育年限、农村人口平均预期寿命、农村居住质量指数、森林覆盖率和万元GDP农业用水量8项指标实际值小于总体小康值，实现程度为负数。

（二）甘肃省农村实现全面小康的难点

1. 农民收入水平低，增收压力大

2007年甘肃农民人均可支配收入仅为1960元(2000年不变价)，距全面小康的起始值2200元尚差240元，农村居民人均可支配收入是指标体系中权重最大的指标，对农村全面小康综合实现程度的影响也最大。近年来，中央和省上虽陆续出台了一系列支农惠农政策，但由于长期以来甘肃经济发展落后，农民收入水平低，再加上自然灾害发生频繁，农资价格持续上涨、农业产业化龙头企业规模小、对农户辐射能力不强等因素，农民持续增收压力很大。农民收水平低，增收难度大对全省农村实现全面小康是一个极为严峻的考验。

2. 农民文化程度低，就业层次难以提升

2007年甘肃省农村人口平均受教育年限为6年，仅相当于小学毕业水平，农村教育落后。第二次农业普查结果显示：2006年末，全省农村劳动力总资源中，小学及以下文化程度的占53.5%。由于文化水平低，全省近9成农村从业人员集中在第一产业，向二、三产业转移的速度非常缓慢，极不适应现代产业结构的需求。受此影响全省农村小城镇发展缓慢，农民收入难以提高。

3．农民生活水平低，居住质量差

近年来，随着社会经济的不断发展，甘肃农民生活水平虽有了较大的提高，但与全面建设小康社会的目标差距仍然很大。长期以来受地方财政入不敷出，农民收入水平低等影响，对农村公共基础设施建设投资匮乏，加之农村居民住房建设缺乏科学规划，造成住房配套设施不完善、卫生标准差、室外环境脏乱差的现象仍相当普遍。2007年甘肃农村居住质量指数为17.6%。从其六方面的构成来看，发展也极不平衡。尤其是农村水冲式卫生厕所普及率仅为1%，使用清洁能源比重仅为1.4%，加上室外道路状况的环境也不容乐观，农民居住质量低将成为农村全面小康建设的软肋。另外，由于去年以猪肉为代表的食品价格全面大幅涨，致使全省农村居民恩格尔系数较上年有所提高，农民生活水平有所下降。

4．农村养老保险水平低，资金筹措难

从社会发展方面来看，近年来随着各级政府的大力推动，农村合作医疗覆盖率大幅提高。但受经济发展水平及传统观念影响，甘肃农村养老保险覆盖率仍然较低，仅为1.1%，可以说这项工作在我省还处于起步阶段，距全面小康60%的目标非常远，任务异常艰巨。一是甘肃农村还处在全面建设小康社会的初级阶段，因灾致贫、因病返贫现象仍然十分严重，在部分农村解决温饱仍是当前的重要任务。二是农村集体资产少，农民收入水平低，致使农民没有多余的资金来参加保险，如果没有政府的补贴和推动，养老保险对广大农民，尤其是贫困地区的农民来说只能是一种奢望。

5．资源利用效率低，生态环境差

甘肃省河西地区自古以来就是重要的商品粮食基地，但由于一直以来延用传统的灌溉方式，水资源浪费严重。河西五市万元GDP用水量均在3200立方米以上，离全面小康低于1500立方米的水平相差甚远，农业用水效率和节约用水水平低，资源节约与经济发展的矛盾比较突出。另外甘肃属于生态环境脆弱的地区，水土流失现象严重、干旱缺水、土地盐碱化、沙化问题尤为突出，森林覆盖率低，极其脆弱的生态环境严重制约着我省农业生产的可持续发展，基于甘肃生态环境的客观现状，资源环境在短时间内根本无法达到全面小康的标准。

（三）甘肃省农村建设全面小康的对策与建议

1．千方百计增加农民收入

当前国家对西部地区，尤其西部贫困地区扶贫力度很大，但农民收入增长不能仅靠“输血”来提高，要拓宽农民增收渠道，建立增加农民收入的长效机制。首先要加大各级政府对农业的投入力度。针对我省财政资金困难、农民收入低的现状，积极争取国家投资项目以扩大资金来源、克服地方支农投入的不足，建立起正常的农业投入增长机制。二是加强农业产业化龙头企业和生产基地建设。一方面可以引导农民进行农业结构调整，利用当地独有的资源，发展特色产业，延伸产业链条，提高农产品的附加值。另一方面可以就地转移农村富裕劳力，加快农村城镇化进程。三是大力发展劳务经济。目前，打工收入已经成为我省农民收入的重要来源，我省的劳务输工作也出取得了较好的效果，各地要继续巩固和扩大劳务基地，不断强化技能培训，积极做好信息以及维权等服务，努力提升劳务输出的层次和劳务收入水平，拓宽增收渠道。

2．多种途径提升农村劳动力素质

一是采取有力措施，保障农村义务教育落到实处。进一步加大中央财政和地方财政对农村教育的支持力度，努力建设高素质的中小学教师队伍，实施强制性农村九年制义务教育，加强立法，杜绝新文盲的产生。二是坚持为“三农”服务，积极发展农村职业与成人教育。建立和完善以中等职业教育为重点的农村职业教育体系，采取多种有效的形式进行针对性更强的培训，如对在家务农农民要提高其种田水平，对于外出就业的农民要加强专业技能培训。三是加大扫除文盲的力度。鉴于全省农村成人文盲率较高的现状，各地要把普及九年义务教育与基本扫除青壮年文盲同步来抓，建立健全以满足扫盲对象基本学习需求的扫盲教育机制，加快扫盲步伐，努力提高扫盲工作的质量和效益，全面提升全省农民的文化水平。

3．切实提高农民生活质量

一是着力改善农民居住条件。各地要按照新农村建设的有关要求，为农户建造高标准小康住宅提供规划指导和资金扶持，尤其是在甘肃地震灾区的恢复重建工作中，要因地制异、科学规划，努力提高农村住宅水平。二是大力推广农村清洁能源。对甘肃而言主要是全面推广沼气建设，鼓励农民使用太阳能灶器和燃气灶。实施乡村清洁和资源循环利用工程，建设秸秆、粪便、生活垃圾、生活污水等废弃物处理利用设施，实现废弃物资源化利用。三是为农民融入信息化社会提供平台。要通过加强有线电视网络建设和扩大电话服务功能等方式，满足农民对科学种田等信息知识的需求。尤其是要加快农村的互联网建设步伐，为农业生产和农民生活提供一个信息交流的平台。四是要加大宣传力度，提倡科学、健康、卫生、节俭的生活方式，增强农民提高生活质量的意识。

4．建立健全农村社会保障体系

首先，政府要进一步加大对农村社会保障体系建设的投入，严格控制常用药品价格，加大对农村医务人员的培训力度，逐步改善农村医疗条件，巩固和扩大农村新型合作医疗取得的成果。其次，要加大宣传力度，鼓励更多的保险公司开拓农村保险市场，在广大农村普及保险知识，提高农民对养老保险的认识，增强自我保护意识，为农民提供最基本的社会保障。第三，要通过完善农村敬老院及社会福利机构建设，提高农村低保标准，切实为鳏寡孤残人员提供生活保障。

5. 加快推进民主与法制化进程

一是深入开展普法教育，提高农民法律素质。二是建立和完善民主议事程序。对涉及农民切身利益的有关农民负担、村级公益事业发展、农业资源招投标等重大事项，广泛征求代表意见，提交村民代表会议决策。三是落实社会性综合治理各项措施，强化打击和防范职能。集中力量对治安混乱的村镇、交通路段进行重点治理，狠狠打击横行乡里，欺压群众的各种流氓恶霸，严厉惩办各种破坏农业生产和生活、通讯、电力设施的严重犯罪分子，营造一个良好的社会氛围。

6. 努力改善生态环境

努力改善生态环境也是温家宝总理惦记甘肃发展的四件大事之一。一是要正确处理好经济发展与保护生态环境的关系。再不能以牺牲生态环境为代价来发展地方经济。二是要紧紧抓住春秋季节植树造林的有利时机，发动广大群众掀起植树造林的高潮，努力提高植树造林质量和效益，再造山川秀美的甘肃。三是大力发展节水农业，减少水资源浪费。一方面改革传统的灌水方式，采用先进的喷、滴灌设备，减少水的浪费，降低灌溉成本。另一方面大力推广地膜覆盖、抗旱播种、集雨滴灌等旱作农业新技术，逐步提高水资源的利用率。

2007 年农村全面小康综合表（甘肃）

指 标	单 位	总体小康值	全面小康值	2007 年实际值	实现程度	权 数	综合分值
A 、经济发展					-9.8	29	-2.8
农村居民人均可支配收入	元/人	2200	6000	1960	-6.3	20	-1.3
第一产业劳动力比重	%	50	35	56	-40.0	5	-2.0
小城镇人口比重	%	16	35	18	10.5	4	0.4
B 、社会发展				3	61.1	20	12.2
农村合作医疗覆盖率	%	10	90	84.8	93.5	8	7.5
农村养老覆盖率	%	1.8	60	1.05	-1.3	4	-0.1
万人农业科技人员数	人	1	4	1.6	20.0	4	0.8
农村居民基尼系数	—	0.35	0.3-0.4	0.33	100.0	4	4.0
C 、人口素质					-71.8	15	-10.8
平均受教育年限	年	7.4	9	6	-87.5	12	-10.5
平均预期寿命	年	69.5	75	69	-9.1	3	-0.3
D 、生活质量					18.0	23	4.1
恩格尔系数	%	49	40	46.8	24.4	4	1.0
居住质量指数	%	18	75	17.6	-0.7	11	-0.1
农民文化娱乐支出比重	%	2.5	7	3.85	30.0	3	0.9
农民信息化程度	%	28	60	43	46.9	5	2.3
E 、民主法制					46.0	6	2.8
农民对村政务公开的满意度	%	55	85	67	40.0	3	1.2
农民社会安全满意度	%	60	85	73	52.0	3	1.6
F 、资源环境					0.7	7	0.1
常用耕地面积变动幅度	%	-0.3	0	0.46	100.0	3	3.0
森林覆盖率	%	16.5	23	13.42	-47.4	2	-0.9
万元农业 GDP 用水量	立方米/万元	2600	1500	2962.71	-100.0	2	-2.0
农村全面小康实现程度合计						100	5.6

二十八、青海省农村全面建设小康监测报告

党的十六大提出了全面建设小康社会的宏伟目标。建设全面小康社会最艰巨、最繁重的任务在农村。为监测农村全面小康建设进程，反映建设社会主义和谐社会的成果，国家统计局根据新的农村全面小康标准和监测方法，每年对农村全面小康进程进行跟踪监测。

（一）农村全面小康标准和监测方法

农村全面小康标准和监测方法由国家统计局统一制定实施。该标准包括经济发展、社会发展、人口素质、生活质量、民主法制和资源环境六个方面 18 项指标，以 2000 年为起点，2020 年全面小康值为目标，对农村全面小康实现程度进行测算。

（二）2007 年青海省农村全面小康实现程度

近年来，中央和青海省委省政府陆续出台了一系列更直接、更有力的支农、惠农政策及措施，青海农业和农村经济出现了良好的发展局面。按照国家统计局下发的“农村全面小康标准”的综合测评方法，我们对 2007 年青海农村全面小康实现程度进行了测算，结果显示：2007 年农牧民收入实现较快增长，农村牧区改革迈出重大步伐，农村牧区社会加快发展，推动了农村牧区全面建设小康进程。2007 年青海农村全面小康实现程度为 5.9%，比上年提高 6 个百分点。全面小康建设向前迈出了坚定的一步。

1. 农村牧区社会发展稳定

2007 年青海农村社会发展方面的全面小康实现程度为 62.1%，比上年提高 3.7 个百分点。从社会发展的四个指标看：农村合作医疗覆盖率 88%，实现程度达 97.5%，提高 7.5 个百分点；农村居民基尼系数为 0.3647，提高 0.0068，实现程度为 100%，达到全面小康值；万人农业科研人员数 1.5 人，实现程度 16.7%；农村养老覆盖率 1%，实现程度为 -1.4%。

2. 农牧民生活质量大幅提高

2007 年青海农村居民生活质量实现程度为 35.8%，比上年提高 10.2 个百分点。从反映生活质量的四个指标看：农村信息化程度提高最快，每百个农户拥有彩电 90.5 台、固定和移动电话 60.5 部、电脑 0.2 台，农村信息化的全面小康实现程度达 44.9%，提高 32.4 个百分点；受价格上涨的影响，食品支出在农牧民生活消费支出中所占比重略增，恩格尔系数为 44.4%，提高 0.2 个百分点，全面小康实现程度为 51.6%，下降 2.8 个百分点；农牧民居住质量指数稳步提高，人均居住面积 25 平方米以上农牧户比重达到 28.0%，饮用自来水、使用清洁能源的农牧户比重分别为 61.0%、17.5%，居住质量指数实现程度为 17.5%，提高 6.7 个百分点；农牧民文化娱乐支出比重 5.5%，实现程度为 67.1%，提高 3.8 个百分点。

3. 农村牧区民主法制建设逐步健全

2007 年青海农村民主法制方面的实现程度达到 100%。这主要是随着农村政务公开的规范化，法制宣传及治安管理到位，民风淳朴，农牧民对村政务公开和社会安全都表现出较高的满意度。

4. 资源环境实现程度大幅提升

2007年青海农村牧区资源环境方面全面小康实现程度为-23.4%。从衡量农村资源环境的三个指标看：常用耕地面积变动幅度实现程度为3.3%；万元农业GDP用水量实现程度为13.3%，提高86个百分点；森林覆盖率自2000年以来监测显示，其实现程度均处于低水平，这与青海所处的地理环境密切相关，青海地处青藏高原，本省土地面积的95%以上是草原牧区，导致资源环境的全面小康目标实现程度为-100%。

5. 农村牧区经济平稳较快发展，但全面小康实现程度仍然偏低

2007年青海农村牧区经济发展的全面小康实现程度为-21.7%，比上年提高2.7个百分点。农牧民收入基数低、劳动力和就业结构转换慢是农村牧区经济发展水平处于低水平的主要原因。2007年青海农牧民人均可支配收入1995.9元，实现程度为-5.4%，提高2.9个百分点。农村劳动力转移速度较慢，2007年第一产业劳动力比重为65%，全面小康实现程度为-100%。农村小城镇人口比重为15%，全面小康实现程度为-5.3%，比上年提高5.2个百分点。

6. 农村牧区人口素质缓慢提高

2007年青海农村牧区人口素质的全面小康实现程度为-85.5%，与上年持平。从衡量人口素质的两个指标看：农牧民平均受教育年限为5.8年，与上年持平，全面小康实现程度为-100%；农牧民平均预期寿命68年，全面小康实现程度为-27.3%。

综上所述，在反映农村全面小康的六个方面18项指标中，农村经济发展、农村人口素质等方面发展相对缓慢，这些方面是今后青海农村牧区全面小康社会建设的重点。

（三）推进青海农村全面小康建设的主要问题和难点

1. 农村经济发展落后，农牧民收入水平低下

在衡量农村经济发展的三项指标中，全面小康实现程度均为负值，均未达到总体小康值。特别是在18项指标中权重高达20%的农村居民可支配收入低。同时，农村城镇化发展缓慢，劳动力非农化就业率不高直接影响全省农村经济的快速发展。因此，今后13年统筹城乡发展、加快农村经济发展的任务还相当繁重。

2. 农村教育落后，人口素质低

在农村全面小康综合评价体系中，“农村人口平均受教育年限”是仅次于农牧民纯收入的第二位重要的指标，占有12%的权重。目前青海农村牧区文盲、半文盲率高居不下、农村牧区人口平均预期寿命低，农村人口素质全面小康实现程度仍处于负值，这也是制约全省农村全面小康目标如期实现的最大困难。

3. 城乡救助体系建设问题突出

一是农村牧区贫困面大，救助覆盖面窄；二是救助标准偏低，难以保证特困人群的基本生活；三是医疗救助工作相对薄弱；四是地方财政所能承担的救助资金有限。

4. 资源环境的利用程度和改善不大

青海地处青藏高原东北部，高寒干旱，生态环境极为脆弱。由于典型的高原型、荒

漠化生态特点和历史上人类活动而导致水土流失、土地沙漠化、草地退化十分严重，加上水土光热资源匹配不好，生态环境恶劣。因此，青海森林覆盖率一直处于低水平，而且分布不均，主要集中在黄河和长江上游流域，处于森林极限生长地带，一旦遭到破坏，很难恢复。

（四）加快青海农村全面小康建设的对策建议

1．建立农牧民增收长效机制

青海农村牧区贫困面大、农牧民收入低是我们必须面对的现实问题，增加农牧民收入、脱贫致富奔小康也是青海解决“三农”问题的重中之重。因此，首先我们要继续实施开发式扶贫的方针，加大农牧区扶贫攻坚力度，尽快解决贫困农牧民的生产、生活问题，不断缩小农村牧区贫困面；其次，要特别从农业结构调整、非农产业发展、农业产业化的发展壮大等方面寻求突破；第三，统筹城乡就业政策，加快农村劳动力的流动和转移，将农村富余劳动力更多地转移到其他非农产业，扩大农牧民就业渠道，增加农牧民收入。

2．加快城镇化步伐

青海农村人口比重大、第一产业劳动力人口多是制约农村经济、社会发展的一大障碍，因此必须加快繁荣小城镇经济。一方面，要大力发展农牧区小城镇建设，不断增加城镇人口的比重，逐步减少农牧民人口；另一方面，要大力发展有地方特色的乡镇企业及农村非农产业，加速转移农村富余劳动力，坚持立足本地，因地制宜，离土不离乡，内转外输相结合，以内转为主的原则，转移农村富余劳动力，增加非农产业收入。当然，推进城镇化是一个循序渐进的过程，不能一哄而起。要按照“合理布局，科学规划，体现特色，规模适度，注重实效”的原则，稳步推进。

3．大力发展农村教育事业，提高农牧民科学文化素质

农牧民素质的高低直接影响农牧民收入的提高。农牧民科学文化素质的高低、掌握致富本领的多少，直接影响农村劳动力的转移和致富渠道的拓展。因此，一是要大力普及九年义务教育，扫除农村牧区文盲、半文盲，提高农村牧区劳动力的科学文化素质。把扫盲工作作为考核各级领导班子实绩的一项重要依据，使扫除青壮年文盲工作真正成为政府行为。二是加大对农牧民的劳动技能和职业技术培训，进一步拓展农牧民的就业和致富渠道，不断增加农牧民收入。高度重视少数民族贫困地区职业教育，把贫困人口劳动技能培训作为社会救助和扶贫工作的一项重要内容，依托现有的职业教育体系和基础设施，增加中央财政对职业教育的经费投入，加大扶持力度，以发展职业教育提高农牧民增收的本领，把“输血型”救助转变为“造血型”扶持。三是应加大教育救助力度，加强对各级政府落实“两免一补”政策情况的监督检查，重视研究和解决农村牧区特困家庭大中专学生的救助问题。

4．加快建设社会主义新农村

“十一五”时期是我国改革发展的关键时期，也是农业和农村发展的重要机遇期。推

进社会主义新农村建设，对全局关系重大，对农村影响深远。青海应坚决按照中央在新农村建设中“五句话二十个字”的总要求（坚持以发展农村经济为中心，坚持农村基本经营制度，坚持以人为本，坚持科学规划，坚持发挥各方面积极性的基本原则。），切实做到注重实效，不搞形式主义；量力而行，不盲目攀比；民主商议，不强迫命令；突出特色，不强求一律；引导扶持，不包办代替的政策界限。促进全省农村牧区经济发展，提高农牧业综合生产能力，改善农牧民生产生活条件，建设社会主义新农村。

5．国家应加大支持西部地区救助体系建设

改革开放以来，我们鼓励有条件的地区和一部分社会成员先富起来，先富帮后富，最终实现共同富裕。这种发展模式一方面使国家经济迅速发展，创造了举世公认的“中国奇迹”，但客观上拉大了地区之间、城乡之间以及社会成员之间的贫富差距。长此以往，必然会对社会安定和谐带来消极影响。加快建立政府主导，社会参与，适应经济社会发展的救助体系，保障人民群众的基本生活权益就显得既重要又紧迫。因此需要从以下四方面加强西部地区救助体系建设：一是进一步加大对西部地区的支持力度；二是增加社会救助资金投入；三是建立城乡一体化救助体系；四是扩大农村养老保险覆盖面。

6．加强生态环境建设，提高森林覆盖率

《青海省生态环境建设规划》中期目标（2011－2030年）提出，全省新增森林面积349万公顷，森林覆盖率达到9.9%；远期目标（2031－2050年）提出，全省新增森林面积302.8万公顷，森林覆盖率达到14.1%左右。确保规划实施主要有以下五方面措施：加强生态环境建设领导，广泛动员全社会参与生态环境建设；加强法制建设，依法保护和治理生态环境；建立健全投入保障机制，拓宽建设资金渠道；深化“四荒”地改革，稳定和完善治理激励政策；依靠科学技术，加快生态环境建设。

2007年农村全面小康综合表(青海)

指　标	单　位	总体小康值	全面小康值	2007年实际值	实现程度	权　数	综合分值
A 、经济发展					-21.7	29	-6.3
农村居民人均可支配收入	元/人	2200	6000	1995.9	-5.4	20	-1.1
第一产业劳动力比重	%	50	35	65	-100.0	5	-5.0
小城镇人口比重	%	16	35	15	-5.3	4	-0.2
B 、社会发展					62.1	20	12.4
农村合作医疗覆盖率	%	10	90	88	97.5	8	7.8
农村养老覆盖率	%	1.8	60	1	-1.4	4	-0.1
万人农业科技人员数	人	1	4	1.5	16.7	4	0.7
农村居民基尼系数	-	0.35	0.3-0.4	0.3647	100.0	4	4.0
C 、人口素质					-85.5	15	-12.8
平均受教育年限	年	7.4	9	5.8	-100.0	12	-12.0
平均预期寿命	年	69.5	75	68	-27.3	3	-0.8
D 、生活质量					35.8	23	8.2
恩格尔系数	%	49	40	44.36	51.6	4	2.1
居住质量指数	%	18	75	27.95	17.5	11	1.9
农民文化娱乐支出比重	%	2.5	7	5.52	67.1	3	2.0
农民信息化程度	%	28	60	42.37	44.9	5	2.2
E 、民主法制					100.0	6	6.0
农民对村政务公开的满意度	%	55	85	93	100.0	3	3.0
农民社会安全满意度	%	60	85	89.7	100.0	3	3.0
F 、资源环境					-23.4	7	-1.6
常用耕地面积变动幅度	%	-0.3	0	0.01	3.3	3	0.1
森林覆盖率	%	16.5	23	5.2	-100.0	2	-2.0
万元农业 GDP 用水量	立方米	2600	1500	2454	13.3	2	0.3
农村全面小康实现程度合计						100	5.9

二十九、宁夏回族自治区农村全面建设小康监测报告

2007年宁夏各级党委、政府以农民增收为核心，把社会主义新农村建设和全面小康社会建设作为农村建设的重点，努力稳步提高农业综合生产能力，不断加快农业结构调整步伐，农业和农村基础条件明显改善，农村社会事业发展加快，农村经济社会更加和谐稳定，农村医疗、教育、社保等各项改革不断深化，农民收入持续增长，农村全面小康建设进程步伐明显加快。2007年宁夏农村全面小康实现程度达到15.2%，比上年提高了5.7个百分点。

（一）宁夏农村全面小康建设发展进程

农村全面小康是农村经济、政治、社会、文化等建设的综合反映。从“全面建设小康社会综合评价标准”的六个方面的进程看，宁夏农村社会发展和民主法制小康建设进程最快，分别走完了73.3%和64.3%的路程，其次是农民生活质量和农村经济发展，分别为37.6%和9.4%，小康社会进程最慢的是人口素质和资源环境，进程分别为-77.8%和-43.0%。

1．农村经济建设再上新台阶

经济发展是农村全面小康社会发展的物质基础。2007年农村经济建设方面全面小康的实现程度达到了9.4%，比上年提升了9个百分点。其中，农民人均可支配收入按2000年价格计算达到2395元，比上年增长8.2%，全面小康实现程度达到了5.1%，比上年提高4.7个百分点；第一产业劳动力的比重为45.7%，全面小康的实现程度达到了28.7%，比上年提高15.4个百分点；农村小城镇人口的比重为17.2%，全面小康的实现程度达到了6.3%，由上年的负值变化为正值，比上年提高22.1个百分点。

2．农村社会事业发展进程加快

社会发展是构建和谐社会、和谐农村的基本前提和重要保障。2007年宁夏农村社会发展方面全面小康的实现程度达到了73.3%，比上年提升了15.3个百分点，是全面建设小康社会综合评价六个方面进程最快、增幅最大的一个方面。其中，2007年我区农村新型合作医疗在全国率先实现全覆盖，农村合作医疗覆盖率达到76.1%，比上年提高30.3个百分点，全面小康的实现程度达到82.6%，比上年提高37.8个百分点，是全面建设小康社会18个单项指标实现程度增速最快的一个指标；农村养老保险覆盖率为2.6%，全面小康的实现程度为1.4%，每万名农村人口拥有的农业科技人员的数量和农村居民基尼系数分别为4和0.3764，全面小康的实现程度均达到100%。

3．人口素质有所提高

人口素质反映了农民受教育程度和综合健康状况。2007年宁夏农村人口素质方面全面小康的实现程度为-77.8%，与上年基本持平。其中：农村人口平均受教育的年限为5.8年，比上年增加0.1年，没有达到总体小康值，距离全面小康值相差2.9年，全面小康的实现程度为-100%；农村人口的平均预期寿命为70.1岁，与全面小康值75岁相差

4.9岁，实现程度为10.9%。

4.生活质量继续改善

2007年宁夏农村居民生活质量方面全面小康的实现程度达到了37.6%，比上年提升了7.2个百分点。其中，农民家庭恩格尔系数为40.3%，比上年下降1.1个百分点，全面小康的实现程度为96.7%；农民家庭信息化程度实际值为47%，实现程度为59.4%，比上年提高12.5个百分点；农民文化娱乐支出的比重为4.6%，比上年提高0.4个百分点，全面小康的实现程度为46.7%，比上年提高8.9个百分点；农民居住质量指数为20.1，比上年提高1.4个百分点，全面小康的实现程度为3.7%，比上年提高2.5个百分点。

5.民主法制建设成效显著

民主法制是农村政治文明的具体体现，也是构建和谐农村的有力保障。2007年宁夏农村民主法制建设全面小康的实现程度为64.3%，比上年提升了0.6个百分点。其中：农民对村政务公开的满意度为72%，全面小康的实现程度是56.7%；农民对社会安全的满意度为78%，全面小康的实现程度为72%。

6.资源环境建设有所加强

环境资源是实现科学、协调、可持续发展的重要物质基础。2007年宁夏农村全面小康的实现程度为-43%，其中，常用耕地面积变动幅度为0.1%，实现程度为33%，万元农业GDP用水量为3606立方米/万元，比上年有所下降；森林覆盖率为9.8%，比上年有所提高，但均未达到总体小康值，实现程度分别为-100%。

（二）宁夏农村全面小康社会建设呈现以下亮点

1.农民收入增长速度加快，物质生活更加丰富

2007年，宁夏各级政府以增加农民收入为核心，以发展现代农业为重点，以大力发展特色农业为突破口，进一步加大农业产业结构调整力度，突出特色优势产业，广辟农村富余劳动力转移就业的途径，创新和探索增加农民收入的新思路和新途径，全面落实各项支农惠农政策，充分调动了广大农民生产经营积极性，为农民增收创造了良好的条件，确保了农民收入的持续稳定增长。据抽样调查数据显示，2007年我区农民人均纯收入突破3000元大关，达到3180.8元，比上年增长15.2%，高于上年增幅5.2个百分点，扣除价格上涨因素，实际增长8.8%。随着农民收入的增加和农村消费环境的改善，农民生活水平不断提高，消费结构渐趋优化，生活质量持续改善。抽样调查资料表明，2007年，农村居民人均生活消费支出2528.8元，比上年增加281.8元，增长12.5%，扣除价格上涨因素实际增长6.2%。衡量生活水平高低的恩格尔系数继续下降，由上年的41.4%下降到40.3%；文化教育娱乐等发展和享受性消费需求比重上升了3.4个百分点；在外饮食、交通、通讯、教育、旅游和医疗保健为代表的服务性消费迅速上升，比重达到25.4%，比上年提高1.5个百分点。表明宁夏农民物质生活更加殷实，消费领域不断拓宽，消费结构日趋合理并向更高层次转变。

2.消费结构不断升级，精神生活更加充实

随着农村居民生活水平的提高和物质条件的改善，农民精神文化生活更加丰富多彩。2007年农村居民文化娱乐活动支出达到119元，比上年增长22.6%，占生活消费支出的比重由上年4.2%上升到4.6%；农民家庭平均每百户拥有彩色电视机108台，比上年增加9台；影碟机46台，增加2台；洗衣机57台，增加8台；电冰箱15台，增加3台；家用计算机也开始逐渐进入农村家庭，百户拥有量达到0.6台。电话普及率进一步提高，固定电话每百户拥有量由上年的60部增加到67部；移动电话由上年的59部增加到到85部。

3．大力发展农村非农产业，第一产业劳动力比重不断降低

近年来，为了增加农民收入，自治区党委、政府采取积极有效的措施引导农民外出务工，同时促进农民家庭经营非农产业发展，并加速农业产业结构升级，使农村第一产业劳动力比重不断降低，收入占家庭总收入的比重也有所下降。2007年第一产业劳动力比重由上年48%下降到45.7%；第一产业纯收入占家庭纯收入的比重为49%，比上年下降1个百分点。

4．新型农村合作医疗全面实施，推动农村社会发展

近年来，宁夏各级政府全面加强公共卫生体系建设，城乡卫生服务和疾病防控体系基本建成，新型农村合作医疗全面推开，按照国家的要求，提前一年实现新型农村合作医疗制度覆盖所有农业县，建立了农村特困群众大病救助制度，不同程度缓解了农民的看病难、看病贵问题，也减轻了农民的医药费用负担，农民因病致贫、因病返贫状况有所缓解，也激活了农民的医疗需求，保障了农民的身体健康，促进了农村小康社会建设。2007年末，全区参加新型农村合作医疗参合率为76.1%，累计有237.8万人次直接受益，报销金额1.57亿元，住院平均每人报销超过500元，千元以上的占报销人数的20%。

5．宁夏新农村建设成效显著，农民人居环境得到改善

2007年宁夏各级政府按照党的十六届五中全会提出的“生产发展、生活富裕、乡风文明、村容整洁、管理民主”的新农村建设的“二十字”方针，立足于宁夏实际和发展基础，大力推进新农村建设。同时，采取有效措施加大村容村貌和环境整治工作，塞上农民新居、危房危窑改造加快实施，农民住房条件继续改善，部分行政村实现了村庄绿化、巷道硬化、庭院美化的目标，农村居民的人居环境得到极大改善。实现了乡乡通柏油路、通宽带，村村通公路、通广播电视、通电话，户户通电的目标。2007年农村居民人均居住面积达到23平方米，比上年增加1.4平方米，增长27.7%；砖瓦房面积占住房的比重提高到61%，楼房也有所增加达到2.4%；饮用自来水、深井水户的比重不断增加，分别达到30.3%和37.7%；10.3%的家庭炊用燃料使用沼气和液化石油气，67.7%的家庭炊用燃料使用煤炭。农村居民住宅外道路路面为水泥或柏油路面和沙石或石板等硬质路面的比重分别达到32.5%和11.7%。

6．退耕还林还草、封山禁牧成果显著，生态环境得到改善

2007年自治区党委、政府认真落实中央关于实施退耕还林、还草政策，加快生态环境建设，各市县结合自身实际进行科学规划、合理布局、加快进度、集中连片、规模治

理；并进一步明确管护职责，责任落实到户，强化退耕还林的抚育管理工作；完善监理体制，搞好检查验收，确保工程质量，坚持生态效益和经济效益的有机结合，推动了生态建设的健康发展。截至2007年末全区累计新增退耕还林面积1189万亩，约占全区完成营林面积的67.5%，森林覆盖率达到9.8%。退耕区生态环境迅速恢复，林果业、草产业蓬勃兴起。

（三）农村全面建设小康社会的难点

1.收入水平低，实现全面小康任务艰巨

近年来，中央及地方虽然出台一系列“多予、少取、放活”的惠农政策，农产品价格也在高位运行，但由于农业生产资料价格持续上涨，农民增收渠道狭窄，收入基数低，收入仍处于较低水平。2007年宁夏农村居民人均纯收入仅为3180元，比全国平均水平4140元低960元，在全国31省、自治区处于第25位。人均可支配收入为2395元（90年不变价），与全面小康值6000元相差3605元，实现程度仅为5.1%，到2020年如期实现全面小康这一目标还有94.9%的路程要走，今后13年按1990年可比价计算需每年增加可支配收入7.3%，任务非常艰巨。

2.资源环境质量差，森林覆盖率低

宁夏地处中国内陆，属温带大陆性干旱、半干旱气候，日照充足，蒸发量大，干旱少雨，森林覆盖率低，六盘山部分地区被称为“西部生态环境最恶劣地区之一”。近年来，各地积极实施国家退耕还林、还草计划，不断加大环境保护和建设力度，气候和自然环境得到一定改善，但2007年森林覆盖率只有9.8%，距离总体小康和全面小康标准16.5%和23%的目标分别相差6.6个和14.2个百分点。同时由于，全球气候变暖，降雨量逐年减少，万元农业GDP用水量居高不下，2007年万元GDP用水量高达3606立方米，比总体小康值和全面小康值分别高1006立方米和2406立方米。森林覆盖率和万元农业GDP用水量实现程度分别为-100%。由此可见，资源环境对实现宁夏农村全面小康的压力非常大。

3.农村教育落后，人口素质提升难

2007年宁夏农村人口平均受教育年限只有5.8年，仅相当于小学水平，距离全面小康起点值7.4年相差1.3年，距全面小康值9年相差2.9年，全面小康实现程度为-100%。农村人口平均受教育年限的提高受两方面因素影响：一方面是部分农民教育观点落后，在巩固两基教育成果、实行三免一补的好政策下，仍有部分农民只顾眼前利益，让孩子辍学赚钱或务农。另一方面是农村大量青状年劳动力和较高文化素质的劳动力大量流向城市，加大了农民受教育年限提升的难度。

4.农村基础建设薄弱，生活环境改善困难

近年来，宁夏各级党委政府不断加大农村基础建设投资力度，努力改善农村居民的生存环境。但由于农村经济相对落后，基础薄弱，衡量农民居住质量的饮用自来水、清洁能源、卫生厕所比重较低，自来水和清洁能源分别为30%和10%，卫生厕所几乎为零，特别是山区农村住房设施不完善，卫生条件差，生活用水自然排放，粪便垃圾随意堆放，畜禽饲养严重污染环境，多数地方脏、乱、差问题突出。2007年居住质量指数为20.1%，全面小康实现程度为3.7%，到2020年如期实现全面小康生活还需要96.3%的路程要走，如期实现难度非常大。

5．实现小康的最大难点在山区

200年末，山区农村人口占全区乡村人口的52%，居民人均纯收入仅为2190元，比川区低2179元，比全区平均水平低990元。2007年宁夏21个市县区中有8个为国家级扶贫开发工作重点县，占全区总市县数的38%。山区八县农村绝对贫困人口为8.8万人，低收入人口（包括贫困人口）为24.8万人，分别占乡村人口的4.3%和12.0%。山区农村居民不但收入水平低，相当一部分农村人口生活徘徊在温饱阶段，生活质量、人口素质、资源环境等方面与川区差距非常大，对宁夏农村实现全面小康建设是一个严峻的考验。

（四）加快农村全面建设小康社会的对策建议

1．优化农业产业结构，稳定增加农民收入

抓住近年来国家宏观政策引导农业产业结构调整的机遇，在继续壮大开发区工业经济的同时，结合推进重点乡镇率先突破农业产业结构调整瓶颈，抓住农副产品市场价格走高的有利时机，坚持不放松粮食生产，大力发展畜牧、蔬菜、水产、林果、花卉等多种经营，努力提高产出效益，拓宽农民增收渠道。同时，大力发展优势特色农业，形成引黄灌区现代高效农业、中部干旱带旱作节水农业、南部山区绿色生态农业三大板块；大力推进设施农业发展形成温室、拱棚、覆膜齐上，喷灌、滴灌、微灌并举，蔬菜、园艺、养殖共营的大建设、大发展格局，大力提升农业产业化水平，进一步稳定增加农民收入。

2．加大生态环境与可再生能源建设力度，促进农业和农村经济的可持续发展

我区的自然环境以干旱半干旱地区为主，生态系统脆弱，在农村全面小康建设过程中，要把生态环境保护作为重中之重的工作来抓，坚持开发与节约并重、节约优先，按照减量化、再利用、资源化的原则，加快转变农业增长方式。大力推进节地、节水、节肥、节药、节种、节能，发展低投入、低消耗、低排放和高效率的农业循环经济，促进再生资源的循环利用和非再生资源的节约利用。加大农业污染防治力度，积极防治农村面源污染，改善农村环境质量。加强农业生态环境保护和治理，控制不合理的资源开发活动，保护好水、土地、草原和水生生物等自然资源和动植物野生种植资源，促进农业发展与人口、资源、环境相协调，逐步实现农业和农村经济可持续发展。

3．加大基础设施和公共服务投入，为实现小康提供重要的基础

加强农村基础设施建设，改善农村公共服务，是改善农民生产、生活条件的重要基础，是推进新农村建设的重要内容和关键环节，也为实现小康提供了重要的基础。随着国民经济进入以工促农、以城带乡的发展阶段，我区也已经具备了将基础设施建设和公共服务重点转向农村的基本条件和能力。在今后的小康建设中、要特别加强农村教育文化卫生和信息基础设施和服务建设。增加农村义务教育阶段中小学校舍维修改造资金，

加快农村中小学校舍改造；继续对贫困地区的乡镇卫生院、县医院、县妇幼保健机构及部分村卫生室的业务用房进行扩建，配置基本医疗设备，使其达到预防保健和基本医疗服务条件；加强农村文化基础设施建设，实现和保障农民基本文化权益。要继续大力推进农村广播电视进村入户工作，发展县、乡镇、村文化设施和文化活动场所，构建农村公共文化服务网络；加强农村信息服务设施建设，提升农村信息服务能力，强化面向农村的广播电视、电信信息服务和农业综合信息服务平台的建设力度。

4．合理开发和节约使用耕地资源，维持生态环境和自然环境的平衡发展

人口、资源、环境发展与建设小康社会是内在统一、外在协同的耦合关系。人与自然平衡发展就是要达到发展经济与环境保护并举、经济效益与生态效益兼顾、生产力发展与“自然和谐”双赢的目标，实现“以人的发展为中心”的生态椌□脑社会“三维复合系统”的良性循环。在今后的建设发展中，要抓好农村环境保护。大力开发农田基本建设，增强抵御自然灾害的能力，保护和节约耕地；减轻农药、化肥及其它农牧业生产活动造成的污染和生态破坏；积极开发有机产品、绿色食品和生态农业实用技术，提高生态农业的规模效益；进一步开展农村环境综合整治和定量考核工作，保护农村生产生活环境。高度重视乡镇企业污染防治，坚持“统一规划、正确引导、促进发展、加强管理”的原则，完善乡镇企业环境法规和各项环境管理制度，加强监督管理，促进污染治理。增强人口、资源、环境协调发展意识。加强对人口控制、环境保护和资源利用的整体规划，增强人口、资源、环境对经济发展的支撑能力。完善自然资源有偿使用和资源更新的经济补偿制度，提高资源综合利用率和经济效益，遏制资源破坏性开发，缓解人口和经济增长同资源有限性之间的矛盾。

2007 年农村全面小康综合表（宁夏）

指　标	单　位	总体小康值	全面小康值	2007 年实际值	实现程度	权　数	综合分值
A 、经济发展					9.4	29	2.7
农村居民人均可支配收入	元/人	2200	6000	2395	5.1	20	1.0
第一产业劳动力比重	%	50	35	45.7	28.7	5	1.4
小城镇人口比重	%	16	35	17.2	6.3	4	0.3
B 、社会发展					73.3	20	14.7
农村合作医疗覆盖率	%	10	90	76.1	82.6	8	6.6
农村养老覆盖率	%	1.8	60	2.6	1.4	4	0.1
万人农业科技人员数	人	1	4	4	100.0	4	4.0
农村居民基尼系数	-	0.35	0.3-0.4	0.3764	100.0	4	4.0
C 、人口素质					-77.8	15	-11.7
平均受教育年限	年	7.4	9	5.8	-100.0	12	-12.0
平均预期寿命	年	69.5	75	70.1	10.9	3	0.3
D 、生活质量					37.6	23	8.6
恩格尔系数	%	49	40	40.3	96.7	4	3.9
居住质量指数	%	18	75	20.1	3.7	11	0.4
农民文化娱乐支出比重	%	2.5	7	4.6	46.7	3	1.4
农民信息化程度	%	28	60	47	59.4	5	3.0
E 、民主法制					64.3	6	3.9
农民对村政务公开的满意度	%	55	85	72	56.7	3	1.7
农民社会安全满意度	%	60	85	78	72.0	3	2.2
F 、资源环境					-43.0	7	-3.0
常用耕地面积变动幅度	%	-0.3	0	0.1	33	3	1.0
森林覆盖率	%	16.5	23	9.8	-100.0	2	-2.0
万元农业 GDP 用水量	立方米/万元	2600	1500	3606	-100.0	2	-2.0
农村全面小康实现程度合计						100	15.2

三十、新疆维吾尔自治区农村全面建设小康监测报告

2007年在自治区党委、人民政府的正确领导下，全面落实科学发展观，认真贯彻贯彻国务院32号[关于进一步加快新疆发展的若干意见]文件中所提出的加大对新疆特别是对南疆三地州支持投入力度，加快促进新疆社会经济的快速发展的精神，以建设社会主义新农村为契机，紧紧围绕大力实施现代农业，积极发展农业产业化，深化农业结构性调整，实现农民收入持续增收的发展目标，以加强农业基础设施，改善生产条件和改变村容村貌为突破口，继续加大投入力度，并先后实施的一系列惠农优农政策和措施。有力促进了新疆农村社会各个方面的协调、稳步的发展，农村经济继续保持较快发展态势，新疆农村全面小康建设步伐明显加快。据国家统计局新疆调查总队对农村全面小康监测资料显示：2007年农村全面小康实现程度达到20.8%，比2006年实现程度提高了6.3百分点，2007年新疆农村全面小康建设进程加快，新疆农村全面小康社会建设取得新进展。

（一）农村全面小康建设进度分析

1. 在农村经济发展方面，全面小康实现程度为-2.6%，比上年提高1.6个百分点

在反映农村经济发展的三项指标中，2007年农民人均纯收入为3129元，比上年增长14.3%，农民人均可支配收入2404元，全面小康实现程度为5.4%，比上年增加2.3个百分点，对农村经济发展子系统贡献率17.2%；第一产业劳动力比重为51.1%，全面小康实现程度为-7.3%；农村小城镇人口比重为9%，与上年持平，全面小康实现程度为-36.5%，距小康社会起点值仍有7%的差距。

2. 在农村社会发展方面，全面小康实现程度为60.2%，比上年提高13.0个百分点

从社会发展的四项指标看：2006年，农村合作医疗覆盖率为81.6%，实现程度为89.5%，比上年增加32.7个百分点，是18个指标中实现程度最快的，对农村社会发展子系统贡献份额100%；农村养老保险覆盖率为1.0%，实现程度为-1.4%；每万农村居民拥有的农业科研人员数为1.7人，实现程度为23.3%；农村居民基尼系数为0.4，实现程度为100%。

3. 在农村人口素质方面，全面小康实现程度为-12.7%，与上年持平

从反映人口素质的监测指标看，2007年我区农村人口平均受教育年限为7.4年，相当于初中二年级的水平，刚刚达到小康社会起步值；平均预期寿命66岁，距小康社会起点值仍有3.5岁的差距，实现程度-63.6%。

4. 在农民生活质量方面，小康实现程度为52.5%，比上年提高13.7个百分点

从反映生活质量的四个方面看，2007年农村居民居住质量指数为52.3%，实现程度为60.2%，比上年提高24.1个百分点；农村居民文化娱乐消费支出比重为2.8%，实现程度为6.7%，比上年提高11.1个百分点；农村居民恩格尔系数40%，实现程度为100%，；农村居民的信息化程度为36%，全面小康实现程度为25.0%，与上年提高3.4个百分点。

5. 在农村民主法制方面，全面小康实现程度为5.3%，比上年持平

从反映民主法制的两个方面看，2007年农民对村务公开的满意度为45%，距距小康社

会起点值仍有10%的差距，实现程度为-33%；农民社会安全满意度71%，实现程度为44%。

6. 在资源环境方面，全面小康的实现程度为-14.3%，与上年持平

从反映资源环境的三项指标来看，2007年森林覆盖率为2.9%，实现程度为-100.0%；万元农业GDP用水量为6153立方米，实现程度为-100.0%；由于国家近两年出台了一些优农惠农政策，特别是实施粮食直补和对耕地的补贴政策，极大的激发了农民对耕地的需求，2007年常用耕地面积比上年增加4.0%，实现程度为100%。

综上所述，2007年农村全面小康进程的总体特点是：在反映农村全面小康的六个方面中，社会发展、生活质量、经济方面的全面小康进程加快，民主法制、农村人口素质和生态环境等方面全面小康进程相对缓慢。从农村全面小康的18项指标来看：农民基尼系数、常用耕地变动幅度、农民恩格尔系数等三项指标实现程度均为100%；农村合作医疗覆盖率、农民居住质量两项指标实现程度均高于60%，超过或达到建设进程；对社会安全满意度、万人农业科技人员数、农民信息化程度等两项指标实现程度超过20%，小康建设进程达到预期目标；农民人均可支配收入、农民文化娱乐支出比重和农民平均受教育程度指标刚刚达到小康社会的起步值；而第一产业劳动力比重、小城镇人口比重、农民对村务公开的满意度、农民的预期寿命、农村养老覆盖率率等8个指标距小康社会的起步值仍有较大的差距。

（二）新疆农村全面小康社会建设的主要难点

1. 农村经济发展缓慢，农民增收难度大

综合评价农村全面小康社会的各项指标中。农民收入是头等重要的指标，在农村全面小康综合评价18项指标中，占有20%的权重，对全面小康社会建设起到举足轻重的地位。我区农民人均可支配收入到2020年要达到6000元的目标值，从2008年开始，即使不考虑价格因素，年均增加至少也要在280元以上，但从近年我区农民增收形势看。2001年农民人均纯收入增加92元，2002年增加153元，2003年增加243元，2004年增加139元，2005年增加237元，2006年增加220元，虽2007年增加445元，但从新疆农民增收的趋势分析。今后要保证年均增加280元的目标仍有较大的难度。

2. 农村城镇化水平低，劳动力向非农产业转移困难重重

第一产业劳动力比重和农村人口城镇化是反映城乡社会经济统筹发展的重要指标，在农村全面小康综合评价系统中，两项指标的权重占到9%。仅两年，新疆农村小城镇人口比重一直在9%左右徘徊，距全面小康社会16%起步值还有近一半的差距。另外第一产业劳动力比重高达51.1%，高于全面小康起步值1个百分点，比全国平均比重高个百分点。

3. 农村社保总体水平低

农村全面小康综合评价体系对农村社会保障状况给予了极大的关注，农村合作医疗覆盖率指标占8%的权重，农村养老保险覆盖率占4%的权重，两者合计占到12%权重。2007年，我区在87个县市开展新型农牧区合作医疗试点，覆盖农牧民人口973.99万人，参保人员847.25万人，基本建立了筹资、运行、监督和管理相对完善的一整套运行机制，为

广大农牧民提供较为充分的医疗保障。从农村全面小康实现程度看，2007年我区农村合作医疗覆盖率为81.6%，实现程度为89.5%，比上年提高了32.7个百分点，可以说我区新型农村合作医疗制度建设进展顺利；但农村社保总体水平低，尤其是农村养老保障能力依然不容乐观，2007年农村养老保险覆盖率1.0%，实现程度仅为-1.4%，反比上年下降0.4个百分点。

4．人口素质有待提高

农村人口平均受教育年限和农村人口平均预期寿命是反映农民人口素质的重要指标，在农村全面小康综合评价系统中，两项指标的权重占到15%。“农村人口平均受教育年限”是在18个指标中仅次于农民纯收入的第二重要指标，占有12%的权重。目前我区农村人口平均受教育年限为7.4年，实现程度为0.0%，即刚达到初二水平。而“农村人口平均预期寿命”只有66岁，离全面小康的起点值还有3.5年，实现程度仅为-63.6%。实际上人口文化素质仍然处于较低水平。

5．生态和资源环境有待改善

在全面小康综合评价系统中“常用耕地面积变动幅度”、“森林覆盖率”和“万元农业GDP用水量”是衡量农村生态、资源环境的指标，三项指标占有7%的权重。2007常用耕地面积比2006年增加4.0%，实现程度为100%，但其他两个指标受我区特定的自然地理条件的制约，在综合评价中的实用性不高。2006年森林覆盖率为2.9%，万元农业GDP用水量为6153立方米，大大高于全面小康的起点值，实现程度得分均为-100%。

（三）加快建设新疆农村小康社会的发展思路及对策

大力实施农业优势产业发展战略，不断深化农业结构调整，加快农业和农村经济发展，确保农民收入增稳定增加

总体发展思路：按照国务院32号[关于进一步加快新疆发展的若干意见]文件中所提出的加大对新疆支持投入力度，加快促进新疆社会经济的快速发展的精神，着力建设棉花、粮食、特色林果业、畜牧业等基地建设，继续做大做强设施农业、特色农业、生态农业和优势农业，推动农业产业化和农产品精加工，提高农业综合素质和整体效益，建立和完善农民增收长效机制，促农民持续快速增长。

1、突出重点，进一步推进农业农村经济结构的战略性调整。坚持市场原则，大力实施农业优势产业发展战略，推动农业棉、粮、林、畜基地建设。一是突出棉花优势，继续实施优质棉基地建设，重点做好高密度栽、节水灌溉、病虫害综合防治和标准化管理等技术的推广普及，稳定面积，优化品种，提高品质和单产增强转化增值能力。二是控制粮食面积，加强粮食主产区建设，优化品种结构，提高粮食综合生产能力和加工转化能力。确保粮食安全。三是各地立足实际，优化布局，大力发展特色林果业，努力实施林果业有扩张种植规模向提高品质和效益转变，由分散的基地建设向规模化集中建设，逐步形成地域性特色优势产业带。四是围绕现代畜牧业的要求，加快农牧结合，促进农

民生产结构向粮畜林特的"多元化"结构转换，使畜牧业成为农民增收的主导产业。五是继续加快加大番茄、红花、打瓜、干草特色优势产业生产，进一步拓宽农作增收渠道。

2、积极推进产业化进程，促进现代农业发展和农民增收

发展产业化，关键是大力发展龙头企业，为此我们首先要从优化投资环境，加大招商引资入手，国家和自治区应制定出台更加灵活有力的政策，吸引一些国内或国外大企业大财团来疆投资建厂，同时政府加大做好新疆自然分光、人文、特色产业等方面的宣传力度，积极鼓励和引导企业围绕我区特农产品开展深加工，延长产业链，尽快把我区特色优势农业做成特色优势产业，使之成为农民增收的重要途径，另一方面要大力发展订单农业，规范合同契约双方，积极推广龙头-基地-农民、公司+农户等产业化不同模式，不断探索产业化利益分配机制，加强农业市场体系建设，推进农业产业化进程步伐。

3、全面提高劳动者素质

要以提高各族干部群众的科学文化和思想道德素质为中心，进一步加强公共教育和公共卫生设施建设，把丰富的人力资源转化为人才资源。首先，要加强农村知识文化教育。一是建议在不太长的时间内，把喀什师范学院逐步改建为综合性大学，使其成为南疆培养高级人才、特别是少数民族高级人才的摇篮；二是把该区九年制免费义务教育延伸到12年，进而实行高中教育"双免一补"，努力兴办高、中等职业技术院校，大力培养各种人才和技术工人；三是对边远山区乡镇的中学和技术职业学校普遍实行寄宿制，发给寄宿生生活津贴；四是进一步推广兴办村镇双语幼儿园，适当给予建园补贴；五是大规模培训和轮训双语教师，进一步提高各级各类学校"双语教学"的质量。其次，发展农村职业技术教育，着力培养知识性农民。只有抓好农民的技能培训工作，才是培养出农村经济发展用得上、留得住的"乡土人才"。第三，加速农牧业适用技术和高新技术的推广力度。在以增加产量、数量为重点的科技服务工作的同时，强化特色农业、特种养殖技术和优质、高效生产技术以及农副产品加工保鲜技术的开发、研究和推广，使其能真正起到样板、示范、传授技能的作用，收到以一户带多户的效益。

4、加强农业农村基础设施和生态建设

针对我区农业基础脆弱、比较效益低、生态环境差的现状，对农业的基础建设和服务实施倾斜政策，加强对农业的投资和支持。一是加大农田水利基本建设力度，重点加快灌区续建配套合节水改造，做好末级渠系建设，加强抗旱水源工程建设。二是应国家加大对新疆退耕还林工程、草原生态保护的投入力度，继续加大天然林资源保护工程、退耕还林（草）工程、"三北"防护林建设工程、野生动植物保护和自然保护区建设"五大工程"建设，加强水土流失防治，搞好小流域治理。力争在10年生态有所改观。三是加快中低产田的改造，扩大旱涝保收、高产稳产高保准田的比重。增加有效耕地面积。四是加快"水、电、路、房"民心工程建设力度。五是加大农业科技、教育、推广体系建设和相应基础设施建设，夯实全面发展农村经济的基础。其次，引导促成多元化的农业投资格局，切实增加有效投入。政府应采取各项优惠政策，广泛吸收、引进、利用各

类资金，投入农业基础和生态建设。在各类资金筹集和使用方面应当打破资金上的条块分割局面，实行″捆绑″统一划拨使用，同时加强资金使用的监管，提高资金使用率。

5、实施惠民的特殊税费政策。在近年进村入户的走访调查中，听到不少农民反映一些政府部门收费较重。主要有：牲畜防疫费、小四轮拖拉机审验费、水费、农机收费等。建议国家和自治区党委、政府考虑，在2015年以前，对该地区实行“休养生息、藏富于民”的大政策，对农民生产、生活服务的收费事项，可考虑分为两大类分别处理。一类实行全部免收的政策，如牲畜防疫费、小四轮拖拉机执照费和审验费、农村工商户的执照费和审验费等，其免收费额按一定基准由财政转移支付拨给相关市、县；另一类是从2008年起减半征收，如对水费、农机使用费减半征收。其差额同样通过财政转移支付拨给相关县市。与此同时，对该区的工商税收，也应实行低于全疆平均税率的低税率政策，以增强招商引资的吸引力，促进这些地区工商事业和城镇化的发展。当地政府因此减少的财政收入，在确定相应基数和年际增幅基础上，由国家或自治区财政转移支付拨给。

6、进一步加强计划生育工作。实行计划生育，是我国必须长期坚持的一项基本国策。比较起来，该区是全疆人口增长最快的地区，也是人均GDP水平最低的地区。由于人口增长过快，已经给该区域的经济社会发展带来了种种负面影响：一是容易形成越穷越生、越生越穷的恶性循环局面；二是人均水土资源减少；三是赡养系数高；四是人口素质低；五是人口密度已经超过生态环境所能容纳的人口理论密度，对可持续发展十分不利。所以，一定要进一步加强计划生育工作，建立计划生育问责制度，努力做到把人口自然增长率降到1．1%以内，实现人口与经济社会和自然的和谐发展。

7、继续坚持开发式扶贫方针

针对新疆区域性贫困特征，今后扶贫开发工作应树立 “重点突破、分类扶持、进村入户、完善机制” 扶贫思路和工作方针，紧紧围绕自治区棉花、粮食、特色林果业、畜牧业等四大基地建设这篇大文章，全力实施优势资源转换战略，整合各类扶贫资源，大幅度增加扶贫投入，推动不同贫困区域的经济快速协调发展。首先要解放思想、实现三个转变：一是从大力改善贫困地区基础设施转移到直接扶贫贫困农户发展生产和提高收入帮助贫困人摆脱困境上来，二是从针对3606个贫困村整体扶贫开发转移到以南疆三地州为重心，兼顾北疆高寒牧区地区，实施开展集中连片扶贫开发模式上来，第三是从单纯对贫困农牧民劳动力的培训上转移到提高贫困地区人力资本的质量上来。特别是通过对贫困户的子女的直接教育救助，帮助贫困地区的子女获得基本的文化教育和生产技能，使其在未来能依靠自己的力量彻底摆脱贫困。同时要全方位、全覆盖的建立、健全“扶、保、养、逼”运行机制和政策。力争在5-10年的时间彻底解决剩余贫困人口，促进农村社会的共同进步，与全国同步实现全面小康。

2007年农村全面小康综合表（新疆）

指 标	单 位	总体小康值	全面小康值	实际值	权 数	实现程度
A、经济发展					29	-2.6
农村居民人均可支配收入	元/人	2200	6000	2404	20	5.4
第一产业劳动力比重	%	50	35	51.1	5	-7.3
小城镇人口比重	%	16	35	9.1	4	-36.5
B、社会发展					20	60.2
农村合作医疗覆盖率	%	10	90	81.6	8	91.5
农村养老覆盖率	%	1.8	60	1	4	-1.4
万人农业科技人员数	人	1	4	1.7	4	23.3
农村居民基尼系数	-	0.35	0.3-0.4	0.4	4	100.0
C、人口素质					15	-12.7
平均受教育年限	年	7.4	9	7.4	12	0.0
平均预期寿命	年	69.5	75	66	3	-63.6
D、生活质量					23	52.5
恩格尔系数	%	49	40	40	4	100.0
居住质量指数	%	18	75	52.3	11	60.2
农民文化娱乐支出比重	%	2.5	7	2.8	3	6.7
农民信息化程度	%	28	60	36.0	5	25.0
E、民主法制					6	5.3
农民对村政务公开的满意度	%	55	85	45	3	-33.3
农民社会安全满意度	%	60	85	71	3	44.0
F、资源环境					7	-14.3
常用耕地面积变动幅度	%	-0.3	0	4.0	3	100.0
森林覆盖率	%	16.5	23	2.9	2	-100.0
万元农业GDP用水量	立方米/万元	2600	1500	6153	2	-100.0
农村全面小康实现程度合计					100	20.8

4 第四部分 社会主义新农村建设经验与案例

东部地区新农村建设经验与案例

一、和谐富裕 —— 挂甲峪村

北京市平谷区大华山镇挂甲峪村，这个在上世纪80年代还是远近闻名"光棍村"、"贫水村"的穷山窝，通过改革开放30年的探索奋斗，发展成为北京市规模最大、最知名的新民居之一。昔日"羊肠路，荒山头，吃水贵如油"，今日"富民路，果枝头，村民住别墅"，2007年，全村经济总收入达到1800万元，集体总资产经评估达1.5亿元，旅游收入749万元，农民年人均纯收入1.1万元，比全市农民人均纯收入高1441元。几十年来，挂甲峪村积极融入改革开放的浪潮，全村460人见证了改革开放给自身的发展带来巨大的变化。

（一）翻天覆地：挂甲峪村发生巨大变化

挂甲峪村位于区域北部深山区，距平谷城区25公里，三面环山，面积5.5平方公里，全村146户人家，460口人。30年来，挂甲峪村遵照中央和市委的农村发展精神，在区委"旅游富民，科学规划，建设社会主义新农村"的发展战略指导下，在历届村党支部的坚强领导下，顽强拼搏、不懈努力，从修山路拔穷根到招商引资办企业再到迈上社会主义新农村建设的新征程，挂甲峪村走出了一条从本地域特点出发，以绿色环保为前提，以产业发展为支撑，以提高村民生活质量和生活水平为目的，建设具有山区特色社会主义新农村的道路，初步形成生态型、可持续、科学发展的新格局，“荒山野岭鸟不栖，有女不嫁挂甲峪”的山沟沟，而今成为京郊有名的水果之乡和旅游景地。

沿着5公里长的观光山路峰回路转，让人感觉到一股波澜壮阔的力量。“唯有牺牲多壮志，敢叫日月换新天”，一排排整齐的小别墅就像珍珠一样嵌在这层峦叠翠中，新农村建设的画卷也从这里栩栩展开：

为改善村民居住条件，村里统一规划、统一设计、统一施工，建造别墅式楼房农户新居，均为二层结构，分大户型、小户型两种。大户型建筑面积196平方米，八室两厅；小户型建筑面积176平方米，五室一厅。基础设施齐备，功能齐全，具备现代生活条件，设有厨房和卫生间，用生物质气化炉做饭，太阳能板取暖，冬、夏都能洗上热水澡。一期工程建造71幢，均已交付使用，二期工程70幢，也正在建设中。这样的楼房新居，整洁宽敞，还有个用铁栏杆围着的院落，种些花草蔬菜，除供自家使用外，还可开展民俗旅游，接待客人食宿。“坐家当老板，靠房来赚钱”，这已不仅仅是单纯的自家居住的生活资料，而又是经营赚钱的生产资料了。已住上新楼房的农户，称这是“聚宝盆”、“黄金屋”。

（二）生活宽裕：新农村建设道路越走越宽广

住着“黄金屋”，端着“聚宝盆”， 挂甲峪村经过30年的发展，生活发生了翻天覆地的变化。

1．收入快速增长，货币收入比重不断提高

挂甲峪村居民人均收入由1978年的38元提高到2007年的1.1万元。尤其是2004年以来，中央和国家一号文件的连续公布，更是为农村居民收入持续快速增长带来了新的契机，人均年收入以21%递增。

2007年，随着社会主义新农村建设的不断推进，农家院和民俗旅游的蓬勃发展，全村农民全年出售产品收入提高到1522元，占总收入的比重为14%。

2．生活质量不断提高，生活品质不断加强

居住状况极大变化。较长一段时间，农村居民住房条件较差，房屋比较简陋，土坯墙的草顶、瓦顶房居多。如今，一幢幢新颖、别致的小别墅拔地而起，成为改革后农村最直观、最明显的变化。2007年末，挂甲峪村平均每户使用住房面积为180平方米。

家庭耐用品不断丰富。2007年末，平均每百个农村住户年末拥有电视机110台，电冰箱105台，洗衣机100台，一些农户还购买了录像机、照像机，空调、电脑也已进入部分富裕农户家庭。

（三）雨后春笋：乡村各产业快速发展

1．形成了保障全村经济与社会发展的产业支撑

全村组建起了工业、农林、畜牧、旅游、物业管理五个公司，形成了统一管理的企

业集团，为全村的发展不断做出新的贡献。其中的北京天甲容器附件有限公司，2007年实现销售收入642万元，利税110万元。公司的良性运营，增加了村集体经济收入和村民个人收入，解决了村富余劳力的就业问题。

2．以果品为主的农林各业全面发展

全村果树种植面积达到1200亩（其中推广有机果品600亩），种植大桃、柿子、梨、核桃、大枣、栗子、杏、山楂等各个品种果树15万棵。这些土地、果树以承包的形式分配给一家一户经营，一定30年不变；再以自愿入股的方式集中到村农林公司，统一管理，逐步实现一坡一品、一沟一品、一岗一品的规模化经营，提高果品的质量、产量和销售效益。2007年，全村果品总产达到1782吨，人均果品收入7748元。

3．山区民俗旅游成为支柱产业

挂甲峪村三面临山，村南海拔624米的老官顶是平谷中部秀峰之一，层峦叠嶂，登绝顶可观日出，远眺密云水库和北京城。村域内万亩山场林茂草丰，空气凉爽湿润，环境清幽寂静，更兼食宿便利，成为度假、避暑、疗养、健身的好去处。每年6月上旬至11月上旬，可开展旅游采摘活动。临近周边地区还密布着老象峰、丫髻山、大峡谷、西峪山庄、世外桃源等多种旅游风景区，与挂甲峪景区形成互利优势。挂甲峪村成立了专门公司，把旅游业作为全村的支柱产业来经营，2007年，接待游客达10.3万多人次，最多一天接待3000多人，实现旅游收入749多万元。

（四）乡风文明：远方的客人请你留下来

随着挂甲峪村社会主义新农村建设的不断推进，村民在物质生活丰富的同时，精神生活也日益丰富多彩。为丰富村民文化娱乐活动，村委会在新民居区修建了约500平米的健身场，安装了各类健身器材；与多家市级文明单位携手共建，广泛开展“城乡携手迎奥运，共建文明京郊行”活动，新建了藏书1万多册的图书阅览室供村民学习充电；村民搬入新居后，共建单位赠与了村民每户一台电脑，村委会及时整合网络资源，利用“数字家园”及“科技远程电教室”，经常对村民进行电脑知识培训；利用村“文明大院”的电教室，办起了全区第一个“村级中专班”和成立了“村民劳动就业培训基地”；村委会经常请专家为村民讲课，传授果树栽植、修建技术和民俗旅游经营管理知识；定期开展爱国守法，明礼诚信，团结友善，勤俭自强，敬业奉献的公民道德教育；为丰富老百姓的业余文化生活，村委会组建了秧歌队、小剧团，节假日、黄金周期间，村里请有名的剧团来挂甲峪演出，给群众一道别具风味的文化大餐。精神生活的不断提高，使挂甲峪的老百姓活得更舒心、过得更滋润，挂甲峪人以淳朴的乡风、饱满的精神面貌时刻迎接来自四面八方的朋友。

（五）阡陌交通：新农村建设蒸蒸日上

在坚持环保的原则下加强基础设施建设，挂甲峪领导班子动员全村人力物力，集资330万元，修建水泥路面的盘山公路总长38公里，到达山上各处，使上山管理果树的村民大大减轻了劳动强度，更方便了游人上山游玩，生产、旅游双收益。

发展集雨节水项目，巧用八方来水，包括地下浅层水、山泉水、偏坡水、路面水、街道水、河沟水、庭院水、房檐水等，建大集水池、小截流、小塘坝、小水窖等水利设施120余处，铺设地下节水管道18公里，全年可集雨水10万多立方。

推广新能源综合利用，在上山水泥路沿途和村街道一侧安装太阳能路灯260余盏，节约用电，增强照明。果园内安装数百盏光能频振式杀虫灯，有效减少了农药使用。新建设的农户别墅式新居，用太阳能取暖，用生物质气化炉做饭，一户200多平方米的居住用房，全年可节约煤、电用费8000余元，而且取缔了煤渣、粉尘和黑烟排放，有利于保持村内的空气清新。村党支部书记张朝起在“2006年北京节能环保高层论坛☆可再生能源利用与新农村建设”会上，以《发挥山区优势，实现能源综合利用》为题作了发言，受到与会领导和专家的好评。

（六）管理民主：人人都是新农村建设的主人翁

多年来，挂甲峪村在围绕农民增收、加快经济发展的同时，切实抓好村级基层组织建设。充分发挥党支部的核心领导作用，下大力量加强村级基层民主政治建设。村党支部、村委会先后制定了《挂甲峪村民主管理制度》、《挂甲峪村财务管理制度》等一系列规章制度，促进了全村政治稳定和经济发展。

由于村里的基础设施建设项目较多，在一些重大开支上，村党支部都要召开党员和村民代表会议，与党员和村民充分讨论协商，认真听取大家意见，并形成统一的决议。在财务管理上，严格执行村务公开制度，凡是入账凭证都要经过村民民主理财小组严格检查和审批，对来源不清，有出入的票据均不予报销。同时，他们还按照上级规定，每半年召开一次村民代表大会，向村民汇报工作，公布由镇村帐托管办公室严格审计的财务收支情况，真正做到清清楚楚、明明白白。

挂甲峪人永不停步，他们根据市第十次党代会“全面推进社会主义新农村建设”的部署要求和平谷区委“工业强区，旅游富民”的发展战略，规划了今后一个时期的努力方向和行动步骤。以果品、旅游、工业三大支柱产业为龙头，发展和壮大村集体经济实力，增加村民收入。扩大果树种植面积，加强果树管理，增加果品产量和销售量。提高旅游档次，增辟新的景区，完善服务设施，扩大旅游宣传，吸引更多的游客来挂甲峪民俗旅游度假村，停留更长的时间，享受更多的山野自然休闲乐趣。发挥辐射作用，带动周边村庄共同致富。在互利互惠的原则下，选择适当的村建厂办企业，与周边景区形成为旅游圈，相互作用增加旅游客源。工业企业进一步提高产品质量，扩大销售渠道，增加经济效益。组织各类培训，提高村民整体素质，引进人才，引进技术，使全村的经济和社会发展向更高层次推进，以超常规、跨越式的发展步伐，使社会主义新农村建设取得更好成绩。通过新农村建设再生能源的综合利用，使挂甲峪村亮起来、暖起来、循环起来，和谐起来、文明起来、富裕起来。

二、河北邢台市前南峪村发生历史性变迁

前南峪村地处邢台市西部60公里的太行山深处，全村386户，1340人，耕地746亩，宜林山场8300亩，人均6分田、7亩山。 党的十一届三中全会之前，前南峪是邢台县有名的吃粮靠统销、花钱靠贷款的穷村。1978年，全村粮食产量仅有26万公斤，集体纯收入11万元，还背着几万元外债，人均收入只有57元。到2007年，集体纯收入提高到1060万元，人均纯收入6058元。并获“全国造林绿化千佳村”、“小康建设示范村”、“全国先进基层党组织”、“全国创建文明村镇工作先进单位”、“全国民主法治建设示范村”、“全国百家工业农业示范村”等多项殊荣。

（一）科技兴山，生态富民

党的十一届三中全会后，该村选择了适合本村经济发展的集体专业承包责任制，发扬艰苦奋斗的抗大精神，集体经济不断发展壮大，村民共同富裕。十条大沟全部建成高标准生态经济沟，栽植各种干鲜果树23万多棵，果品收入由4万元增加到586万元，仅此一项，人均收入4000元。林木覆盖率达90.7%，植被覆盖率达94.6%，被誉为太行山最绿的地方，成为河北省山区开发建设的一面旗帜，被评为“全国造林绿化千佳村”，荣获环境保护“全球五百佳”提名奖。1984年以来，先后办了15家村办企业，组建起邢台前南峪农业开发有限公司。2005年以来，改造了以冶炼为主的三家污染企业，办起了板栗加工厂、果品冷藏库和三星级宾馆，企业年产值在8860万元以上，每年拿出300多万元，用于农业基础设施改造和建设，为村域经济发展注入了活力。因此，生态环境发生了根本变化，经济快速发展，村民生活水平显著提高。集体经济的壮大，改善了村民生活，促进了精神文明建设。85%的村民住进集体投入一半资金建筑的两层楼房。村民享受免费吃水、免费浇地、免费义务教育、集体按人口供应燃料液化气，全年每人享受400元节日补贴和报销70%药费。65岁以上村民享受退休金，老党员按党龄享受补贴。户户安装了家庭电话、有线电视，购置了现代家具，216户安装了电脑。1994年，率先被河北省政府命名为“小康建设示范村”；1996年，村党委被中组部授予“全国先进基层党组织”；1999年荣获“全国创建文明村镇工作先进单位”。2005年，荣获“全国文明村镇”，被确定为“全国民主法治建设示范村”。

（二）开拓创新，二次创业

进入新世纪，紧紧围绕全面实现小康社会的总目标，大胆开拓创新，实施“二次创业”，使“太行山最绿的地方”变为“最富的地方、最美的地方”。从2001年开始，调整产业结构，三年时间实现“三个转变”。即从经济沟建设向生态观光旅游高效林果业转变；从粮食作物种植向高效作物种植转变；从高耗能重污染企业向干鲜果品深加工企业转变。在新特果树示范园区，投资1380多万元，建水泥浆护地坝8万多立方米，开发高标准水平梯田346亩，栽植了各种新、特、优果树2万多株，配套了美化绿化带，种植了优

种观赏性花木，建起万邦珍果园，配套了喷灌、微喷、管灌等节水灌溉设施，并建有水利展厅。完成澳大利亚油桃、乌克兰大樱桃、美国葡萄、树莓、杏扁和凯特杏等八大品种引种试验。2003年，科技示范园被省科技厅认定为〞农业科技园区〞。园区内设置有植物造型、绿色长廊、抗大、科技、少儿三大碑林、百丈瀑布、山涧浮桥等景观，安装有化山载人索道。2002年，被国家旅游局命名为“全国百家农业生态旅游示范园”。在革命传统教育区，精心打造了红色旅游产品，抗大陈列馆、纪念碑、大型浮雕等系列设施，让人倍受启迪。每年前来参观考察、观光旅游的各级领导和中外游客达20多万人次。2005年3月，被确定为全国100个红色旅游经典景区之一。随着经济沟的改造升级，2006年，被批准为国家森林公园和国家水利风景区。实施开发的太行山低山片麻岩生态观赏林景观建设技术，也被鉴定为国际同类项目领先水平。前南峪被省委、省政府确定为“农村现代化建设试点村”，全国劳模、党委书记郭成志连续三届当选为全国人大代表，被评为全国新农村建设功勋人物。

（三）与时俱进，创建文明生态村

2003年以来，全面落实河北省委、省政府关于创建文明生态村的战略决策，投资150万元兴建了文化广场，投资120万元建设文化大院，完善了教育、科技、文化、体育等公共活动设施，购置了100多种文体器材和3000多册图书，建起村民服务中心、文化信息资源共享工程和农民艺术活动中心。投资800多万元用于道路硬化、街道净化、村庄绿化，8公里环山绿色通道拓宽5米并硬化，开通旅游专线，街道安装了彩虹灯，建起休闲、娱乐花园和人工湖。住楼户由传统露天坑厕改为水冲厕所，并建起公厕5个。建立起长效卫生机制和监督检查制度，落实“门前三包、户内达标”责任制。街道环卫队每天清理打扫，家庭垃圾实行袋装化管理，定点存放，定时清理。如今的前南峪村容村貌、村风民俗发生了巨大变化，生态环境和农村经济和谐发展。村务管理民主、规章制度健全、邻里和睦团结、生活幸福美满、社会秩序安定，三个文明共同发展，被确定为“全国百家工业农业示范村”，受到各级领导的充分肯定。2006年6月18日，时任中央政治局常委、国家副主席曾庆红视察后，深情地鼓励说：“你们搞成这样不次于江南”，“你们的环保意识、生态意识很强，符合科学发展观，前南峪是山区建设的一面旗帜”，“你们不愧为全国文明村”。

三、新农村建设的“武进版本”探索武进特色的新农村之路

自中央提出新农村建设号召以来，武进区开始探索武进特色的新农村建设道路。2006年，以“五镇十村”为代表的新农村示范点建设开始启动；2007年，一个以“雅浦版本”为代表的村庄整治全面兴起；今年，武进区决定开展为期三年的“千企联百村、共建新农

村”活动，开始了以工促农、以企带村联动发展机制的探索。

区委、区政府高度重视，年初全区农村工作会议专门对“千企联百村、共建新农村”作出部署；区领导多次召开座谈会，对活动推进进行专题研究，并推出了民营资本参与新农村建设的一系列政策和举措；通过组织举办民营企业家新农村建设座谈会、结对签约仪式等形式，努力为民营资本参与新农村建设构筑平台。

“千企联百村、共建新农村”活动得到武进民营企业家们的强势回应，在全区“爱国敬业诚信守法贡献”先进事迹汇报会上，工商联全区执委对武进区广大民营企业家发出活动倡议。到4月底，武进区首批已有1680家企业与218个村结对，共建新农村项目870个，企业协议资助新农村建设资金突破2亿元。其中，不乏出资1000万元以上的大企业，也有一些规模小、成长型的企业，大家出钱出力、献计献策，积极为新农村建设办实事、解难题，充分展现了武进企业家关心农业、关注农村、关爱农民的情怀。

（一）村企共筑新农村建设平台

“千企联百村、共建新农村”的实践探索，推动村企之间，从原先简单的资金援助，走向项目投资、公益建设等全方位合作，搭建了新农村建设的崭新平台。

锣鼓喧天，笑语喧哗，长虹村广场上，一群年逾半百的老人身披红衣，兴高采烈地排演节目……今日长虹村，鸟语花香、绿树成荫、高楼林立，在新农村建设的征程上，百兴集团走出了一条独具特色的新农村建设之路。位于城区的长虹村，成为武进区新农村建设的一个新样板，昭示新农村建设的新思路。

2005年，百兴集团开始为发展湖塘纺织业而重新规划，建设中国湖塘纺织城。总投资12亿元的湖塘纺织城，为长虹村的农民带来了利好消息，百兴集团董事长茹伯兴在保障农民权益的同时，也为农民建成了一个满意的家园。茹伯兴与湖塘镇、长虹村的干部们一起考察了新农村建设尤其是安置小区建设问题，同年，江苏百兴房地产开发有限公司根据规划，开始在近200亩土地上建设新的长虹村。

艺林园花木有限公司与嘉泽镇的朝东、金鸡、周庄三个村结对共建，除出资帮助村里修桥铺路外，主要通过“公司+农户”、无偿服务、股份制三种模式带动村民共同致富。同时，负责提供引进苗木、技术支撑、产品包销等全程服务。

侨裕集团在不断改善殷村硬件环境的同时，建造了10万平方米的文化健身中心、自然生态公园，促成常州文化艺术学校与泰村实验学校的联合办学。通过广泛开展各类培训，让村民们在技能培训中得到文化的洗礼和艺术的熏陶，进一步推动“殷村文化村”的建设步伐。

常州家绿园艺有限公司出资2000万元，在三勤村委提供的350亩土地上，投资成立常州市三勤花卉产业园区。“家绿”把花卉租赁给村民种植，村民只需经营和种植好自己租赁的苗种，“家绿”将统一收购，并负责花卉的销售。

江苏卡特石油新能源有限公司总经理张伟明在开发生物柴油的同时，结合武进区

“千企联百村、共建新农村”活动，配合村庄绿化项目种植了被誉为“绿色原子弹”的乌桕，绿化了村庄，致富了村民。

（二）因地制宜的发展模式

随着“千企联百村、共建新农村”活动的不断深入，武进各地因村制宜，在探索实践过程中，形成了一批符合实际、行之有效的共建形式和成功典型。

直接参与型。民营企业家用企业经营管理的理念、方法建设和管理村庄，并通过增加村民在企业的就业、企业参与村公共事业建设等途径，加快农村的建设和发展。

村企互动型。依托村所在地企业与所在村的经济联系及历史、地缘、人缘关系，一方面企业支持所在村的建设和发展，另一方面当地村民为企业的发展提供便利和部分要素的供给，两者之间实现发展的融合与共赢。

合作开发型。以项目合作开发建设为纽带，民营企业出资金，村里提供土地、劳动力资源，实现企业拓宽发展空间与村庄整治建设、村集体经济壮大和农民收入的增长。

产业带动型。企业通过在农村建设农业原料基地、产品配套基地、劳动力供应基地等形式，带动当地产业发展和农民转移就业，增加农民收入。

经济顾问型。让一批素质好、见识广、责任心强的民营企业家担任村经济顾问，帮助村里理清发展思路，对村庄建设管理提供参谋、咨询和资金帮助。

公益捐助型。企业家源于地缘、乡情和亲情，捐资参与家乡、企业所在地的各类公益设施和福利项目建设。

四、沧桑巨变大港村

位于“童装名镇”——浙江省湖州市吴兴区织里镇的大港村，地处太湖南岸，距织里镇中心约2公里、吴兴区约20公里。全村有23个自然村，65个村民小组，总户数1245户，常住人口5286人，村域面积7.8平方公里，耕地面积6003亩，桑地1072亩。2007年全村实现农村经济总收入23.1亿元，人均纯收入13578元，是织里镇经济发达、社会稳定、生活富裕、环境优美的行政村之一。

（一）大港民营经济快速成长

大港村的民营经济发展从无到有，从小到大，从大到强，支柱效应明显突出。1992年，大港印染有限公司在该村建立，标志着大港村民营企业进入了快速发展期。国内纺织印染行业的“巨人”——大港集团作为大港村经济的重要支柱，对推动整个村级经济起着关键性、决定性的作用。大港村立足本村实际，带领全体村民，走上了“以大港集团为龙头，带动民营经济全面发展、村民共同富裕”的致富之路。大港集团公司己下设8家分公司，2007年实现工业总产值15.8亿元。受童装为支柱产业的织里城镇的辐射和带动，大港人在企业工作、经商、办企业的越来越多，2007 年底，全村有经商户 292 户，童装经营户 365 户，企业工作 376 户，从事非农经营的农户达 83% 以上。

（二）高效农业快速发展

非农经济的迅速发展，带动了集体经济的进一步壮大，加快了农业产业结构调整的步伐，推动了高效农业的发展。1978 年村两委班子在深入调研的基础上，提出了“优化农业结构、向土地要效益”的口号，对全村 4250 亩农田进行标准化改造，建成了织里镇第一个农业标准化园区，提高了农业产业化水平，并按市场需求，在保证全村口粮供应的基础上，花大力气进行农业产业调整，改变种植模式，农业生产在结构得到优化的同时，实现生产规模化、效益最大化，全村的农业生产方式进一步向现代农业方向发展。

（三）人居环境明显改善

大港村一幢幢高楼拔地而起，村容村貌焕然一新，农村城镇化已初见成效。1978 年大港村农民住房 95% 以上是旧平房，5% 左右是木质结构楼房，30 年后村民的住房全是楼房，其中约占 30% 的村民已在织里中心城镇、湖州、上海等地购房居住。富裕起来的大港村集中财力进行了农村现代化改造。根据规划，村里每年投入大量资金改善村容村貌，逐年推进，积小胜为大胜，使村民居住环境发生了翻天覆地的变化。各具特色的工业区、商业区、居住区、文化设施区基本形成。宽敞洁净的工业厂房、美观实用的公寓楼群、一应俱全的服务设施、独树一帜的农民广场、门类齐全的健身场所满足基本生活需要。城乡差距越来越小，“务工不离乡，购物不进城，读书不出村”已成为大港人生活的真实写照。

（四）农村基础设施日益完善

改革开放以来，经济实力不断壮大的大港人，大力改善农村基础设施。1978 年大港村农民喝的全部是河泊水，1993 年全村才用上村水塔的自然水，到 1999 年全村基本上户户通自来水。对全村的所有河道进行彻底的清淤，共清理河道 26 公里、砌石护岸 3800 米。彻底取缔露天茅坑，埋排污水管 5 公里、窨井 86 只、修建污水处理站 3 处。改造电线线路，安装路灯 260 只。河道净化率、民宅白化率、道理硬化率、村庄亮化率、卫生洁化率都达到 100%，村庄绿化率达到 35%。村级道路都铺上了水泥路、沥青路，出行条件得到明显改善。村内交通便利，申浙苏皖高速公路自东向西、大港路自南向北贯穿全村，形成村村相连、村村畅通的交通体系。

（五）农村科教水平逐步提高

30 年来，大港人重视农村教育，积极提高农民的科教水平，农民素质明显提高。从 1978 年前教育设施设备简陋、缺乏，到 2007 年雄厚的师资力量、功能齐全的教学楼；从 60% 的儿童入学率，到九年义务教育的全面普及、学生学杂费的全部免除；从一个村 40 岁以下的文盲占大多数，到高中文化程度以上的劳动力比重达　20%；从农户的种养殖技术全靠祖传，到经常开展的农村实用技能技术培训；从农民大多数只从事农业生产，到农村劳动力大部分已向二、三产业转移，特别是转向如雨后春笋般拔起的民营企业，劳动方式明显转变，大港农村教育和农民技能水平正逐步提高。

（六）农村社会保障体系不断完善

经过大港人的多年努力，村民的社会保障体系逐步建立和完善，解除了村民的后顾之忧。在二十世纪九十年代，社会保险还未在乡镇推行，大港集团就为本村在大港集团工作的村民办理了商业养老保险。同时，村里又为在企业工作的本村村民办理了社会保险，相当一部分村民退休后的生活得到了双重保障。对于不符合办理养老保险条件、又在本村企业工作时间较长的退休村民，村委会每年拨款及时发放退休工资，以确保该部分村民老有所养。从2004年起，全村己连续5年参加了新型农村合作医疗，参保人数达到100%，为村民提供了生活保障，减轻了村民的医疗费用负担。村委会积极向村民宣传各类保险知识，动员有条件的村民办理各类商业性的财产险、人身险、医疗险等。大港村的村民都已办理了适合自己需求的保险，为自己和家庭的将来未雨绸缪。

在改革开放30周年之际，大港人站在新的起点上，用科学发展观来更新观念、创新机制，积极探索新农村建设的新路子。

五、抢抓机遇 致力发展——沿州村改革开放三十年发展成就

沿州村地处福建省福鼎市白琳镇东北部，临海靠山，交通便捷，省道974和福宁高速公路穿村而过，距集镇15公里。全村陆地面积9.5平方公里，海域面积3平方公里，耕地面积3180亩。现有976户3680人，村干部7人，党员51人，是白琳镇第二大行政村，也是福鼎市社会主义新农村建设十个示范村之一。1998年以来，先后获得“省级先进基层党组织”和“省级文明村”、福鼎市“小康先进性和新农村建设示范村”等荣誉称号。2007年工农业产值达到6000万元，村财收入达60万元，农民人均纯收入5262元。

（一）农村经济结构明显优化

改革开放以来，沿州村立足实际，转化各种优势，不断加大农业产业结构调整力度，大力发展农户经济，走出一条“依山建园区，靠海建基地，壮大产业奔富路”的发展路子，实现了由原来单一的传统农业向多种经营农业转型。

一是加快建设优势农产品，积极发展特色农业和生态农业。经过发展，全村现有万口海上网箱养殖，从业人员有300多人，年收入5000万元，是农民的主要收入来源之一。作为福鼎市重点网箱养殖基地之一，该村吸取小网箱不能抗大风浪的教训，先投入资金40万元引导组织有条件的养殖户试养抗大风浪的大网箱40口，在养殖户普遍认可后进行大面积推广，大大增加了农民收入。由于沿州村海堤地势低洼易涝，对农作物种植业生

产极为不利，生产效益低，造成垦区内大部分田地闲置以至抛荒。针对这种状况，沿州村引导农户采取出租土地或作价入股形式发展淡水养殖，2007年发展淡水养殖200亩，主要养殖草鱼、鲢鱼等，每亩纯收入4000元，仅此一项人均收入就增加200多元。同时沿州村还利用本村土壤、气候条件，试种大蒜300亩、蚕豆200亩，预计每亩收入2000－3000元。

二是引进项目发展生产，发展非农产业，调整优化经济结构。2006年引进资金120万元创办现代新型机砖厂，解决了100人富余劳动力就业问题；2007年发展紫菜养殖200亩，投资150万元创办了福鼎市沿州紫菜精深加工厂，年创产值500多万元，年收益30万元，吸收劳动力100多人。日前又引进浙江台州客商在沿州村小白岩及渔科征地600亩、投资8个亿、创办造船厂项目，目前项目报批及征地工作基本结束，该项目建成后，将实现产值30亿元，解决1000人的劳动力就业问题。沿州村充分发挥优势，已形成良好的招商引资氛围，这将对该村新农村建设提高农民收入产生积极影响。

三是开展农村劳动力“阳光工程”培训，做好富余劳动力转移。自开展新农村建设以来，不断加大劳动力转移培训力度，继续支持新型农民科技培训，增强农民转产转岗就业能力。先后举办多期以海产养殖、电工、玄武岩切锯为主要内容的技术技能培训班，受训人数达到300人，并有100多人到福鼎市星火工业园区成功就业。

（二）村容村貌日新月异

在开展新农村建设过程中，沿州村充分认识到规划是建设好社会主义新农村的基础，沿州村聘请了福建省村镇建设中心和市建设局完成新村规划新一轮的修编，高起点、高标准，按照“布局合理，设施配套，环境整洁，村貌美化”的目标要求，实现规划一步到位，建设分部实施。到目前为止，沿州村共投入资金500万元，实施新村建设，共完成村内水泥道路硬化4公里，建成新村环岛、绿化带、排污沟，建成日供水200吨的自来水厂、沿州农贸市场、农民体育场、卫生公厕等项目，完成千亩海堤除险加固，有101户410人实现造福工程搬迁。目前全村已有400多户按照规划新建了住宅，大大改善村民的居住和生活环境，村容村貌焕然一新。在被确定为“开展农村家园清洁行动”试点村后，沿州村又投入资金15万元，建设规范垃圾填埋场，在新区内添置生活垃圾吸集器，雇请清洁工，做到日产日清，并推行垃圾袋装等一系列环境卫生制度，清理村所在地河道1000米，新装路灯17盏，改建下水道300米，保证了新农村的环境卫生。目前全村道路平坦，路灯通明，村容村貌良好整洁。

（三）社会各项事业得到全面发展

在大力发展经济的同时，沿州村努力发展各项事业。该村不断完善村级敬老院，目前集中供养了15位孤寡老人，解决了他们的后顾之忧；建设村级规范卫生所，解决群众看病难的问题；全面推广农村新型合作医疗，2007年农民个人参保费用全部由村财负担，参保率达100%。同时，沿州村对在本村学校就读的困难学生给予生活补助；对考取高等院校的学生每人奖励1000元，进一步营造了尊师重教的氛围。此外，还投资5万元建设农民体育场，进一步丰富农民群众的体育生活，并在村部周围和人口集中区开设3个阅报栏，方便村民阅报。2007年有6户家庭获得“福鼎市文明家庭户”称号。村内治安良好，无刑事案件，呈现村民朴实、家庭和睦、社会和谐的景象。

中部地区新农村建设经验与案例

一、弘扬包产到户精神 建设社会主义新农村——农村改革三十年肥西小井庄的变化

山南镇是安徽肥西县西南重镇、全国改革名镇。小井庄村位于山南镇西南1.5公里，距省城合肥50公里，省道315穿境而过，南连国道206线，北接国道312线，交通便利。全村面积13950亩，耕地面积4709亩，共有27个村民组、965户、人口3612人。庄前有一口始建于清光绪年间的水井，长年不涸，小井庄由此而得名。

1978年秋，肥西县遭受百年不遇的大旱。安徽省委颁布了“六条”决定，允许借地给农民种“保命麦”。小井庄人率先实行了包产到户，很快带动全区，秋种进度快、质量好，于次年获得了大丰收，粮食除了自给外，还向国家出售余粮，一举改变了往年大集体生产一年忙到头还吃不饱穿不暖的窘况。小井庄人的创举震惊全国，引起了社会各界的关注。1979年5月21日和12月13日，时任安徽省第一书记的万里同志两次来到小井庄视察，访问农户，赞扬“小井庄干的好”，并主持召开了中国农村第一次包产到户座谈会，给予了充分的肯定。小井庄人的创举，也得到了邓小平同志的充分肯定，1980年5月31日，他在《关于农村政策问题》中指出“农村政策放宽以后，一些适宜搞包产到户的地方搞了包产到户，效果很好，变化很快。安徽肥西县绝大多数生产队搞了包产到户，增产幅度很大”。小井庄载入了中国农村改革的史册。

（一）农业综合生产能力大幅提高

1978年，小井庄主要靠刀耕火种的原始耕作方式。三十年来，小井庄以调整农业产业结构为突破口，大力发展养殖业和蔬菜大棚、瓜果等特色种植，农业生产取得翻天覆地变化。目前，全村已发展养猪大户2户，养禽大户5户，养鱼大户6户，种粮大户3户，蔬菜大棚面积500亩。2007年实现农业总产值597万元，是1978年的14.9倍。

农业生产条件明显改善。水利设施得到进一步加强，全村硬化沟渠17公里，涵闸、桥梁基本配套，有效保证了全村排灌的需要。村村通工程造福于民，5公里长的水泥路串连全村，为发展农业生产提供了强力支撑。农业生产机械逐年增多，全村已拥有大型农业生产机械63台，其中手扶拖拉机54台、旋耕机5台、收割机4台，基本实现了农业生产机械化。

农民收入不断增加。经过30年的不懈努力，特别是进入21世纪，随着新农村的建设快速推进和国家惠农政策的全面实施，2007年小井庄人均纯收入达到5500元，是1978年的84.6倍，成为在全省率先富裕起来的村庄。

（二）农民生活不断改善

三十年前，小井庄的农民生活水平很低，经常是吃不饱、穿不暖，住不好。今天，

小井庄人们按照“改革发源地、生态农业村、旅游观光点、小康文明村”的发展思路，向着全面小康社会迈进。

饮食方面，鸡、鱼、肉已经不在是老百姓的美味佳肴了，绿色食品、环保健康食品搬上了他们的餐桌；穿着方面，那些蓝布丁，黄牛皮的时代已经过去，替代的是时髦漂亮的衣物，名牌的衣服也随处可见；居住方面，土坯的房子已经成为古董，统一规划、统一建设、功能配套、环境优雅的小康住宅区已成为百姓生活不可缺少的一部分，实现了楼上楼下电灯电话的梦想；交通方面，5 公里的水泥路环绕着整个村庄，与 315 省道连接，交通便利。摩托车、自行车成为主要交通工具，小汽车也走进了部分农民的家庭；医疗保险和教育方面，新型农村合作医疗保险的实施，九年制义务教育学费的减免为百姓解决了后顾之忧；业余文化生活丰富多彩，这里已经建成了中国农村包产到户发源地小井庄纪念馆、小井庄育才图书馆、电子书屋、全民健身广场和农民公园等活动场所，成为小井庄人闲暇的好去处。

表 1　　改革三十年农民生活情况对照表

村　别	生活消费支出（元/人/年）		住房居住面积（平方米/人）		人均食品消费（元）	
	1978 年	2007 年	1978 年	2007 年	1978 年	2007 年
小井庄村	63	2840	8	40	47	1384

表 2　　改革三十年农民生活情况对照表

家用电器拥有量（台/百户）						通信设备拥有量（部/百户）			
电视机		冰　箱		洗衣机		固定电话		手　机	
1978 年	2007 年	1978 年	2007 年	1978 年	2007 年	1978 年	2007 年	1978 年	2007 年
0	120	0	80	0	60	0	100	0	140

（三）村容村貌根本改观

小井庄村原布局不合理，村庄内到处是垃圾，土地未得到充分利用。2006 年，按照“生产发展、生活宽裕、乡风文明、村容整洁、管理民主”的总体要求，小井庄村以发展农村经济为中心，以促进农民增收为核心，把土地利用和村庄集镇规划结合起来，大力实施新农村建设，彻底整治村容村貌。

新农村建设示范点初现规模。依托小井庄纪念馆，对村庄布局进行重新调整，规划并引导农户集中新建具有徽派建筑风格的新农村示范点，能容纳 236 户居民，建设面积 67033 平方米。目前，已建成统一风格的二层楼房 81 户，面积 23007 平方米，完成了示范点道路的硬化，给排水等基础设施也同步到位。

村庄基础设施明显改善。全村已绿化道路 9.5 公里，新建文化体育设施占地 1500 平方米，建成商业街面积 11000 平方米，在建功能齐全的幼儿园一座，对田、水、路、林、村实施综合整治规划，增加耕地面积219亩，农业生产条件和生态环境得到明显改善。

（四）旅游产业迅速成长

从一个不为人知的村庄成为集红色旅游、乡村旅游、新农村示范点为一体的爱国主义教育基地，小井庄发生了翻天覆地的变化。目前已建成100亩设施农业、150亩垂钓鱼塘、100亩桃园、1500亩经土地整理的优质高效农业示范区，这些设施农业可供游人休闲垂钓、农业观光、瓜果采摘、体验农家生活。纪念馆开馆以来，每年接待海内外游客2万人次以上，是合肥学院、安徽大学和解放军炮兵学院等多所大学的大学生社会实践基地。该村先后被评为中央文明百县千乡宣传文化工程点，安徽省历史文化名村，省少先队实践活动基地，县爱国主义教育基地。

二、赤家垅村创业致富“三步曲”

赤家垅村小组（自然村）位于安义县新民乡峤岭村，距县城11公里，是省级文明示范村、全省最大的“新民杨梅”基地、全省最大的冬瓜基地。同时，也是南昌市最具开发潜力的乡村旅游景区、安义县乡村生态一日游景区、省级社会主义新农村建设试点村。赤家垅村小组现有农户17家，村民78人，各类果园面积1100亩。2007年，人均纯收入达1.4 万元，是安义县最富裕的村民小组之一。

实施“一村一品”工程。随着国家改革开放政策的进一步开放，多种经营、调整产业结构等一系列支农政策的出台，赤家垅人瞄准市场，抓住安义县是南昌市郊这一地理区位优势，利用自己种植冬瓜的一技之长，调整产业结构，实施“一村一品”工程，把以前种水稻的农田改种成特色经济农作物，通过杂交组合，选育了“皮薄、肉厚、耐贮藏”的新民冬瓜为主打产业，直接供应南昌蔬菜市场，一亩冬瓜的产值相当于以往种植水稻的三倍。在赤家垅人的带动和辐射下，三年时间新民乡冬瓜种植面积达到5000亩。每年向蔬菜市场供应冬瓜达2600万公斤，赤家垅不仅成为南昌市政府“菜篮子”供应基地，而且新民冬瓜还远销到武汉、深圳、长沙等农贸市场，成为当地市民餐桌上的“绿色佳肴”。由于新民冬瓜除餐饮食用以外还具有美容、瘦身、滋阴、润肺等药物理疗功能，许多加工企业上门预订，供不应求。冬瓜成为了当地农民致富增收的一条捷径。赤家垅的知名度日益提高，成为了当时调整产业结构“一村一品”工程的亮点村、富裕村。

打造生态环境，发展旅游产业。赤家垅人大胆租赁承包了邻村的500亩荒山，从浙江引进了“个大、核小、含糖量高”的东魁杨梅，进行栽种，挖穴施肥，整枝抚育。不到5年时间，昔日的荒山郁郁葱葱，枝头硕果，披上绿装。培育花卉苗木基地、供应绿化市场，也成为赤家垅人的又一个经济增长点，每年150多万株花卉苗木流向全国各地。在赤家垅人不断努力下，当年渺无人烟的荒山秃岭，变成了四季花果飘香的绿色银行。“春有草莓蜜桃香甜可口、夏有雪梨杨梅阵阵飘香、秋有脐橙金黄一片、冬有寒梅雷竹含苞待放”，整个村庄被果树、花丛环抱，村在园中、园在村里。远离都市，空气清新，一流的生态环境吸引了许多周末休闲市民来此参观旅游。2007年6月，赤家垅举办了为期一个月的首届“南昌杨梅节”，开展摄影艺术展、安义形象大使选拔、品梅王、杨梅擂主赛等活动。赤家垅成为了南昌市农家乐乡村生态游的又一个新景区。

推进新农村建设。赤家垅人请县城建局专业人员来高起点要求、高标准设计，把农民建房与新农村建设同步规划，兴建了景区停车场，硬化拓宽了旅游公路，家家建起了别墅型小洋房，户户实施改水改厕工程，股份制农家饭庄正式对外营业，闭路电视、宽带网络，手机信号覆盖了整个赤家垅景区，总投资300多万元的旅游公厕、门票房、休闲凉亭等旅游基础设施全部到位。2007年，赤家垅仅接待中外游客3.2万人次，加上果业、农业、花卉苗木等其他产业，农民年人均纯收入达到1.4万元，成为了新民乡及至安义县最富裕的小康村之一。

三、新农村建设的典范——北徐庄村

北徐村位于临颍县杜曲镇北部，全村辖两个自然村，2500余口人，2400亩耕地。河南省北徐集团是北徐庄村办集体企业，位于临颍县北徐工业园区，东距京珠高速5公里，107国道、京广铁路3公里。南临省道逍襄公路，地理位置优越，交通便利，是个人杰地灵的好地方。走进北徐，望着宽敞整洁的北徐大道，大道两傍绿树成荫，鲜花吐芳，一座座工厂、一排排高大的厂房，马路上川流不息的人流、车流、物流。北徐村为社会主义新农村建设树立了一个好典范。

（一）经济发展壮大

北徐庄村曾是一个人多地少、靠天吃饭，人均收入不到500元的穷村。进入20世纪80年代后，在村党支部书记徐德全的带领下，全村干群大干苦干，走上了发展农村集体经济，实现共同富裕的发展道路。改革开放后，北徐庄村建了几个村办企业，但规模和效益都很小。1990年，在村办企业的基础上组建了北徐集团。董事长徐德全带领广大员工和村民，围绕农副产品精深加工做文章，走出了种、养、加相结合，贸、工、农一体化，产、供、销一条龙，具有北徐特色的发展之路。通过十多年经营发展，形成了粮食加工、饲料生产、生猪养殖、肉类加工和废污综合利用为一体的循环经济，造福后代的农业产业化发展体系。北徐集团成立之初，主要企业是小麦粉加工，年生产能力200吨，效益很好，在此基础上，于1997年又新建了年生产能力400吨的第二个面粉厂。在发展过程中，徐德全认识到，光搞面粉加工，产业结构太单一，小麦的潜力没有完全挖掘出来，于是就建了以小麦加工产出的麸皮为主要原材料的年产30万吨的饲料厂，并决定发展养殖业。养殖业是徐德全打造的完美产业链中最重要的一环。自1998年起，徐德全精心打造养殖航母，他重点放在种猪引进、种猪繁育推广上，决心把本地生猪品种改良提高到一个与现代农牧业发展、人们生活相适应的水平。1999 年，一个年存栏 6 万头，出栏 10 万头的第一良种猪场建成。2002 年，一个年存栏 10 万头，年出栏 20 万头的第二良种猪场再次建成投产。两个现代化猪场年出栏 30 多万头，徐德全为他起了个好听的名字叫“天蓬乐园”，以期望八戒的后裔们快乐地繁衍生息。通过科学的饲养和管理，徐德全依靠手中巨大的良种猪资源和年产 30 万吨现代化饲料厂，开始了他的百万头生猪基地建设计划，在临颍县及周边县市实施了北徐生猪产业化工程，向农民优价供应种猪、供应饲料、免费进行防疫服务、免费进行技术培训、企业优价回收商品猪。到 2005 年，徐德全的北徐工程一临颍县百万头无公害生猪基地年出栏 126 万头。到 2007 年，达到 150 万头目标。目前，雨润与北徐合建的年存栏 20 万头的大型现代化养猪场正在规划设计中，有望于年底动工，北徐集团将成为河南最大的良种猪繁育和商品猪生产企业之一。

养殖业给北徐庄村带来了巨大的经济效益，同时也产生了大量的副产品——粪便。徐德全从中又看到了新的商机。2006 年，徐德全以生猪粪便为主要原料，建起了沼气发电厂，通过充分利用资源，优化环境治理，加快生态体系建设，变废为宝，实现综合利用，循环经济、特色发展。2007 年，已投资 1800 万元建设了三期废污治理及沼气发电、供电和有机肥生产，沼液利用工程，村民生活用电及部分企业用电基本上自给自足。沼气发电后，产生了大量沼渣、沼液是优质的生物肥料，徐德全又用这些沼渣、沼液搞起了绿色植物种植。有机鲜蔬，河南从漯河开始，漯河由临颍北徐沼气发电综合利用而兴起。无公害蔬菜只是市场准入的一个门坎，是大众需求的普通产品，而有机蔬菜、有机农产品才是当今城乡居民追求的时尚消费品。利用沼气发电后的沼渣、沼液等副产品和生物资源是发展生产有机食品的得天独厚的条件。2000 亩有机蔬菜农业园应运而生。

从小麦加工到养殖，到沼气发电再到绿色蔬菜种植，徐德全探索出了一条农业循环经济的路子。这种农业循环经济模式，充分有效地利用了农业资源，优化了资源配置，保护了环境，促进了农村产业结构调整，大幅度提高了农产品附加值，也为社会主义新农村建设奠定了经济基础。

“种下梧桐树，引来金凤凰”，北徐庄村雄厚的经济基础和优越的投资环境，引来很多大型企业投资合作。自 2004 年以来，通过招商引资、强强联合、优势互补、对外合作的发展战略，以百万头生猪养殖北徐工程为平台，对外开展招商合作。2006 年 6 月 28 日，总投资 3 亿元的雨润北徐肉类食品有限公司成立并顺利投产，成为河南省肉类行业又一知名企业。在短短的半年时间里，该企业日屠宰分割量就超过 2600 头，正向日屠宰 3000 头、年度满负荷日屠宰 5000 头目标迈进。目前，一个占地 500 亩、含日屠宰生猪 1 万头及低温肉、速冻食品为一体的雨润北徐工业园正在加紧实施，不久一个超大型肉食品企业将矗立在中原大地上。

2006 年，全国饲料前三强的山东六和集团又与北徐集团牵手合作。目前，先后有河南广安生物科技股份有限公司、江苏雨润食品集团、山东六和饲料集团、河南金龙面业四家农业产业化重点龙头企业落户北徐。其中，江苏雨润集团、山东六和集团都是年产值近200亿元的全国500强企业，形成了二龙戏猪、三龙创业、五龙腾飞的良好局面。

十多年来，北徐村在徐德全的领导下，通过养殖、种植、加工、沼气发电、有机肥五环并举产业发展，形成了配套设施功能齐全的临颍县北徐工业园区。经济发展一年一个新台阶。2005年，实现工业总产值12亿元，利税8600万元。2006年，实现工业总产值14亿元，利税1亿元。2007年，实现工业总产值21亿元，利税1.6亿元。北徐集团成为中国食品工业100强、中国粮食行业10强、全国农产品加工示范企业、国家级生猪饲养农业标准化示范区、商务部国家活体储备基地。村党委书记、集团公司董事长徐德全被授予全国劳动模范、全国五一劳动奖章、全国优秀企业家、河南省优秀共产党员，并于2003年当选为第十届全国人大代表，2008年再次高票当选第十一届全国人大代表。

（二）生活宽裕

北徐庄村经过十多年的发展，社会主义新农村建设可谓先行一步，提前达到了小康水平。全村2500余口人，有1300多人在村办企业工作，工人全年人均工资及福利、奖金超万元。2006年，北徐村民人均纯收入达9600余元。全村年人均消费支出4500元以上，人均消费肉、奶、蛋1500余元。村里还在过年、过节时无偿人均分发猪肉、鸡蛋、牛肉、大米、面粉、挂面及优质鲜蔬、杂粮。全村人均住房达76平方米，新盖起别墅型200平方米两层楼房300套，可谓住房宽敞、生活富足。全村闭路电视、宽带入户率达97%，户均电视机2.2台，洗衣机、电冰箱、DVD、摩托车得到普及，部分人家还买了小汽车。村民生活水平已跨越小康目标。

（三）乡风文明

为了提高广大干部群众思想道德素质和科技文化水平，北徐庄坚持以科学的理论武装人，以正确的舆论引导人，以高尚的情操塑造人，以优秀的作品鼓舞人，重视培育有理想、有道德、有文化、有纪律的新型农民。多年来，北徐庄村实现了科教文卫体稳步发展。一是尊师重教，积极发展教育事业，村里1995年投资100多万元建起了三层教学大楼。每年对考上大学的学生进行奖励，同时，为了进一步提高群众的文化素质，在村里设立农技校。2006年，中央农广校在北徐庄村设立了北徐庄村中专教学班，建立了国家农业部农民教育培训基地，北徐成为全国第一家中央农广校普及职业教育示范村。二是建有文化科技大院、农民娱乐中心、图书室、阅览室、全民健身设施、远程教育中心等配套设施，为村民提供了学习娱乐的好场所。三是计划生育工作扎实推进，群众的生育观念得到了改善，自觉执行国家的计划生育政策。四是积极开展新型合作医疗体系建设，成立了新型合作医疗领导组，落实卫生防疫措施，提高群众健康素质，实现了小病不出村，保彰了群众的身体健康。五是组建北徐庄村好媳妇军乐团、狮舞队，每年开展北徐杯民间艺术大赛。每逢农历3月15日庙会，先后请省曲剧团、省豫剧团等十多家文艺团体到村里演出。丰富群众的文化生活，占领文化阵地，防止邪教传播、封建迷信、色情暴力等不健康的东西危害村民，净化北徐精神生活环境。

（四）环境舒适

北徐庄村依照经济发展与环境保护双赢的目的，首先实行工业园区与村民住宅区分离，合理规划使村民住宅区和工业园区、商贸、经济、文化娱乐区互相交映，和谐发展。首先是在原有食品厂、面粉厂、挂面厂、饲料厂、养猪场、方便面厂的基础上，又新建了生猪屠宰厂、污水处理厂，沼气发电站，带动了相关产业的发展，其次是完善北徐工业园区的配套设施，对原有道路进行了绿化、美化、亮化，使园区环境更美。2004年开始进行新村规划，先后新修柏油路12公里，住宅区实行统一规划，合理布局，每户独家小院，两层小楼，上下200平方米，现在已建成300户，并已搬进新居260户，第二批居民楼已动工兴建。新打1500米地热深井2眼，群众吃上优质干净矿泉水，生活饮用水合格率达100%。洗上温泉澡，并利用地热取暖。加强生态农业建设，利用现有空地，河道旁、公路旁、田间道路进行植树、造林，提高森林的覆盖率，使林木覆盖率达80%，农田林网化率达到92.2%。

（五）管理民主

民主管理是村民自治的高度体现，党员讨论会、村民献策会以及企业合理化建议会等在北徐已坚持了十多年. 村两会提出只换思想不换人，不换思想必换人，党员干部不仅要公而忘私，更要大公无私精神，每年都评比优秀党员、五好厂长、优秀支书，经常举办法律知识培训班，对党员、干部、职工进行法纪教育，提高法治观念，加强劳动纪律，提高职工遵守厂规厂纪的自觉性。成立了北徐集团人武部，组建了民兵营，设立了民兵连，形成了完善的社会治安防范网络。为了构造和谐社会，北徐庄村坚持民主管理、民主决策，公正、公开、公平地进行两委班子换届选举，实现了村务公开，财务公开制度化、规范化，赢得了民心，保证了北徐长治久安。

北徐庄村的巨大成就深深地震撼着每一个到过北徐村的人。北徐村能成为新农村建设的典范，因素是多方面的，但主要得益于：一是一套好政策，富农惠农政策好；二是一个好班子，在徐德全的带领下，组建了一个坚持心系村民，一心为公，艰苦创业，勤俭持家，立党为公，执政为民的两委班子；三是一种好精神，艰苦奋斗的精神； 四是一系列好思路，解放思想，与时俱进，大胆探索。

四、建设社会主义新农村的康庄大道

湖北省天门市岳口镇健康村现有13个村民小组，828户，3596人，耕地面积1800亩。村内有企业18家，总资产2.3亿元，其中固定资产7600万元，职工1200多人。2007年完成销售4亿元，利税1500万元，其中入库税金240万元，村民人均收入6150元。在各级党委、政府的正确领导下，健康村大胆解放思想，大力发展生产力，不断完善村级基础建设，努力改变村庄环境，带领村民走共同致富之路，一个欣欣向荣的社会主义新农村展现在世人面前。

（一）大力发展生产力

十一届三中全会前，健康村只有一家作坊式的小油厂，年加工棉籽、油菜业100多吨，职工20多人，年产值10多万元，直到1984年企业总产值才突破100万元，2000年销售产值突破亿元大关。2005年以来村党委、村委会根据上级领导的指示精神，结合本村工作的实际，始终把发展生产力作为建设社会主义新农村的首要任务来抓，企业实力和主导产品优势更进一步增强。一是加大固定资产投入力度，为生产力发展不断补充“血液”。2006年合福油脂投入1000多万元进行技术改造后，今年又投入1000多万元引进德国先进加工生产线；银田公司投入1200万元进行扩规，引进国内一流的生产线；诚鑫化工投入850多万元购进全新先进设备；养猪场投入500多万元进行种猪更新换代。确保了2007年全村企业销售突破4亿元，利润1500多万元。村委会从企业收取管理费240万元。二是着力培植农业产业链，让农副产品不断转化增值。围绕农业产业化这条主线延伸了三条产业链；以棉花制种为龙头，棉花生产配套服务、棉花精加工、棉毛纱粗纺、脱脂医用纱织造一条龙的棉花生产加工产业链；以油脂加工为龙头，油脚料精加工、棉花短绒、棉壳食用菌、生猪饲养原料一条龙的油脂加工产业链；以生猪养殖为龙头，种猪、仔猪、商品猪、生猪饲料、济加剂、生物有机肥一条龙的生猪产业链，在这三条产业链上就业的村民达1400多人，人平均收入在8500元以上。同时率先在市内成立了农产品产销专业合作社，对全村1800亩农田的棉花、油菜籽实行订单农业按保护价收购，每亩增收50-60元。三是打造了一批名牌产品，增强了市场竞争力。“健康之村”牌瘦肉型活大猪被湖北省名牌战略推进委员会评为名牌产品，湖北省工商局确认为湖北省著名商标，瘦肉型活大猪在香港市场上俏销不衰达20多年，在2007年月　日11月的武汉国际农业博览会上又获得金奖。“合福牌”油菜籽色拉油被国家绿色食品办授权使用“绿色食品”标志，产品畅销7个省市，在2007年11月的武汉国际农业博览会上获得“湖北省十佳畅销农产品奖”。“健康之村”牌棉油酸在武汉国际农博会上被评为“湖北省十佳特色产品”，成为中南五省最大的化工原料基地。湖北健康集团2000年至今3次被农业部等9部委确认为国家农业产业化重点龙头企业。

（二）带领村民致富

十一届三中全会前，健康村单纯植棉，1500多个劳力在2000多亩棉田“闹革命”，村民人均纯收入很难达到100元。经过30年的发展，2007年村民人均收入达到6150元。现在全村73.8%的农户住进了楼房。88.6%的农户安装了电话或配备了手机，87%的农户添置了摩托车，有83户购置了小轿车，有57户备有大型货车和农用车从事运输业务，100%的农户安装了电视机，90%的农户可以收看有线电视节目。

上世纪七十年代，健康村率先实行合作医疗，并一直延续至今。1990年，健康村投入100多万元，建起了初具规划的村级卫生院，配备了X光机，B超机等医疗器械。现在村内年过60的老人，独生子女生病均享受免费治医。由村委会出资补贴，每年补贴3万多元。新型农村合作医疗制度推行后，全体村民踊跃参加，参合率达到100%。

1995年至今，健康村对60岁以上老年人实行退休养老补贴，现在全村60岁以上老年人有440多人，村里每年补贴30多万元。按时发放给老年人，让老年人能够安度晚年。

村里有3名“五保”对象，由村委会出资送镇敬老院赡养，同时由村民代表会议评出了43名困难户，在村委会设立的困难户救助基金中给予救助。其中的6户特困难户，村里争取民政部门救助资金6万元，村里补贴3万元，帮助兴建和翻新了住房。每年年终村里给40多家困难户发送大米50公斤，鱼、肉各10斤，让他们同享健康经济发展的成果。

全村有劳动力1537人，在企业上班的有780多人，外出务工经商的440多人，在村范围内从事三产业的有180多人，从事农业生产的只有130多人。

（三）改变村庄环境

十一届三中全会前，健康村基础设施十分落后，只有一条通往城镇的砂石路。近年来村里投入大量资金，建成和完善了一批村级基础设施，并重点抓了村庄的环境整治。

1. 编制了建设规划

请中国地质大学、中南建筑设计院、天门市建委、天门市水利局、天门市园林局的专家和工程设计人员对村内的中心村建设、农田水利建设、高产农田整治、村庄园林绿化进行了规划和修编，形成了村庄建设的指南。

2. 改变了村庄环境

投入150万元建成了2.8公里的健康水泥主干道；建成了5.7公里的渣油组级公路，建成水泥连户路11.2公里，做到农户出门不踩泥，修建排雨、排污沟5400多米，保证雨住路干。同时铺彩色地面砖1300多平方米，新建垃圾回收池100个。今年还将完成剩余4个村民小组的环境整治。

3. 夯实了农业基础

2005年投入40多万元建起了两座80千瓦电灌站；投入60万元，对幸福河的护坡进行了全面硬化；投入80万元在幸福河建起了4座桥梁，有效的改善了农业生产条件，提高了农业抵御自然灾害的能力。省国土资源厅投资500万元的农田整合项目，已于今年2月20日动工，届时健康村的农田质量将全面提升。

4. 完善了文化阵地

2006年投入38.6万元对健康小学全面进行了维修改造，增添了教学设备和500套单桌椅；今年准备再投入100万元建成农村寄宿制示范小学，进一步夯实了社会主义新农村建设的基础。

投入12万元建起了农民体育健身场；投入8万元建起了农民电脑学习室；投入4万多元建起了党员远程教育学校，全方位对党员、村民进行时事政治、业务知识、专业技能的培训；同时充分发挥影剧院、中心图书室、电视台的作用，丰富村民的业余文化生活，村里出资组建了100人的腰鼓，50人的彩扇、莲湘队，每逢节假日进行汇演。村里自编自演的文艺节目《喜看健康新面貌》、《齐心建设新农村》获得天门市文艺调演特别奖和一等奖。

2006年底，投入97万元对上世纪九十年代中期建成的自来水网管全面进行了改造升级，确保了100%的农户饮用上安全卫生的汉江水。在上级电管部门的支持下，投入126万元，对全村电网进行了全面整顿，新增了8台80千瓦的变压器，使村民用电质量全面提升。18家企业都建有信息网络和现代办公设备，100多家农户建起了宽带网。

2007年9月，在湖北省科技厅的全力支持下，利用健康养猪场猪粪尿生产沼气的项目，已通过了专家论证，总投资867万元的环保能源项目今年5月即可开工兴建，除保证本村农户、企业使用沼气能源外，还可以辐射周边四个村。

（四）建设更加美好的明天

1．加快发展农村生产力

在“十一五”末期，村内资产总额达到4亿元，销售过8万元，利税2000万元，其中油化销售过2.5亿元，银田、诚鑫化工过亿元，养猪场、生物有机肥厂过8000万元。村民人均收入7000元。2008年预计销售5.5亿元，利税2000万元，村民人均收入力争达到6300元。

2．推进农业产业化

发挥龙头企业的优势，积极发展现代农业、生态环保，循环可持续发展农业。使3条农业产业链不断延伸，做大做强，在这3条产业链上生产的人员要超过1500人，人均年收入要超过1.2万元。

3．加快社会主义新农村建设步伐

今后我们将一如既往地用工业管理费反哺新农村建设，用3-5年时间把我村建设成为生态型、环保型、景观型、可持续发展、循环经济型的社会主义新农村。

4．进一步完善农田水利设施

完成好省国土资源厅高产农田整合项目，争取投入500万元对1800亩耕地的沟、埂、渠、道全面配套，完成幸福河西段的坡面硬化，全面提升我村抗御自然灾害的能力，做到旱涝保收。

5．完善救助体系、促进社会和谐

一是对全村440多位老年人实行退要养老补贴，每年发放补贴金30万多元；二是全面实行农村新型合作医疗补贴，减轻村民看病负担；三是对村内困难户给予救助，让这些困难户能够同享健康大家庭的温暖。

五、凭风借力创奇迹

湖南益阳市牌口乡辖17个行政村，251个村民小组；现有农村人口23803人。改革开放三十年来，在历届乡党委、政府的领导下，全乡干部群众解放思想，锐意改革，取得了令人瞩目的成就：粮食单产由1978年191公斤增至2007年的436公斤；工农业总产值2007年突破19700万元，比1978年增长61.4倍；农民人均纯收入由1978年72元增加到2007年的4925元，增长64.8倍。

（一）经济建设成果丰硕

农业经济发展迅速。该乡建成了以虎形山村为核心的10000亩生态农业基地，与粒粒晶米业、辉煌米业等农产品加工企业的密切合作，推行公司+基地+农户的经营模式，生态农业增效显著。同时，进一步优化了产业结构。通过引进外地老板、鼓励本地种养能手发家致富等办法，进一步做大做强种养产业。一是生态蓬藕种植。2007年该乡绿色无公害莲藕种植面积达1100亩。二是鲜鱼养殖，该乡现有大型养鱼场两个，年产鲜鱼可达2000吨。三是建成龙虾养殖基地一个，占地300亩，年产龙虾可达200吨。四是甲鱼等其他特种种养业也有所发展。2007年全乡涌现50亩以上的种植大户85户，年养鸭在2000羽以上的养鸭户79家，年出栏生猪100头以上的养猪户60家。其中种粮大户刘进良2007年被评为全国粮食生产标兵。该乡还通过土地整理、农业综合开发等项目的实施，极大改善了耕作条件。排涝抗旱机埠配套齐全，主干渠道衬砌已达60%；水田的翻耕和水稻的收获已全部实现机械化。在此基础上，狠抓农民素质的提高。一是通过乡农校组织开展新型农民技术培训，共培训农民20000余人次，牌口乡农校也因此被评为省级示范性农校。二是推广农业先进技术，建立科技书屋，利用广播、墙报等媒介宣传新品种、新技术，提高科技含量，先后推广了软盘抛秧，测土配方施肥，诱蛾灯物理杀虫，稻鸭共生，稻草还田等三十多项的技术。这些技术的运用，为增加水稻产量、节约生产成本起到了积极作用。

乡镇工业经济发展强劲。1978年，该乡辖区内的企业几乎为零。经过多年的扶持和招商引资工作的开展，目前已有企业21家，2007年实现工业产值0.9亿元，其中朱洪米业、飞龙米业、西湖米业、鑫湘米业等6家大米加工企业，实现年产值1200多万元，从业人员90多人。蛋制品加工企业迎松食品有限公司完成产值1000多万元，从业人员40人。伟民锅炉配件厂，年产值600万元，从业人员30人。还有集种养、加工于一体的盛源现代农业开发有限公司等企业，发展后劲大，来势较好。

劳务经济方兴未艾。该乡加强农村剩余劳力的技能培训，及时提供劳务信息，大力拓展劳务输出。2007年全乡转移农村劳动力7900多人，实现劳务收入1.2亿元，仅此一项人平增收5041元。目前劳务收入已成为该乡农民的主要收入来源之一。

（二）农村面貌焕然一新

出行便捷。全面拉通环乡公路，全乡累计硬化公路48.2公里，乡内的其他村组级主干道全部实现沙化，新建了牌口客运车站，建成了座落在柳林江上的封口子大桥，拉通了该乡与湘阴县的交通通道。

旱涝保收。乡内现有外排机埠9个，抗旱排涝机埠已达21个，全乡累计硬化衬砌主干渠道60多千米，极大地改善了农民的耕作条件。

住房舒适。在该乡土砖房、茅草房早已经看不到踪影，取而代之的是宽敞高大的砖瓦房。村民在政府的支持下，改水改厕，把茅厕改成了卫生间，将粪坑改成了沼气池，院在林中，林在院中。

电力充足。农电整改全面完成，实现了同网同价，满足了村民的用电需求。家用电器应有尽有。电视、电风扇、洗衣机等家用电器户户都有。40%的农户已拥有冰箱，30%的农户已拥有空调，还有部分农户已拥有电脑等高档家电，这些在1978年以前是没有的。

（三）社会事业蓬勃发展

文化教育事业快速发展。教育事业长足发展，教育资源得到合理配置，素质教育稳步推行，教学质量明显提高。全乡普及九年制义务教育，小学入学率从1978年的60%左右提高到2007年的100%，小学升初中的入学率从30%左右提高到100%。乡内各村通信网络初具规模，有线电视、电话覆盖率已达100%，全乡固定电话为每百人23部，移动电话为每百人35部，这在1978年以前是没有的。

精神文明建设成效明显。自党的十一届三中全会以来，人们的思想获得了解放，精神文明建设也逐步得到重视。尤其是近几年来，该乡在全乡范围内开展“五星村”、“十星户”及“文明小区”的创建以及“优秀媳妇”的评比活动，人民群众的思想素质普遍提高，该乡被评为全国文明村镇。17个行政村中，被评为市级文明村1个，区级文明村4个；有党建示范阵地2个。过去，农闲时节是白天听鸡叫，晚上听狗叫，男女老少守牌桌，现在看书读报演戏已成为乡里的主旋律。

民政与劳动保障工作扎实开展。据统计，2007年该乡共为困难群众解决救灾粮食109吨，棉被105床，发放临时救济金6.5万元，并争取上级资金6万元，共为8户困难群众危房户主新建了房屋，清理核实审批280户五保特困户。1996年修建了乡敬老院，前后共集中供养了14个五保孤寡老人。享受城镇低保的人数达63人，于2007年启动农村低保，惠及253人，同时注重对残疾人的关心与资助。

医疗卫生工作不断完善。建立了卫生医疗体系，乡内有卫生院一所，村级卫生保健站20个。在2007年开始的新型农村合作医疗工作中，群众参合的热情高涨，参合比例高达82%，当年就为看病就医群众报账80多万元。2008年城镇居民医保工作也已正式启动。

西部地区新农村建设经验与案例

一、杭锦后旗产业化链条接通百姓致富路

近年来，杭锦后旗认真落实科学发展观，坚持城乡统筹、工农并进的大发展格局，大力推进农业产业化，真正走出了一条城市支持农村、城乡统筹、和谐发展的科学之路。围着企业种田，轻松赚钱的农民占80%以上，他们在产业化链条的对接下，95%以上的耕地转化为企业的第一车间，22万农民成为企业的“产业工人”，3万多农户加入到产业化经营中，农民人均总收入达5694元。其中，来自产业化的收入达到4500元。杭锦后旗，一个产业化链条“接”活了企业，“接”通了农民致富的道路，“激”活了杭锦后旗一盘棋，2007年地区生产总值达到54亿元，财政收入达到3.7亿元。结合新农村建设，杭锦后旗重金投入，加大农村基础设施建设，大力改善农村的面貌和农民的居住条件。2005至2007三年间，在交通上，累计投入资金2.1亿元，修建各级油路339公里，形成了以陕坝镇为中心的“半小时”经济圈现象；在生态建设上，总计完成造林1868万株，造林总里程达到353公里，生态文明村达到177个，全旗有林面积达到55万亩，森林覆盖率提高到21%，在农田水利建设上，财政每年拿出100万元，解决农民关注的水利病险工程90处，完成5.77万亩高标准农田配套，改造中低产田2万亩；在人畜饮水上，累计投入3000万元，解决了11万人、40多万头牲畜的安全饮水问题，乡镇所在地集镇全部用上了自来水。在教育上，旗委、政府投入近亿元，对全旗教育资源进行整合，共撤并农村中小学71所，基本实现了新建学校标准化、配套化，旗直中小学全部实现高标准的楼房化，全面推进了教育事业发展。在医疗卫生上，旗财政三年匹配资金近220万元，实行了农村合作医疗制度，参合率达96%。投资235万元，新建和改造敬老院5所，老年公寓1所。享受农村低保人数达到5000人，村村通电话率达到60%，有线电视网覆盖率达到80%。

二、五原新农村建设“十件实事”暖民心

2007年，五原县积极学习借鉴先进地区新农村建设经验，以促进农民增收、农业增效为目标，围绕办好“十件实事”，取得了显著成效。一是农牧民人均增收18%。2007年五原县战胜了各种自然灾害和农作物病虫害，农牧业实现了大丰收，农牧民人均纯收入达到5162元。全县农作物总播面积达200万亩，优质高效生态安全农作物164万亩，农作物良种率达95%以上，标准化生产面积达到151万亩，新技术使用覆盖面达85%。该县还大力发展农区畜牧业，通过扶持养殖大户，建设高标准养殖小区，鼓励特色养殖，狠抓疫病防治，全县牲畜饲养总量达310万头只，牲畜存栏149万头只，90%的农户实现了种养殖订单化

生产。农村组织化程度不断提高，全县建成种植、畜牧、农资及农副产品流通协会130个，会员达4341人，农村经纪人达6000名，辐射带动农户19860户。该县还培训农民8万余人，输出农村剩余劳动力24327人。二是全面超额完成了以节水灌溉为主要内容的农田水利基本建设任务。全县农田建设完成总投资1.17亿元，完成平地缩块123万亩，完成农田五配套39.2万亩，完成中低产田改造2.2万亩，新增节水灌溉面积17.5万亩，平整道路4081条，1945公里，推行亩次计费149.3万亩。三是投资1.2亿元建成乡村油路157公里，其中通乡油路73公里，通村油路84公里。四是完成造林绿化7.7万亩，其中人工造林5.7万亩，天保封育工程两万亩。五是启动了7个生态家园示范村建设。该县投入738万元，购进各类苗木576万株，完成集镇绿化6个，村庄绿化72个，完成绿色通道工程和高速公路绿化6公里，110国道和高速公路连接线绿化78公里。完成新育苗1310亩，义务植树70万株，建成全民义务植树基地9个，完成乡村道路绿化114公里。六是新增沼气入户0.4万户。全县新建沼气池4003户，安装太阳能热水器530台，发放改厕资金110万元，完成太阳能水冲厕所241户，三联沼气厕所2900座。七是解决了1.42万人、2.52万头只牲畜的安全饮水问题，完成了全市新农村建设目标任务的4.8倍和8.4倍。八是全县义务教育、高中教育普及率分别达100%和89.6%。该县重点开展了农村教育培训活动，为2.6万名学生发放“两免一补”资金476万元，为贫困寄宿制学生3351人发放补助金64.7万元，农村中小学贫困寄宿制学生生活补助费由小学生每人每年150元、初中生每人每年210元，分别提高到300元和450元。该县还利用农村中小学闲置校舍和村社文化站扫盲1200人，发放“绿色证书”3600个。九是全面推行农村牧区新型合作医疗。该县投入2.8万元印发健康宣传单11万册、健康手册1万册，制作发放宣传带500盘，开展送医药下乡活动4场，投入21.4万元为3.6万人进行了健康检查，乡镇卫生院全部达标，其中85%达到了甲级卫生院标准，农村合作医疗参合人数15.74万人，参合率达87%。十是解决了贫困人口的生活问题。该县投资100万元新建敬老院1个，扩建修建敬老院两个，为6892人发放农村低保金269.6万元，为4962人发放城镇低保金595万元，救助特困群众13261人，为5680名低收入人口解决了生活问题。

三、阿拉善盟新农村新牧区建设的主要做法

阿拉善地广人稀，布局分散，生态环境、基础设施和产业发展的状况差别大，在新农村新牧区建设上极具特殊性。为此，阿拉善盟从实际出发，确定了社会主义新农村新牧区建设的工作思路是：牢固树立和落实科学发展观，加快推进城乡一体化进程，坚持“工业反哺农业，城市支持农村”和“多予、少取、放活”的方针，按照生产发展、生活宽裕、乡风文明、村容整洁、管理民主、环境友好的要求，加大农牧业投入，积极发展现代农牧业，以增加农牧民收入和改善农牧民生产生活条件为重点，以发展农村牧区经济为中心，协调推进农村牧区经济建设、政治建设、文化建设、社会建设和党的建设。

具体来讲，就是紧紧围绕城乡一体化建设，坚定不移地实施“转移发展战略”，在

适度收缩保护生态环境的基础上，有重点地开展新农村新牧区建设。根据全盟农村牧区基础条件薄弱、居住分散的特点，主要确定中心嘎查（村）、示范园区（小区）和新牧户三种建设形式。

——中心嘎查（村）建设。对中心苏木镇、沿山沿路建制镇的周边农牧区嘎查（村），采取整合措施，建立中心嘎查（村）。中心嘎查（村）按照新农村新牧区建设的普遍要求，达到村容整洁，街道整齐，道路通畅，饮水清洁，电网、通信、广播、电视等基础条件完善，文化、卫生等机构齐全。

——示范园区（小区）建设。发挥示范园区（小区）的带动作用，把能体现规模效益，提高管理效率，有利于产业化发展的项目，统一纳入示范园区（小区），根据本地实际发展蔬菜大棚种植、肉羊养殖、奶牛养殖和农畜产品加工等项目，示范园区（小区）建设注重经济性、示范性。

——新牧户建设。对转移搬迁后因生态建设、守土安边需要而留在草原的牧民，因其居住过于分散，以户为单位，进行新牧户建设。新牧户建设根据牧户所在地的地形地貌、草原植被、资源等实际情况，做出以户为单位的生产生活建设规划。

（一）移民搬迁工作成效显著，生产力布局逐步优化

阿拉善盟先后启动实施了三批较大规模的移民搬迁工程，累计搬迁转移牧区人口6563户22251人。全盟苏木镇由44个撤并为23个，嘎查（村）由228个撤并为191个，形成了以巴彦浩特、额肯呼都格、达来库布、嘉尔嘎勒赛汉、乌斯太、雅布赖镇为代表的一批重点小城镇，辐射带动功能明显增强。学校、幼儿园由120所调整为67所，农村牧区教育资源渐趋合理，办学条件不断改善，教育教学质量逐步提高。全盟相继启动实施了贺兰山退牧还林还草移民工程、易地扶贫搬迁试点工程、扶贫开发移民扩镇工程、黑河治理生态移民工程、退牧还草工程以及国家重点生态公益林效益补偿等工程项目，这些工程项目的启动，促进了“转移发展战略”的深入实施，解决了农牧民社会保障所需资金，切实减轻了生态环境的压力，草原载畜量减少了32%，4400万亩草场得到了休养生息，搬迁农牧民的生产生活条件得到了有效改善，实现了迁出区大面积保护、迁入区农牧民生活质量大幅度提高的目标。

（二）产业化经营步伐加快，现代农牧业取得新进展

通过制定规划、增加投入、扶持龙头、壮大基地、培育市场等措施，重点发展了绿洲肉羊、绿色蔬菜、特色沙产业三个农牧业主导产业，促进了农牧区经济健康发展。2007年，完成一产增加值5亿元，同比增长5%。全盟已累计建成高效日光温棚1801座，形成年产绿色和有机蔬菜650万公斤的能力。自治区级龙头企业内蒙古绿洲现代农业开发公司，已获得有机蔬菜产品认证证书，主要产品以订单形式销往国内多个大中城市和出口到日、韩等国家。在大力发展苁蓉、锁阳、苦豆子等特色沙产业的基础上，还集中发展了棉花、蜜瓜等产业。通过人工种植梭梭接种苁蓉等方式，使农牧民逐步由草原畜牧业转向沙产业，部分典型户均收入在3-5万元，实现了就地转产致富的目标。

在龙头企业的带动下，基地建设步伐加快，农牧民组织化程度进一步提高，全盟已有13% 的农牧户参与到产业化经营当中，农牧民经济合作组织达到 9 个，从事农畜产品营销的农牧民达到 2567 人，出现跨地区的营销大户 230 多户。阿拉善盟还将自治区、盟级扶持的农牧业产业化基金，作为扩大融资的担保基金统筹安排使用，较好地缓解了农牧业产业化发展资金不足的问题，有效地推进了全盟农牧业产业化经营进程。农牧民每年人均从产业化经营中获得收入达 2432 元。

（三）示范带动作用凸显，新农村新牧区建设试点（联系点）工作初见成效

为了提高广大干部对新农村新牧区建设的认识，阿拉善盟邀请 5 位韩国专家就新农村建设对盟旗新农村新牧区建设领导小组成员单位的科级以上干部和专业技术人员进行为期两天的专题讲座，开阔了干部的视野、创新了工作思路。同时为了有效推动试点（联系点）嘎查开展社会主义新农村新牧区建设，每个试点（联系点）嘎查（村）确定 1 名盟级领导作为帮建领导，负责协调工作，同时确定了 3-5 个盟直单位进行帮建。选派各级干部以挂职形式帮助试点（联系点）嘎查开展社会主义新农村新牧区建设。2006 年从盟直部门选派 11 名处级后备干部组成新农村新牧区建设工作队，赴额济纳旗的 13 个嘎查挂职任嘎查达助理、党支部副书记，2007 年继续从盟直部门选派 11 名处级后备干部组成新农村新牧区建设工作队，到阿右旗的 10 个嘎查挂职任嘎查达助理、党支部副书记，帮助嘎查制订规划、落实项目、培训农牧民、树立典型和宣传政策。从今年起，阿拉善盟还动员盟内企业家们把共建新农村新牧区作为致富思源、富而思进、义利兼顾、回报社会的重要途径，从企业中筹集资金，主要用于新农村新牧区基础设施建设，把“以工补农、以城带乡”落到实处。

在新农村新牧区建设中，为充分发挥典型引路和示范带动作用，阿拉善盟在重点抓好巴彦霍多、巴彦高勒、赛汉桃来 3 个自治区级新农村新牧区建设试点（联系点）嘎查（村）产业定位、发展模式等方面工作的基础上，各旗选择有代表性的嘎查（村）抓点进行示范推广。按照主导产业特色化、规划布局区域化、经营机制产业化、优质产品品牌化的要求，因地制宜发展特色种养业，加快培育一批特色鲜明、类型多样、竞争力强的专业嘎查村、专业苏木乡镇。依据各试点嘎查村自然和社会经济条件，确立不同的特色产业予以培育。绿色蔬菜、肉羊养殖、棉花和蜜瓜种植已在试点（联系点）嘎查村得到发展壮大，成为农牧民增收的亮点。目前试点（联系点）嘎查已基本完成基础设施建设，培育了绿色蔬菜产业、高效养殖业、棉花、蜜瓜产业，初步形成了产供销一条龙、贸工商一体化的新型现代化农牧业发展模式。医保、养老保险、低保全面启动。

同时阿拉善盟还结合实际，从嘎查村、专业示范小区和单独农牧户这三个层面出发，统一规划建设推进新农村新牧区建设的硬件载体：第一个层面是按照新农村新牧区建设的普遍性要求，沿着路、电、水，在适宜农牧业发展的地方建设嘎查村，发展生产，改善生活。第二个层面是以企业为龙头，以特色的产业为支撑，建设专业的示范小区。目前正在规划建设阿左旗大棚有机蔬菜产业、阿右旗沙产业和额济纳旗棉花产业 3 个示范小区，通过企业带农户的新管理模式，保底工资加农产品收入分成的新分配机制，把农牧民转化成产业工人。阿左旗温棚蔬菜种植上由内蒙古绿洲现代农业开发公司雇用搬迁转移农牧民进行种植，温棚产权属搬迁转移的农牧民，公司负责技术指导并确定最低产量，保底工资每月 800 元，超产部分按公司与农牧民 4：6 的比例分成，稳定提高了农牧民的收入。第三个层面，就是对拥有较好的土地草场条件，并承担着生态保护和守土戍边任务，适合以单户存在的农牧户，帮助他们建设好小环境，改善生产生活条件。

（四）农牧业基础设施建设进一步加强，生态环境保护取得积极进展

为了加强生态保护，阿拉善盟相继启动实施了孪井滩扬黄灌区工程建设、黑河下游额济纳绿洲抢救保护工程、易地扶贫搬迁试点工程、退牧还草工程、国家重点公益林生态效益补偿项目、扶贫开发移民扩镇等一批重点生态治理和移民搬迁工程，并在重点保护区进行围栏封育和草地改良，局部地区生态环境有了根本性改善。2007 年全盟草原保护和建设面积达 1510 万亩。禁牧区植被覆盖度由禁牧前的 5？ 5% 提高到 20% 左右，牧草产量由禁牧前的 20 公斤 / 亩提高到 25 公斤 / 亩以上，优良牧草比例增加，草原生态显现初步恢复势头。全盟共有 1902. 1 万亩重点公益林纳入中央财政森林生态补偿范围。4000 多万亩退化草场得到了休养生息，天然草原载畜量减少了 32%。农牧业基础设施建设取得成效。依托土地整理、农业开发、节水灌溉工程，积极发展节水设施建设，节水灌溉面积达 24. 2 万亩，占播种面积的 50%，依托农机具购置补贴项目，引进新机械，全盟机械作业面积占总播面积的 72%。积极发展农村清洁能源，建成标准模式沼气池 3520 座。

（五）农牧民社会保障制度逐步完善，保障体系逐步健全

结合生态项目的实施，推行了农牧民养老保险制度。阿右旗 30 岁以上牧区人口和额济纳旗 20 岁以上农牧民全部纳入养老保险，阿左旗 2006 年也开始了农牧区养老保险试点。目前全盟实际从事农牧业的 5 万农牧民中，参加养老保险的农牧民达 19079 人，领取养老保险金的 6097 人，平均每月领取养老保险金 500 － 800 元。在基本实现城乡低保全覆盖的基础上，适时提高了低保标准，其中农牧区最低生活保障标准统一提高到 1600 元，年人均最低补助标准从 360 元提高到 450 元，全盟农牧区享受低保的农牧民达到 5872 人。参加新型合作医疗的农牧民达 5. 4 万人，参合率达到 90. 7%。

（六）各项惠农政策得到落实，农牧民收入稳步提高

一是切实加强农牧区户籍管理。从 2003 年开始，阿拉善盟制定并实施了严格的农牧区户籍管理制度。全盟统一严把进口，除婚嫁原因外，严禁在农牧区落户，严禁外来人口在农牧区承包土地和草场开展种养业。积极敞开出口，鼓励农牧民进城落户，发展二、三产业。二是积极开展教育移民。根据阿拉善盟农牧区子女高中毕业后基本不返乡务农的特点，进一步加大了教育移民的政策支持，重点对农牧民子女在义务教育和非义务教

育阶段的学习教育给予优惠和支持，鼓励他们完成高中阶段的学业，鼓励进城落户，发展二、三产业。三是充分尊重农牧民意愿，坚持多渠道安置移民。严格按照“整体规划、分步实施，先易后难、重点突破、重在实效”的移民工作方针，坚持以人为本、从实际出发，充分做好牧民群众的意愿调查，一手抓政策落实，一手抓草畜平衡。对自愿开展搬迁转移的农牧民家庭，全面兑现退牧安置和其他优惠政策，并根据意愿安排进入城镇、工业园区从事二、三产业。对愿意从事农业生产的，在不开垦新的土地情况下，以内部调配的形式无偿为他们提供耕地等生产资料，并在解决住房、基础设施建设等方面给予支持和资助。对不愿意退牧搬迁的牧民严格实行草畜平衡制度，控制牲畜发展规模。结合阿拉善现代物流业快速发展的趋势，采取定向、定岗培训等方式，提高农牧区劳动力的就业技能，同时，通过政府鼓励、企业支持，引导他们向交通运输领域转移就业。四是认真落实中央文件精神，对种粮户给予粮食直补、良种补贴、农机具购置补贴、农资综合补贴和政策性农业保险等惠农政策，调动了农牧民生产积极性，农牧民收入大幅提高。2007 农牧民人均纯收入达 5030 元，同比增长 14.1%。

四、赤峰市敖汉旗围绕主导产业狠抓产业化扶贫

近年来，赤峰市敖汉旗在扶贫工作中，紧紧围绕养殖业和特色种植业两大主导产业，狠抓产业化扶贫，为群众增收创造了条件，加快了贫困群众脱贫步伐。敖汉旗大力发展肉羊、肉牛、生猪、肉蛋鸡为重点的养殖业。2007 年通过整村推进工程和扶贫到户贷款贴息项目实施，在全旗 12 个整村推进工程项目村嘎查和部分养殖业项目示范村中发展肉羊养殖户 970 户，肉牛养殖户 1175 户，生猪养殖户 1140 户，蛋鸡养殖户 200 户。新建肉羊小区 8 个，生猪小区 5 个，蛋鸡养殖小区 2 个，使项目村养殖规模扩大，通过资金扶持和项目拉动，提升了产业化扶贫水平，为群众增收创造了条件。同时注重抓好特色种植业，如大叶桑、万寿菊和棚菜种植，已成为敖汉旗贫困地区农牧民增收致富的重点产业。通过政策拉动、项目促动和资金吸引，为做大做强特色种植业提供了保证。2007 年，利用扶贫贴息贷款项目扶持 9 个乡镇完成大叶桑种植 5100 亩，万寿菊种植 10000 亩。新惠镇扎赛营子、长胜镇榆树林子两个村发展冷棚和日光温室 1400 亩，使这些村种植业结构得到进一步优化，拓宽了农牧民增收渠道。与此同时，敖汉旗还加强产业化龙头企业建设，通过招商引资，促进了产业化龙头企业的引进和建设工作，为贫困农牧民发展产业、加快增收步伐提供了平台，促进了农村剩余劳动力转移就业。

五、赤峰市林西镇农民专业合作经济组织引领经济发展

赤峰市林西县林西镇围绕农村产业特色，从提升农民组织化程度入手，着力在巩固、

发展、创新、提高上下功夫，引导发展各类农民专业合作经济组织。截至目前，全镇各类农民专业合作经济组织已发展到18个，分种植业专业合作经济组织、养殖业专业合作经济组织和以运输业、饮食服务业为主的民营经济专业合作经济组织三大类，共发展会员1768人。林西镇根据农业结构调整和农民创业致富的愿望，适时引导农民专业合作经济组织的发展，鼓励农民专业合作经济组织由松散型向经济实体型转变。几年来，全镇的农民合作经济组织得到了不断壮大和完善，呈现出合作形式日趋多样化、合作领域不断扩大、合作层次逐步提高的发展态势。农民专业合作经济组织的蓬勃兴起，为促进农业增效、农民增收起到了积极的作用。一是提升了农民进入市场的组织化程度。西山根蔬菜协会、南方瓜果蔬菜协会、杂粮杂豆协会经过精心运作，与河北、天津、北京等外地客商签订协议种植土豆2100亩，胡萝卜1600亩，尖椒2300亩，仅此一项全村农民人均收入近600元；二是农民专业合作经济组织把新观念、新品种、新技术送到千家万户，扩大了生产规模，提高了农牧业经济效益。金草滩奶牛协会成立后，经常聘请专家、教授和技术人员给会员讲课和现场指导，使会员逐步掌握了疫病防治、科学饲养等科学技术，有效地提高了会员养殖奶牛的饲养水平。2007年，全镇奶牛存栏3089头，其中进口优质奶牛1230多头，配套建设标准化奶牛养殖小区和鲜奶回收站各4处，日产鲜奶24吨。三是推动了农牧业产业化经营。在农民专业合作经济组织的示范推动和辐射带动下，全镇很快形成了近郊以蔬菜种植为主，远郊以甜菜、杂粮杂豆种植为主，旱坡地以优质牧草种植为主的农产品区域化布局。2007年，全镇种植大田无公害蔬菜4.8万亩，其中各类棚菜种植5000亩，大田保护地蔬菜4.3万亩，落实甜菜种植9815亩，全镇旱坡地优质牧草累计保存面积达3.8万亩。四是提高了农民抗御市场风险的能力。农民专业合作经济组织的成立，把一家一户分散的小生产与千变万化的大市场紧密结合起来，按照市场需求，通过专业合作经济组织，农民种养适销对路的农畜产品，实现了农牧业的规模化、标准化生产，全镇农牧民通过专业合作经济组织每年都有1200元以上的稳定经济收入。

六、达旗“三式”结对助推新农村建设

达拉特旗通过“三式”结对共建新农村模式，切实做好关爱和帮扶基层工作，逐步构建起了基层党内帮扶的长效机制。“三式”结对共建新农村模式的主要内容包括：一是旗直单位“结对包村”式。主要开展了“城乡结对共建新农村”主题实践活动。全旗144个机关企事业单位党组织与全旗130个嘎查村结成帮扶对子，切实为嘎查村在发展经济社会、文化教育、医疗卫生、交通通讯、居住环境、剩余劳动力转移等方面做出贡献。2007年，144个党组织共为群众办实事好事1035件，协调下拨帮扶资金23.5万元，培训农牧民1.3万多人次，提供致富、就业等信息2756条，使2824名农牧民剩余劳动力实现再就业。二是党员干部“驻村包户”式。主要是实施了党员干部“四进”行动，从旗直机关选派130名领导干部和科技工作人员，组成新农村建设“四进”工作组全脱产进驻130个嘎查村，与8个苏木镇的380名干部共同开展以“干部进村社、知识进头脑、

农户进组织、产品进市场”为主要内容的助农创业“四进”行动，扎实推进新农村新牧区建设。2007年，党员干部共结成驻户帮扶对子2 76对，举办各类科技讲座412期次，发放科普资料10万余份（册），为群众协调资金及捐款捐物价值29.3万元，充分发挥了“四进”工作组成员在新农村建设中的服务队、调查员、执行者、智囊团的助农创业作用。三是党员群众“结链帮扶”式。以农村牧区“三级联创”活动为载体，深入实施了“双链双推”活动。2007年，全旗党员“三结合致富链”和“三级干部服务链”结链数分别达到3699链和960链，共帮助182户农牧户脱贫致富，救助贫困学生65名；通过“移民牵引链”和“整村整治链”，共移民220户、793人。

七、“支农惠农”帮卓资农民脱贫致富

内蒙古乌兰察布市卓资县十八台镇是一个气候寒冷、山多沟深、水源缺乏的小镇，特殊的地理环境决定了这里的农民兄弟较其他地区更艰苦贫穷。当党的惠农政策一项项落实到这里时，农民兄弟更能深切地感受到党的惠农政策给他们带来的种种实惠。第一：取消农业税给予粮食直补，直接减轻了农民负担。十八台大湾子村的支书说：“从前农业税收最高的时候所有的农牧业税、提留等项费用加起来，全家六口人最高的一年竟上缴了1000多元，当时觉得负担实在太重。这些年所有的税费都取消了，每种一亩地国家还给补贴15元钱，这可是亘古未有的大好事！党的政策实在太好啦！”。第二：退耕还林、还草地给予现金或粮食补贴。十八台镇叉汉梁村农民退耕还林地去年每亩补贴了20元现金和200斤粮，折合人民币160元。从退耕那年开始补贴8年钱粮。退耕地上形成的林子由国家颁发《林权证》，以证明该林子属退耕还林地农民所有。第三：国家良种推广补贴项目减少农民种粮投入。从2006年起卓资县开始实施玉米良种补贴项目，农民从县城里购买玉米籽种每斤需1.8元-2元，还不算往返于城乡间的路费。自从实行玉米良种补贴后，农民在乡政府就可就近购买到玉米良种，且经国家补贴后每斤只需0.9元，购买数量不限，比市场价低了近50%多，还节省了往返城乡的路费。实实在在让农民得了实惠。且玉米籽种质量都经过严格把关。经实验，项目田较非项目田每亩增产713公斤（其中籽粒增产133公斤），亩增收51.3元。其次，卓资县还在大榆树乡、巴音锡勒镇、红召乡等7个乡镇实行马铃薯良种推广补贴项目。经补贴，农民花0.5元就可以买到1斤马铃薯籽种。2007年卓资县全县玉米良种推广补贴种植面积达10万亩，有近1.5万户农民种植了马铃薯，补贴了良种。还有1205户农民种植，种植面积达5000亩。第四：养畜给补贴，种畜上保障，降低农民养殖风险。去年猪肉价格普遍上涨，且涨幅较大，为了鼓励农民发展养猪业，同时降低养殖风险。卓资县农牧业局积极落实国家的惠农政策，给全县的每头母猪补贴50元钱，并且为每头8个月至四周岁大的母猪都上了保险，母猪在一年内若得病或因意外死亡后，都可获得1000元的赔偿金。这极大地增强了农民养猪的信心和积极性。

八、发展劳务经济促进城乡统筹发展

重庆潼南县以全国统筹城乡综合配套改革试验区为契机，坚持城乡统筹发展的战略，实施劳务经济“1234”工程，即劳务经济是“第一经济”的认识，夯实二个基础（资源普查明家底、三级服务网络），抓三个重点（培训抓特色、转移树品牌、就业重维权），落实四项措施（鼓励创业出政策、评先奖优促发展、强化宣传造氛围、绩效考核重奖惩），努力把潼南建成渝西最大的劳动力培训输出基地。

（一）强化劳务经济是“第一经济”的认识

1．发展劳务经济是城镇化、工业化加速推进的内在要求和必然趋势，也是实现“农民向城镇集中，工业向园区集中，土地向大户集中”发展目标的重要途径。人力资源是第一资源，只有加速把劳动力转化为人力资本，才能推进经济社会快速发展。同时，发展劳务经济可以让农民充分享受工业化、城镇化和改革开放的成果。

2．发展劳务劳务是城乡互动、协调发展的“润滑剂”。潼南要实现更快更好地发展，必须坚持城乡统筹协调发展。劳务经济的发展将会促进大量农民离开土地，农民通过外出务工，感受城市现代生活，接受现代文明，有利于促进农村传统观念和生活方式的转变，使农村在社会、文化、经济等方面逐步向城市靠拢，有利于缩小城乡差别，消除城乡二元结构，实现城乡协调发展，最终构建社会主义新农村。

3．发展劳务经济在带动劳动者增收上可起到“吹糠见米”之效。据2007年潼南县农村劳动力资源调查统计，全县农村劳动力资源约64.4万人。近年来，全县农村外出务工人数不断增多，劳务经济已成为农民增收致富的重要来源。2007年全县劳务输出人数达23.5万人，与去年同期相比，增长1.7%，占全县劳动力总量的50.6%；其中向市外转移13.5万人，同比增长2.1%，实现境外就业人数2385人。2007年全县实现劳务收入13亿元以上，占农村人均纯收入的40%。

（二）夯实劳务经济基础

1．摸清城乡劳动力资源家底

一是摸清农村劳动力总量、地域分布、年龄、文化结构以及从业人员状况，弄清楚直接从事农业、二、三产业、务工人员和富余劳动力以及求职人数状况。

二是逐步实行城镇登记失业率向城乡调查失业率统计监控方式的转变。对全县城乡劳动者，凡在城镇就业或农村承包土地经营以及外出经商务工的均纳入就业统计范围；凡在劳动年龄段内有就业意向的城镇失业人员、被征地人员实行失业登记。对虽有土地承包权证，但同时又自愿向二、三产业转移的农村劳动力，均可实行求职登记。

三是建立健全劳动力资源信息库。建立“一人一卡、一户一档、一社一表、一村一册、一镇一帐、全县一网”的劳动力资源信息库，同时建全“求职登记、就业培训、用工信息、就业去向、定期回访”五本台帐。

2．设立城乡劳动力资源三级服务网络

发展劳务经济，要完善三级服务体系，潼南县已设立劳务经济发展局，镇乡（街道）已设立劳动保障服务所，承担劳务经济发展和其他劳动保障工作，村（社区）要确定劳务经纪联络员。形成县、乡、村三级联动，覆盖全县的立体网络服务体系，

（三）抓劳务经济三个重点

1．劳动力培训抓特色。一要抓好培训基地建设。发展劳务经济，打造劳务培训基地，统筹提高现有培训机构办学能力和师资水平。做大做强以县就业培训中心、阍公职中、恩威职中、农广校等公办职业技术培训机构为主导，以远荣技校、金龙技校、科普(爱华)、育才等社会办学机构为补充的职业技能培训网络体系，确保满足劳动力培训需求。二要突出灵活的培训模式，提高就业竞争能力。采取灵活培训模式，开展城乡统筹一体的职业技能培训，逐步提升技能培训档次，突出培训特色，提高其转移就业能力。一是与用人单位合作，对县内在岗农民工进行技能提升培训让他们能稳定就业，并逐步在城镇定居。二是对接受能力较强的城乡初高中未升学毕业生、城乡退役士兵和其他新生劳动力，组织其参加技术含量较高的劳动预备制培训，提高择业竞争力。三是对有意外出务工的农村富余劳动力组织劳务输出培训，以订单培训、定向培训为主，做到培训与市场需求相结合，与用工单位相结合，帮助他们实现由单纯体力型向智力型、技能型转变。四是根据我县农业产业化“4+1” 工程（100万头优质瘦肉生猪、100万绿色蔬菜、100万平方米蘑菇、100万七彩山鸡，另加天友奶牛基地）的发展需求，提升农业产业化能手培训，促使产业农民向产业工人转变。五是对有创业愿望，又有一定实力的城乡劳动者组织创业培训，充分发挥创业带动就业的倍增效应，推进就业再就业优惠政策的落实，从而推动劳务经济快速发展。

2．劳动力转移靠品牌。充分发挥县劳动力市场与全市劳动力市场联网的优势，努力构建以县劳动力市场为中心，各镇乡（街道办）社会保障服务所为支点，各村劳务经纪联络员为触角的劳务经济信息网络服务体系，探索建立“劳务信息短信互动平台”，积极拓展就业渠道，扩大劳动力转移规模，树立缝纫工、数控技工、酒店服务等潼南自身劳务品牌，提高劳动者转移信誉，促进劳动者充分就业。

在转移就业中，要突出抓好困难就业对象的转移就业工作。以“零就业家庭”和农村“零转移就业家庭”劳动力、残疾人、新生劳动力和转移就业不稳定的劳动力为重点对象。对全县零就业家庭开展全面调查摸底，采取相应措施，确保消灭“零就业家庭”目标任务的落实。第一、树立劳务品牌，提升劳务输出信誉。一是努力打造我县有基础和优势的“潼南缝纫工”、“潼南数控技工”等劳务品牌，并有针对性的向外宣传推销，发挥劳务品牌效应，提升“潼南技工”人力资源的信誉。二是探索打造潼南家政服务和宾馆服务品牌，借助重庆渝港英才职业培训学校培训资源，培养高级家政助理技工。三是围绕县委、县政府确定的“4+1”工程，在传统种植业和养殖业基础上，培训现代农业

产业技能，打造富有潼南特色的种菜能手、种菌能手、养鸡能手、养猪能手和养牛能手等劳务品牌。第二、建立县内就业基地，发挥劳动力转移吸纳功能。以“4+1”产业基地和县城为核心，完善市场体系，大力发展现代农业、现代工业和商贸流通、餐饮服务业，激发县域经济活力，增加就业岗位，拓展劳动力就业空间，促进就业转移。

第三、建立县外就业基地，拓展劳动力输出空间。依托驻外办事处，招商引资队伍，以及劳务中介组织、劳务经济人，潼南籍在外成功人士及大型企业，巩固并拓展市外劳务基地。全面推进与市外的劳务合作，尽快形成“东扩、西进、南展、北拓”的劳务输出新格局。

第四、不断加强和巩固境外劳务工作。进一步加强与市境外就业中心、市国际公司等国际劳务中介机构合作，根据国际劳务市场需求，不断扩大“潼南缝纫工”等外派美国、日本、新加坡、韩国、约旦等境外就业规模。

第五、拓展劳务开发市场。大力开展劳务开发、劳务输出、劳务派遣、劳务中介、社会保障事务代理；大力发展劳务中介机构，积极培育壮大劳务经纪人队伍，开展信息联络、劳务培训、组织输出、维权服务等。

3．劳动力就业重维权。围绕“维好权、服好务、管得好、稳得住”的总体目标，充分调动相关职能部门的统筹协调能力，深化对劳动者的维权服务管理，促进城乡和谐。一是解决突出问题和外出务工人员的后顾之忧。认真贯彻落实国务院精神，规范农民工用工管理和保障农民工劳动安全、搞好农民工就业服务和培训，依法将农民工纳入工伤保险以及保障农民工子女接受义务教育等方面取得新的进展。对转移出去的人员，特别是农民，保留其土地承包经营权，并允许和鼓励其采取转包、出租、互换等形式依法流转。同时，大力争取用工企业允许输出人员带子女到当地，尽可能为他们排忧解难，消除后顾之忧。二是强化公共服务。进一步健全覆盖农民工的公共服务体系，做好进城务工农民的计划生育、卫生保健、职业介绍、法律服务、治安管理、生产生活条件改善等服务工作切实保护女工合法权益。三是协助签订规范的用工合同。凡通过劳务部门或中介机构组织的劳务输出人员，要派专人落实用工单位与输出人员签订劳动合同，规范合同内容，明确双方应有的权利和应尽的义务，尤其明确工资支付标准、支付形式、支付时间等内容，保护外出人员的合法权益。四是建立维权保障机制，切实维护农民工合法权益，积极协调司法部门和劳务公司，向输出人员提供及时的维权援助，做到农民工合法权益受到侵害有人听，有人管，有人为之伸张正义。

（四）落实四项措施保劳务经济发展

1．鼓励劳动者创业出政策

支持劳动者自主创业和返乡创业，引导具有一定实力和技能的城乡劳动者到城镇或工业园区投资创业，并为他们提供良好的投资环境和优惠政策。一是加强与外出务工人员特别是成功人士的衔接沟通，大力宣传县内创业的优惠政策，并主动关心、帮助其家庭解决生产生活中的困难和问题，充分利用乡情、亲情、友情引导和鼓励返乡创业。二是加强部门协调配合，制定完善创业扶持政策。积极加强劳动保障、农业、计委、财政、教育、民政、公安、国土、工商、税务、工会、金融等相关部门的合作，切实把城乡统筹就业，促进劳务经济发展的各项政策措施落到实处，切实维护返乡创业人员的合法权益。三是建立返乡创业人员创业园或创业一条街，鼓励和支持自主创业人员或返乡创业人员在辖区内创办经济实体，享受扶持政策。在创业扶持工作中，积极落实我县农业产业化优惠政策，招商引资鼓励优惠政策和商贸流通产业发展鼓励优惠政策。

2. 评先奖优促发展

筹建“返乡创业者协会”，每年以县委县政府名义组织评选表彰“返乡创业明星”、“共产党员创业明星”，同时开展“优秀外出务工人员”、“优秀劳务中介”、“优秀劳务经济人”等评选表彰活动。

3. 强化劳务经济宣传造氛围

一是加强对劳动保障法律法规和政策的宣传。通过对积极的就业再就业各项政策和对创业典型事例的宣传，促进就业观念、择业观念的转变，营造良好的就业再就业工作氛围。特别是对城乡劳动者培训、职介补贴政策，对下岗失业人员自谋职业、个体经营的再就业优惠政策，对再就业重点企业的扶持政策、对国有企业改制的扶持政策等都应宣传透。同时举办“就业援助月活动”、“春风行动”、“招聘活动”等特色活动，扩大就业服务成果。二是采取各种宣传形式，强化宣传引导，树立劳务经济发展新观念。

4. 劳务经济发展考核重奖惩

实行发展劳务经济“一把手”负责制，制定严格的考核办法，逐级落实目标管理，加强督促检查，确保各项工作落到实处。对发展劳务经济成绩突出的单位和个人予以奖励表彰，工作不力的予以究责和通报批评。

九、村办企业：开启富裕之门的金钥匙

东岭村是陕西省宝鸡市金台区陈仓镇的一个行政村，全村187户，763人，占地面积不足1平方公里。20世纪80年代以来，该村从发展乡镇企业起步，不断培育和壮大企业的竞争力，抢抓机遇、艰苦创业、开拓进取，走出了一条小加工起步，大流通发展，工业化扩张的跨越式发展之路。2007末，该村创办的民营股份制企业东岭集团，已发展成为拥有资产70多亿元，员工12800多人的大型企业集团，实现销售收入138亿元，实现利税8.9亿元，是宝鸡市唯一一家销售收入过百亿元企业，陕西省民营企业纳税第一大户，连续三年跻身中国企业500强。从1998年以来，东岭村村民的人均收入以每年1000多元的速度递增，2006年集体分配收入达到13303元，加上村民工资收入和股份分红收入已超过4万元，全体村民住进了单套130平方米以上的居住小区，初步实现了农村工业化、城市化，

成为“陕西第一村”。

（一）抢抓机遇，奠定市场竞争基础

多年来，东岭村村民以种菜为主。1988 年，东岭村十几名村民以“黑白铁加工部”为基础开始了艰苦的创业。历经数次挫折，终于从商品经济的浪潮中机敏地捕捉到商机，贷款 20 多万元购置设备，涉足金属制品加工生产领域，创办了“东岭铆焊机械厂”，经过几年拼搏，资产由不到 1 万元，猛增到 170 万元。东岭在发展的过程中掘到“第一桶金”。

20 世纪 90 年代以来，东岭人以中国农民特有的诚信、厚道先后与酒钢、首钢、兰钢等国营钢铁企业建立了牢固可靠的供销合作关系，企业进入钢材贸易的大流通领域，与酒钢建立了参股合作的关系。东岭这一时期的创业，为其以后走资本扩张之路提供了充足的资本金。其后，“东岭铆焊机械厂”先后兼并了宝鸡市金台区物资公司等 6 家国有、集体企业，创建了集金属制品加工、钢材贸易、货物运输等多项产业为一体的企业集团“东岭集团”。

至 2007 年底，目前东岭集团已拥有全资、控股及参股公司 40 多家，形成了以铅锌冶炼、钢铁冶炼、钢材贸易、焦化生产、矿产开发、金属制品加工、房地产开发为主，具有年产销钢铁 200 万吨、焦炭 100 万吨、铅锌 20 万吨、黑色金属制品 10 万吨的综合产销能力。四大工业基地和四大销售片区遍布全国 20 多个省、市。

（二）创新机制，培育核心竞争力

1994 年，宝鸡市金台区委、区政府决定在东岭村实行“以企带村，村企合一”新体制，企业董事长、总经理与村党支部书记、村委会主任集于一身，村干部和企业中层干部交叉兼职，“以村带企、村企合一”，使东岭得到了充足的发展空间。

为了寻求资本增值，市场扩张，东岭集团作为发起人，联合酒钢等几家大企业入股，将原企业改制成陕西东岭工贸集团股份有限公司，使村民成为企业股东，从根本上克服了乡镇企业的先天不足。在企业的运行和管理上引进现代企业机制。为了企业发展，东岭集团放眼全国，采取高薪聘请、自己培养、接纳大中专毕业生等方式，为企业引进了一批业务精通、经验丰富的专业技术人才，并委以重任，节约了培育成本，提高了管理水平。2005 年，投资 200 万元，对企业管理层干部进行 15 — 30 天的高级培训，赴日本学习企业管理经验。2006 年，又派管理人员赴德国不来梅大学进修，培育的一批 30 岁左右的年轻新秀，已成为集团的高级管理人才。

（三）三步规划，建设高标准新村

东岭村地处渭河川滩，1995 年开始，他们先后投资 80 万元整修和硬化了村内 5 条主干道和 24 条巷道，结束了“晴天刮风尘土杨，雨天进村两腿泥”的历史；投资 7 万元为家家户户安装了自来水；投资 30 万元对村内和厂区进行了绿化美化，实现了四季常绿三季有花；投资 20 万元建成了陕西省第一个电气化村，村民做饭用上了电。

2001 年，东岭村邀请设计院对东岭新村进行规划设计，投资 4200 多万元建成了占地

19980 平方米的 6 栋仿欧式结构的村民住宅小区，建筑面积达 3.5 万平方米，所有村民和企业有突出贡献的人员户均 1 套，面积 130 平方米以上，全部采用地辐式采暖，有线电视、电话、宽带网通到了家家户户，同时还统一装修，安装了空调，整体厨房等生活设施。2005 年，东岭村被陕西省政府授予“省级绿色文明社区”，被中央文明委授予“全国文明村镇”荣誉称号。

东岭村积极响应宝鸡市实施“城中村”改造工程，高起点着眼，大手笔运作，请全国最著名的规划师进行规划，从 2006 年开始，计划用 5 年时间，投资 10 亿元，将东岭村所在地建设成为一个融办公、商贸、居住、休闲为一体的现代化都市新村。

（四）坚持不懈，构建文明大厦

东岭村投资 400 多万元新建了全市一流的幼儿园，对村上所有的孩子，从幼儿园到高中全部实行免费义务教育，对考上高中的孩子奖励 500 元，考上大学的奖励 1000-1600 元，完成学业后自愿回村企业工作的，上大学期间按村民补发应有的待遇。成立了家长学校，以未成年人思想道德教育为重点，广泛开展思想道德、文明素质教育。在寒暑假期间，由家长学校牵头，组织村上的中学生参观企业发展建设情况，激发他们爱村、爱企、立志建设美好家园的热情。对党员干部及职工、村民，采取电化教育、办东岭报、宣传栏、专题讲座，以及定期组织学习、召开工作会议等多种形式，不断提高企业员工和村民的思想道德素质与科技文化素质。

持续开展“十星级文明户”创建活动。坚持抓点带面，严格评选程序和标准，全村挂上十星级牌的已占到全村总户数的 95% 以上。每年在企业开展评选“双文明”好职工，在村开展评选“好党员”、“好婆婆”、“贤内助”活动，形成了同事之间相互配合支持、邻里之间和睦相处的文明健康新风尚。建立了村自乐班、秧歌队、管乐队等，定期开展健康有益文化娱乐活动，陶冶情操，丰富了职工和村民的文化生活。

2008 年，村办股份制企业东岭集团，将力争完成总收入 200 亿元，利税 14 亿元；到 2012 年力争实现总收入 500 亿元，利税 30 亿元，努力向中国优秀企业的第一梯队迈进！

十、水深龙育　风满鼓帆

云南省昆明市官渡区福保村，在各级党委、政府的关怀支持下，抓住机遇，开拓创新，顽强拼搏，以敢为人先的创业精神，走出了一条勤劳致富、创新发展的成功之路。这个过去民谣中描述的“住在滇池边，吃饭要靠天，无雨遭干旱，雨来又被淹”的小渔村，历经改革开放 30 年的奋斗，发生了翻天覆地的变化：今日福保村经济变强、人民变富、村容变美、社保到位。

（一）三次产业迅猛发展，经济实力增强

福保村是一个三面被滇池环绕的半岛，总面积 2.2 平方公里，过去是一个以滇池捕鱼和粮食种植为主的渔耕型生产大队。改革开放后，福保村农业的生产发展从保护滇池、治理滇池、有效控制滇池面源污染的战略角度出发，大力调整种植业结构，在人均不足 0.5 亩的耕地上种植花卉和环保型蔬菜等，形成了一批以绿色食品、生态农业、设施农业为龙头的现代化农业示范区。

1978 年，福保村仅有 3 个规模较小的铸造厂和 1 个小电镀厂，每个厂有 20-30 个职工，企业经济总收入 122 万元。历经 30 年的创业发展，福保村工业经济从无到有，从小到大，昔日的农业福保村很快变成了以工业为主的新兴工业村。到 2007 年底，全村拥有福保彩印包装厂、福保东陆印刷股份公司、福瑞包装有限公司等 7 家环保型企业，企业职工人数达到 5 千多人，村集体固定资产增至 10.6 亿元，全村实现总收入 10.1 亿元，上缴国家税金 2554 万元。

突出特色，加快第三产业发展步伐。福保村依托地处滇池边的特殊区位优势，大力发展文化和旅游业。该村投资 2.2 亿元建成的福保文化城，

现已发展成为西南地区集休闲度假、会议接待、大型舞台艺术表演、文化交流为一体的文化旅游企业，体现滇文化的大型水上歌舞“福天宝地”已成为拉动福保村经济社会发展的文化主题项目。

福保人奉行“走出去、引进来”的发展模式，成功举办了“第三届村长论坛会”、首届“亚洲杯攀岩赛”和首届“中国福保乡村文化艺术节”。通过举办这些大型活动，推动了福保村第三产业的快速发展，提升了福保的品牌效应。

（二）提高劳动就业，增加村民收入

企业的发展，解决了村民就业问题，村民在企业劳动中增加了家庭收入。2007 年村民人均纯收入 12000 元，是改革开放前的 45 倍。在村民收入中，工资性收入占收入总额的 64%。收入的增加从根本上提高了村民的生活质量。至 2007 年底，福保村彩电普及率达 100%，人均拥有钢混结构住房面积 53 平方米，每百户拥有电冰箱 80 台，太阳能热水器 90 台，生活用汽车 10 台，家用计算机 30 台。人均文化教育、娱乐消费支出占生活消费支出的 18.6%，交通和通讯消费支出占生活消费支出的 10%，医疗保健消费支出占 6.7%，体现人民生活质量的恩格尔系数为 34%，达到了全面小康的标准。

（三）着力改善村容村貌，创建云南“小康示范村”

福保将村容村貌建设的重点放在整治村庄环境、完善配套设施、节约使用资源、改善公共服务、方便村民生产生活上。早在 20 世纪末期，福保村就制定了《村镇规划建设方案》，按照村建总体规划推进小康村建设，并全面推行统一规划、统一设计、统一施工、统一层高、统一面积、统一外装修等“六个统一”。房前屋后、村中道路以绿化、美化、净化和亮化为主要内容，构建良好的人居环境。2000 年以来，先后投资 3000 多万元加

快旧村改造，完成了1—4期共750栋小康农宅建设，投资2200多万元修建了福保北路等村庄大道，配套安装路灯393盏，改善了全村交通设施。全村种植绿化树10余万株，花园草坪绿化面积达20多万平方米，人均绿地面积达到73平方米。在干部群众的共同努力下，福保村先后荣获"全国创建文明村镇工作先进单位"、"中国十佳小康村"、"中国十大名村"、"中国民俗文化村"、"全国文明村"、"云南卫生村"等荣誉称号。

（四）建立健全社会保障，为村民排解后顾之忧

全村人人享有医疗保障。在人人参与新型农村合作医疗的基础上，村上出资提高补助比例，使村民"报补"金额翻一番。自2007年起，村民在村合作医疗服务站的治疗费用，村集体补助总费用的50%，全体村民小病不出村，看病有补助。

2002年开始，福保村每年对60岁以上的老年人，人均补助1080元，2003年起增加到年人均1280元。同时对全村年满55周岁的老年人每月发给大米、猪肉、鸡蛋、面条等生活福利品；在传统节日给全村年满55周岁以上的老人慰问品，实现"老有所养"；村内设立了老年人学习、娱乐场所，组建了地掷球、太极拳、花灯队等6支老年文艺、体育队，实现"老有所乐"；村内根据老年人的健康状况，聘用老年人到企业中做一些力所能及的工作，实现"老有所为"。

福保村为老年人解决了衣、食、住、行、医等实际问题，让那些为福保社会经济发展立下功劳的老年人，最先享受到福保经济发展的成果，使年轻人抛去后顾之忧，全身心投入到福保的发展中。

回顾过去，成就斐然，展望未来，前程似锦。今天，福保人民将以足够的信心和勇气去创造新的辉煌，实现福保的再次腾飞！

十一、奔向新农村的河嘴村

花庄镇河嘴村地处甘肃省兰州市红古区中部，109国道、兰海高速公路、兰青铁路横穿全村，水资源丰富，湟水河穿村而过，谷丰渠、湟惠渠灌溉设施齐全。河嘴村村共有农户300户， 1340人，总耕地面积1500亩，人均耕地1.1亩。标准化卫生所2所、标准化小学和幼儿园各1所。有线电视、电话入户率达95%以上。

花庄镇河嘴村以新农村建设为目标，以强村富民为工作着力点，大力发展设施农业，推动特色种植业发展，有力地促进了全村经济和社会各项事业全面发展。目前，河嘴村村设施农业初具规模，建有占地200亩的无公害蔬菜生产园区（其中一代日光温室80亩，二代日光温室120亩），高起架大棚100亩。形成了以菜花、黄瓜、娃娃菜、西红柿等精细蔬菜和优质瓜果种植为主导产业，木瓜、雪桃、优质大樱桃、荣明5号葡萄等特色产品为补充的生产模式。同时，积极加大产业结构调整步伐，形成了交通运输、饮食服务为主

的第三产业，全村现有重型机械6台，大型货运、客运车辆25辆，饮食服务网点4家，商业铺面25家，蔬菜代办点2处。2007年，全村工农业总产值达到1794万元，人均纯收入达到5540元。村党支部下设6个党小组，直管党员48名。村上先后被上级部门评为“五好标兵村党支部”、“学校建设突出贡献先进集体”、“全区老龄工作先进村委会”等称号，多次被镇党委、镇政府评为“先进集体”。

以项目建设为抓手，着力加快基础设施建设。河嘴村把项目建设放在各项工作的首位，2005年至今先后投资396万元实施了人饮工程、道路硬化、教育、文化、卫生等方面的8个项目。其中人饮工程项目总投资64万元，铺设主管道2500米，支管道2600米，入户总管线11000米，并修建检查井30座，安装IC卡智能水表300块，完成入户300户。园区通电项目总投资36万元，安装变压器一台、架设电线杆50根、架设电线5000米，使园区全面通电。园区铺设滴灌项目总投资7万元，滴灌铺设全面完成。园区道路硬化项目总投资34万元，硬化园区1号路、3号路、大留子路共6900平方米，衬砌渠道2100米。高效设施农业项目总投资48万元，新建高起架大棚60亩。村民文化活动中心项目总投资53万元，建成图书室、电脑室、棋牌室和乒乓球室等在内的文化活动室612平方米，硬化场地2000平方米，修建围墙40米、护栏80米、大门一座，并建成篮球场、羽毛球场，配备篮球架1副、乒乓球桌2个、健身器材8套。投资29万元，对村主干道两旁的房屋进行了粉刷，修建了园区国策门、仿古彩门；对村主干道进行了亮化、美化，安装路灯40盏。投资65万元，新建河嘴小学教学楼，配置电脑10台，投资20万元建成标准化卫生所；投资40万元建成了村办公室。

以设施农业建设为着力点，突出主导产业发展。河嘴村坚持“项目兴村、特色富村”的发展目标，紧紧围绕特色农业型的定位，按照“高标准、高质量、高科技、高效益”的要求，大力发展设施农业建设，依托现有的200亩二代日光温室群和100亩高起架大棚，积极兴建农业示范园区，大力发展绿色无公害精细蔬菜生产，主要以西甜瓜、早春娃娃菜、雪妃菜花、绿宝石番瓜、木瓜、雪桃等为主导产业，不断提高农产品市场竞争力和农业产业化水平。成立了西甜瓜、蔬菜产销等四个协会，充分发挥协会和经纪人的桥梁纽带作用，实现农产品的产、供、销一体化，使全村工农业总产值达到1794万元，其中主导产业产值占总产值的75%以上，农产品商品率达到92%以上，90%以上的农民从事农业产业化经营。协会还经常聘请专家对农户进行农业技术指导、农产品种植培训，大力引导农民积极发展特色种植，切实增加了农民收入。

以改善村民生活条件为突破口，落实各项惠民政策。河嘴村从解决群众就医难、上学难、饮水难等方面入手，及时落实各项惠民政策。村卫生所建筑面积达450平方米，常用医用设备齐全，并配有2名主治医师，2名护士，解决了群众看病难的问题。实施自来水户户通工程，供水普及率达到100%，生活用水全部达到安全标准，安全饮水率100%，并成立了供水管理协会，做到专人负责，专人管理。全村农户住房砖木结构120户，占全村住房的40%，砖混结构180户，占全村住房的60%。积极推行新型农村合作医疗制度，参合人数达1287人，参合率达96%以上。认真落实最低生活保障制度，全村共有低保户8户，年享受低保金9432元，五保户6户，年享受补助资金9000元，使全村低保户、五保户在动态管理下做到了应保尽保，生活得到基本保障。

以提高村民素质为出发点，积极开展精神文明创建活动。一是重视教育发展，所有适龄入学儿童全部入学，适龄儿童入学率达到100%。村上还投资2万元，对学校进行了围墙修建、花园整修、植树绿化等，使学校的教育教学环境得到了进一步改善。二是建成文化活动室，成立了篮球协会、象棋协会等群众性文化活动组织。定期在 “三八”、“五一”、“十一”、“春节”等传统节庆日，组织村民广泛开展各类文体活动。2007年共组织群众开展篮球、跳棋、象棋等比赛共4场（次）。三是广泛开展“和谐村镇”创建活动，通过开展“五好家庭”、“十星级文明农户”、“好公婆”、“好儿媳”等群众性精神文明创建活动，切实提高农民素质，在全村逐渐形成了人际关系和睦、邻里关系友好的和谐氛围。截至目前，共评出“五好家庭”160户、“十星级文明农户”240户、“好公婆”7名、“好儿媳”12名，并对评出的所有人员进行了表彰奖励。村上还定期举行拥军优属、助学济困活动，去年为考入大学的2名优秀学子每人捐助学费2000元。四是建成农民技术培训基地1处，今年以来利用电视讲座、投影观看、外地参观学习等多种形式，已举办各种培训班10场（次），培训人员400人，占全村总劳动力的51%。五是加大计划生育政策的落实力度，健全计划生育各项制度，不断提高计划生育服务水平。河嘴村现有育龄妇女433人，其中已婚育龄妇女250人，节育人数221人，符合政策生育率达到100%，重点对象访视率达到98%以上，全村计划生育综合节育率达到100%。六是围绕“和谐村镇”创建活动，进一步建立健全了村民自治制度，制定完善了村规民约等规章制度，群众的知晓率达到98%以上，有效增强了群众自我管理、自我约束、自我发展的能力。

以改善村容村貌为切入点，大力开展环境卫生集中整治。一是实施绿化美化工程。按照“道路整洁，环境优美”的建设思路，在村主干道、村委会大院及学校周边栽植国槐、雪松、刺柏等绿化树木7980株，花类200余株。二是强化卫生整治工作。定期开展大规模的卫生整治活动，清除土堆、粪堆、石头堆、草堆以及各种垃圾，固定了2个垃圾堆放点，并通过制定和完善卫生清运、路面保养维护等工作机制，做到了村庄环境卫生定期有人管理、有人清扫、有人维护，落实门前“三包”制度。三是实施道路亮化工程。在村主干道两侧安装路灯40座。

以民主管理为着力点，推动村级各项制度建设。一是加强制度规范化建设。健全完善了以《村民委员会组织法》为指导的民主选举制度，“一事一议”为主要形式的民主决策制度，村民自治章程为重点的民主管理制度和村务公开为主的民主监督制度等相关制度3大项、27小项。对涉及群众利益、经济社会发展、财务收支、征地方面的重要村务公开事项，每季度或者即时进行公开，有力保障了群众的知情权、参与权、保障权，群众满意率达到90%以上。二是积极推行“两推一选”制度，使村两委班子能够按照各自职责，合理分工，加强协调，达到“有章理事，有人管事”。并大胆启用党员中的“能人”

担任村干部，实现了支部书记、村委会主任“一肩挑”，切实优化了村干部队伍，增强了党支部的凝聚力、吸引力和战斗力，形成了“促富裕党员腾飞、带低收入群众展翅”的良好氛围，提高了村党支部班子发展经济的能力。定期召开民主生活会，开展批评与自我批评及谈心交心活动，使班子成员在思想上合心，工作上合力，逐步形成了“心往一处想，劲往一处使”的工作氛围。三是认真实施“双培双带”工程，把群众基础好、有一定示范带动作用的能人作为重点培养对象，采取村党支部成员帮带、党员联名推荐等措施，引导教育他们靠近党组织，加入党组织。2007 年共发展优秀党员 2 名，培养入党积极分子 6 名。四是加大党员队伍的教育培训力度。利用党员示范基地、党员示范点等载体，采取集中授课、异地参观、典型报告等形式，以农村实用技术、经营管理知识为主要内容，由单纯的党性教育，向扶持他们成为农村致富带头人转变，重点引导他们处理好带头致富与带领群众共同致富的关系，并通过深入开展“三带头”活动，即带头奉献、带头致富和带领群众致富、带头完成急难险重任务，充分调动了广大党员参与新农村建设的积极性，使他们担负起宣传、教育群众、倡导文明新风的重任。

东北三省新农村建设经验与案例

一、重视农业关注民生加快建设大连市社会主义新农村

2007年，大连市认真贯彻落实中央农村工作会议精神，进一步解放思想，开拓创新，围绕农业增效、农民增收和农村发展，不断强化农业基础设施建设，积极发展现代农业，全力推进社会主义新农村建设，实现了农业生产全面丰收、农民收入持续增长、县域经济快速发展的良好态势。2007年，涉农区市县实现地区生产总值1564亿元，同比增长30.5%；地方财政一般预算收入74.7亿元，增长38.4%；固定资产投资1054.3亿元，增长34.2%；农民人均纯收入8369元，增长19.8%；农林牧渔及服务业总产值444.9亿元，增长20.2%；粮食产量达到32.5亿斤，创历史最高水平；肉蛋奶产量76.6万吨、水果产量121.7万吨、蔬菜产量260.5万吨，水产品产量220万吨，均有较大幅度增长。2007年，大连市推进新农村建设主要采取以下措施：

（一）高度重视，全力扶持，推动县域经济快速发展

为加快县域经济的发展，大连市出台了《关于壮大县域经济， 扎实推进社会主义新农村建设的意见》和《大连市金融业支持民营经济和中小企业发展的实施意见》，构筑发展壮大县域经济的政策体系。全力推进"五点一线"、"一岛十区"建设步伐，市财政安排资金加大基础设施建设的投入，统筹安排市内企业向农村转移。加强了招商引资工作，一大批投资亿元以上的大项目已在工业园区安家投产。加快推进农村城镇化进程，加大培育和扶持主导产业发展力度。加强了20个中心镇的基础设施和公共设施建设，增强了乡镇的经济实力和发展活力。坚持实施北三市（瓦房店市、普兰店市和庄河市，下同）大开发战略，加大了对低收入乡镇的政策扶持力度，有力推动了北三市经济发展，各项指标实现跨越式增长，成为大连市经济发展重要的增长极。

（二）突出重点，发挥优势，加快现代农业建设

1.继续推进优势产业发展

坚持以市场为导向，立足发挥区域比较优势，不断优化农业结构，推进优势产业快速发展。渔业生产在清理近海养殖物、减少产量的情况下，积极优化资源配置，强化无公害养殖基地建设，不断扩大养殖规模，加快推进优势水产品生产，努力培育新的增长点，全力实施"六个百万工程"建设，滩涂贝类养殖面积发展到100万亩，海参底播增殖和港池养殖面积发展到100万亩，虾夷扇贝底播增殖面积发展到110万亩，魁蚶底播增殖面积发展到100万亩，陆地工厂化养殖面积发展到115万平方米，水产品精深加工产量已达到100万吨。目前，大连市海参产量占全国总产量的50%以上，虾夷扇贝在国内市场占

有率达到90%，鲍鱼产量占全国近一半。畜牧业重点抓了无规定动物疫病区示范区建设、规模畜牧饲养小区建设和重大动物疫病防控工作。根据无规定动物疫病区示范区建设规划，加强了市县乡村四级防疫体系建设，强化禽流感、口蹄疫、猪蓝耳病等重大动物疫病防控工作，免疫效果检测合格率达到80%，超过国家标准10个百分点，确保了动物安全和畜牧业健康发展。出台了畜牧标准化小区和良种繁育基地建设扶持政策，大连市新建畜牧标准化饲养小区234个。目前，小区总数已达640处，规模化饲养场（户）1万多个，肉鸡规模化饲养量达100%、生猪达50%、蛋鸡达93%、奶牛达95%。蔬菜业重点加速设施农业发展。出台了保护地蔬菜发展扶持政策，开展了保护地保险试点工作，新发展蔬菜保护地20.02万亩，建成423个规模化设施小区，保护地面积已达到56 万亩。水果业重点发展优质果树和提高水果质量，对新发展优质果树给予了政策扶持，将水果生产示范基地建设纳入大连市重点工作挂牌督办。新发展优质水果43.2万亩（其中苹果17.3万亩，樱桃15.7万亩），水果总面积达到222.9万亩，其中苹果105.7万亩，大樱桃发展到42.1万亩，已建成全国最大的樱桃生产基地。花卉业重点抓了规模化生产基地建设，建成国内最大的向应蝴蝶兰、营城子红掌、登沙河菊花、登沙河百合种球、丰荣美国草花、红旗仙客来六大单体生产基地。花卉种植面积发展到6 万亩，已进入全国十大花卉城市行列。粮食生产大力推广优质粮新品种和新技术，不断提高粮食复种指数，粮食产量再创历史新高，达到32.5亿斤，增长6.8%。

2. 加快推进农业产业化经营

按照“扶优、扶大、扶强”的原则，不断做大做强龙头企业，增强带动能力。大连市新建、扩建农产品加工龙头企业63家，投资总额22.8亿元，分别比上年增长12.5%和15.2%。新增规模以上农业龙头企业38家，总数达到532家；新增固定资产投资1000万元以上的农产品加工龙头企业39家，总数达223家；销售收入达到455亿元，比上年增长15%；农产品加工能力达到650万吨，占农产品总产量的75%；储藏能力达到75.5万吨。新增省级龙头企业9家，省级以上重点龙头企业总数达到57家，其中国家级10家；新发展农民专业合作组织212家，总数达到589家。有80%的农户进入农业产业化链条，广大农民从产业化经营中获得的稳定收入已占家庭总收入的三分之一以上。有效地实现了家庭经营与大市场的对接，从根本上解决了农民卖难问题。

3. 大力实施“科技兴农”战略

大连市政府投资3500万元用于“十大”实用农业增产增效技术（赤眼蜂防虫、测土配方施肥、覆膜两茬、大豆种衣、黄瓜定型盒、物理农业、水果套袋、畜牧良种、节水灌溉、海参健康养殖）、新品种引进推广和农民技术培训。今年完成测土配方施肥面积165万亩、地膜覆盖两茬生产9.88万亩、生物防治面积506.2万亩、新型大豆种衣剂应用面积4.78万亩、种子磁化应用面积230万亩，人工授精改良生猪336万头、肉牛12.7万头、奶牛23万头。积极开展农民技术培训活动，组织专家和技术人员深入村屯授课和现场指导，农民科技素质普遍提高。大连市举办各类培训班、科技大集、科技下乡1200多场次，印发科技宣传资料152万份，其中《农家富》等技术刊物每期发放量达到4万份以上，共培训农民达到50多万人次。以劳动力转移阳光工程为载体，加大农村劳动力转移培训力度，培训4万人，转移就业3万多人。实行了“三员进村”，每个行政村配备农技推广员、动物防疫员、护林员各一名，由财政每人每年补贴4000元。积极推进农业信息化，启动“三电合一”农业信息服务系统建设，开通“12316”三农热线，有效地提高了农业信息进村入户率。目前，大连市大多数农村劳动力都掌握了1-2门实用生产技术，有5万多名农民已能熟练上网查询和发布农产品销售信息。

4．积极扩大农业对外开放

依托区位、资源和产品优势，围绕农业综合开发、农产品生产加工和保鲜储藏，积极开展招商引资工作。成功举办了2007年台湾优质农产品（大连）巡回展览、大连市农产品对俄出口推介会，组织企业参加2007中国农业（泰国）展览等大型招商和贸易洽谈活动。大连市农业实际利用外资达到9000万美元，增长20%。加强农产品出口基地建设，搞好农产品出口基地注册登记，建立农产品出口示范基地20个，新注册登记农产品出口果园20个（总数达到50个，面积8.3万亩）、包装厂8家（总数达到21家）。鼓励引导企业和经纪人兴办农产品境外销售实体，提升大连市农产品出口知名度，推动农产品出口量增加。大连市农产品出口贸易额达到18亿美元，增长22.4%。大力实施“走出去”战略，组织5个农业团组到日本、加拿大和澳大利亚等国家学习考察，开展贸易技术合作，聘请日本、韩国等农业专家来大连市传授新技术。积极组织国际劳务对接活动，向境外输出劳动力4800人次。

5．全面提高农产品质量安全

不断完善农产品质量安全检验检测体系，大连市已建成1个市级农产品检测中心，8个县级农产品监测站，87个乡级农产品检测点，建立和完善农产品市场准入和质量安全监测与信息发布制度，农产品从生产到流通实现了全过程质量监管，保障了农产品的质量安全，在农业部多次质量监测中，大连市瘦肉精检出率为零，保持全国第一，农药残留安全位居上游水平。坚持以“遵循国际规则、实施国际标准、开拓国际市场”为主攻方向，全面加快农业国际化进程，农产品已出口到日、韩、欧盟、东南亚及港澳台等100多个国家和地区，今年，大连市农产品出口15.3亿美元，同比增长了24%。

（三）加强领导，搞好规划，全面推进“百村示范”工程

大连市政府成立了以市长夏德仁为组长，分管副书记、副市长为副组长，38个部门为成员单位的市农村工作领导小组，在市农委设立了办公室，并明确了各成员单位的工作任务，落实了责任。新成立了政策指导处，负责研究拟定发展壮大县域经济、推进社会主义新农村建设的政策措施。按照总体安排，今年又完成了200个村的规划编制工作。为规范示范村村屯环境基础设施建设资金管理，制定了《大连市支持村屯环境基础设施建设专项资金管理办法》，将“百村示范”工作列入大连市为民办18件实事之中，并开展

54个示范村的村屯环境基础设施建设，同时组织了57个龙头企业与59个村开展村企共建工作，有力地推动了示范村各项工作的开展。目前，各示范村共投入生产发展资金73亿元，新上产业项目420多个；投入5.39亿元，开展了以“五清”（清垃圾、清粪堆、清路障、清柴垛、清院落）、“五改”（改水、改路、改厕、改灶、改圈）为主要内容的村屯环境整治，新建和维修改造村综合文化活动室95个，建垃圾收集点2897个，改水3634户，改路663公里，改厕2133个；104个示范村全部实行村务公开，实行财务委托代理制的村达到90%，落实村民代表大会制度的村达到100%。

（四）关注民生，强化投入，促进农村基础设施和社会事业发展

1．全面落实各项支农惠农政策

积极落实粮食补贴政策，投入粮食综合直补资金1.43亿元，比上年增加0.34亿元，补贴粮田面积386.2万亩，69.9万户农民受益；投入良种推广补贴资金2092.5万元，补贴面积185.5万亩，推动了专用玉米、高油大豆和优质水稻等优质粮生产快速发展。启动农业政策性保险试点工作，对能繁母猪、肉蛋鸡、蔬菜日光温室、苹果等进行保险试点。各级财政落实农机购机补贴资金1100万元，有力地推动了农业机械化发展。

2．加大农村基础设施建设力度

从解决群众最关心、最直接、最现实的利益问题入手，不断加强农村基础设施建设。增加农田水利建设投资，加快农田水利基础设施建设步伐，新建各类水源工程1161项，新增蓄水能力561万立方米，改善灌溉面积8.9万亩，新增节水灌溉面积6.4万亩；治理水土流失面积25.9万亩，新修加固河道堤坝221.8公里，疏通河道124.4公里；完成农村人畜饮水工程61项，解决11.2万农民饮水困难和饮水安全问题。全面加快海防林基干林带、荒山造林补植、生态河整治、道路绿化、生态文明村五大林业生态工程建设，完成植树造林40.2万亩，植树1亿株，绿化河流堤坝873公里，建成221个生态文明村。在实现村村通油路基础上，新建农村公路460公里、乡镇客运站8个，进一步改善了农村交通条件。加快新农电工程建设，一期电网改造工程全部完成，建成1个电气化乡和7个电气化村。积极推进农村能源建设，新建户用沼气工程4000个，比上年增加2500个，新建大型沼气工程36处。

3．加快农村社会事业发展步伐

提前一年落实农村中小学义务教育“两免一补”政策，大连市近30万农村学生已免交学杂费，免费得到教科书，2000多名困难家庭学生得到生活补贴，每年减轻农民负担近1亿元。根据大连市公共卫生体系建设三年规划要求，完成了县级妇幼保健、疾病预防和防控机构以及乡镇卫生院等公共卫生基础设施建设，初步建立起覆盖城乡的120急救网络。有211万农民参加了以大病统筹为主的新型农村合作医疗，农村新型合作医疗参合率达到93.8%，提前两年完成国家确定的基本覆盖农村居民的新农合建设目标，参合农民的筹集标准由2005年的35元提高到80元以上，其中市级财政人均补助50元，为全省最高。

加强农村社会救助工作，全面推行农村低保网络化管理，实现了动态管理下应保尽保，共有4.8万农民享受了低保待遇，低保平均标准由920元提高到1650元；新建25所区域性中心敬老院；帮助农村困难居民改造危房3000户；对水库上游、泥石流易发区和偏远山区的1100户居民进行了生态移民安置。启动农村电影“2131”工程，开展送戏下乡活动，无偿为村民放映电影8000多场次，送戏40多场次，进一步活跃了农民的文化生活。

（五）完善制度，政务公开，提高农村民主管理水平

加强基层干部培训，对换届选举新产生的千名村委会干部进行了较系统培训，提高了村干部带领群众建设新农村的本领。推进村民议事制度建设，建立村民理事会、村民代表大会，完善“一事一议”和村民自治机制，充分发挥农民参与新农村建设的主体作用。建立和健全村务公开和财务公开制度，全面推广了民主评议干部报酬的经验，加强集体资产管理工作。目前，大连市有90%以上的村实行了村务公开，95%的村开展了民主评议村干部工作，86%的村推行财务委托代理制，70%的村实行了民主评定村干部报酬，使广大农民的“知情权、决策权、参与权、监督权”得到有效落实，推动了农村基层民主政治建设深入发展。

二、村容旧貌换新颜

杜力村座落在吉林省双辽市双山镇东南8华里处，东辽河北岸的一片黑土地上，全村面积920公顷，6个自然屯、7个行政屯，有农户298户，1059人，劳动力580人。2007年农民人均收入达到4200元。全村298户，砖房占97%以上。全村有大型运输车10台，小轿车8台，摩托车户均1台，彩色电视户均1台以上，电脑12台，手机户均1.5部，家家安上了自吸泵，不用人工打水。一个文明富裕的社会主义新农村的雏形已经形成，全村既无外债又无内债，家底厚了，多数人家有存款，成为双辽市的富裕村之一。

（一）发展生产力是根本

实行联产承包责任制以后，杜力人首先把眼睛盯在开发土地上，当时，这里荒地较多，原有的耕地因地势低洼，春天旱种不了，夏天雨多趟不了，到了秋天全是草，收成无几。鉴于这种情况，村党支部引导群众“因地制宜、以稻治涝，”展开了开发荒地、开发水田的生产劳动，很快形成了家家垦荒，户户争改水田的局面，为了加快开发荒地的进度，他们本着“解放思想、改革开放”的精神，采取“引进开发、短期承包、逐步改造、分批收回”的方法，引进外地人，借助外力开垦荒地，利用这个办法，几年光景，在荒地上，开发水田100多公顷。现在，绝大部分已经收回，分给了各户。在开发水田的同时，还加强农业基础设施建设，按照统一规划、统一施工、统一配套的要求，村里在农田水力建设方面投资30余万元，群众无偿奉献公益用工50多万个，动用土石方100多万立方米，新开

大型引水渠4条，1万多延长米，修渠、系统配套的桥、涵、闸36个、打机井500多眼，完善的水利配套设施提高了土地生产能力，达到了旱涝保收，稳产高产的要求。

耕地多了，水田面积扩大了，为机械化发展创造了条件，杜力村在1978年以前，全村共有7个小队，16台胶车，70头耕畜，全部机械只有一台链轨拖拉机，两台手扶拖拉机，还因配套机件不全，不能使用，长期闲置，原本生产水平就低，根本谈不上精耕细作，随着生产的发展，收入多了，有了积蓄，人们将资金首先投向买机械，在追求机械化作业省时、省力、精度高、效率大的思想驱使下，购买农机具成了杜力人的新潮和时尚。2007年，四轮车发展到260多台，手扶拖拉机200台，大型打稻机10台，机械化作业取代了原始的牛马犁杖，田间生产、运输、场上作业和后勤加工完全实现了机械化。

（二）科技兴农是动力

杜力村三十年巨变的实践证明：学习科学技术，推广与普及科学知识，不断提高农业生产的科技含量，是快速实现优质、高产、高效农业的最佳途径。

1978年以前，杜力村刚开始种水稻时，普遍采取直播“漫撒籽”的播种方式，因不能提早育苗，生育期不够，成熟不好，产量很低。1975年，地委工作队为了让杜力村种好水稻，特意帮助解决了13万元的贷款，用于50公顷水田的投入，结果到秋，只打了1.9万斤水稻，平均每公顷产水稻380斤。后来，他们向农场水田队学习“湿润育苗”方法，由于缺乏苗床管理经验，即使有成功的时候，育出的苗，也多是弱苗。再后来，在国家的扶持下，引进了日本“大棚育苗”的先进技术，在县和公社科技人员直接指导下，育苗成功了。但是限于大棚面积小，水田开发日渐增多，很难解决一家一户的大面积耕作要求。最后，还是通过县校联合开发水田，请来吉林省农业学校的教授、老师、学生，解决了这方面的问题。省农校的几十名师生，采取集中讲课培训，现场操作示范，分工逐户指导的方法，连续用了三年时间，把育苗的选种、种子的处理、播种的方法、营养土的配制以及苗床管理、防害灾病等技术操作规程，传到了各家各户，实现了大棚育苗技术的全面普及。推广“抛秧育苗”技术后，水稻种子也逐年更新。通过育苗技术的推广，新技术的引进和普及，种子的更新换代，杜力村农民的科技素质和科学种田水平普遍得到了提高，也极大地促进了水田的开发。

由于学科学、用科学，注重科学知识的普及，杜力村的化肥、农药施用水平也有很大提高，以前不会使用，效果不好，现在讲究科学种田。常言说：“技精艺高人胆大，放得开，撂得下。”由于人们明白有投入就有产出的道理，所以家家户户都敢用。近年来，通过测土，掌握土地有机含量，采用配方施肥技术，化肥每公顷用量一般都在一吨以上，还适当增施微肥，水田百分之百施除草剂，普遍使用种子包衣消毒剂、杀虫剂和助长剂，各种作物病虫害得到了有效的控制。

各种实用技术的普及，不断提高了农业生产的科技含量，粮食单产直线上升。现在杜力村每公顷水稻产量都在8500公斤以上，人们说：“科技这玩艺儿真灵，用到哪都显神通。”“不靠天，不靠地，发家致富靠科技。”杜力人用自己的话，道出了信奉科学的心声。

（三）“三农”政策是保障

近些年来，关于“三农（农村、农业、农民）”问题中央先后出台了九个一号文件，证明国家对“三农”问题的重视，解决了大量难题，减免农业税、粮食直补和增加农业基础设施建设投入。杜力村一位老村支书张子兴的话说得最实在，“从2600多年的历史上看，历朝历代没有哪一个国家能够免除皇粮国税，而到我们这一代实现了，农民种地国家不但不要钱，反而还给钱，2007年粮食直补，综合补各项补贴人均455元。国家在农村推行合作医疗，彻底解决了农民看病难、看大病更难的问题，看病报销补偿比例达到50%以上，使农民医疗有了保障。减免学杂费，实现了九年义务教育，孩子们不用交钱就可以上学。一系列惠民、惠农政策的出台，给杜力人带来了实惠，更给他们带来了希望。

（四）两个文明齐发展

杜力人在三十年改革中，深刻体会到了物质文明要抓，精神文明也要抓。两手抓，两手都要硬，两个文明都搞好，才是建设社会主义新农村的最终目标。村党支部经常用现在与过去对比教育的方法，教育激励群众勤劳致富。为了提高村民的科学文化素质，每年都要办几期科技培训班，请市里或是镇里的农业科技人员讲课，村里还投资近10万元，建起了村部，办起了农民文化活动中心，使群众学习、开会、开展文化活动、接受爱国主义教育有固定场所。三十年里，先后两次投资30万元，修建了村小学校校舍，购置了文体设备和教学用具、器材等，学校建成了全面达标的先进校，为孩子们学习创造了一个良好的学习环境，过去这个村文盲成群，现在入学率达到了百分之百，小青年都完成了九年义务教育，近年来，共考出12名大中专学生。

为了全面提高村民思想道德素质，开展了“十星级文明户”、“五好文明家庭”评比等活动，狠抓了群众性精神文明创建活动，人们的精神面貌发生了巨大的改变。过去，农民一到农闲季节就看小牌、打麻将或玩扑克。现在赌博的明显少了，农民们利用农闲季节读书、看报、学科技，或者是参加扭秧歌等娱乐活动，还有的农民外出进行打工，每年外出打工的都达100多人，打工人均创收万元以上。通过学习培训，村民的整体素质也大大提高了，积极参加村里的公益事业建设，在村干部的组织下，农民积极主动把粮种补贴钱都拿了出来，户均200多元，总计5万余元，把村路修好了。

在改革开放的号角声中，杜力人经过三十年的艰苦拼搏，杜力村旧貌换新颜。

三、明晰思路突出特色扎实推进新农村建设

长发屯位于黑河市郊，距市区仅6公里，辖区总面积1.5平方公里，农户523户，人口1，840人，耕地15，465亩。2006年被列为新农村建设试点村以来，长发村抓住地处城郊

的地缘优势和口岸优势，在上级党委、政府的正确指导和大力帮助下，紧紧依靠广大群众，不等不靠，在认真调查研究、科学规划的基础上，根据群众的所需所盼，紧紧围绕“生产发展、生活宽裕、乡风文明、村容整洁、管理民主”的总体目标，科学合理谋划工作思路，扎实稳步地推进新农村建设工作，并取得了显著成效。长发屯村的具体做法是：

（一）从思想发动入手，充分调动农民积极性

自新农村建设开展之初，村“两委”班子就组织村民多次集中学习十六届五中全会精神及省市区新农村建设政策文件。围绕“建设什么样的新农村、怎么建设新农村和新农村建设到什么程度”三个议题，广泛开展社会主义新农村建设大讨论，征集到群众各类意见18条。并通过积极推行出工出劳、以奖代补、村民自筹等有效方法，使村民切身感受和体验到了他们不但是新农村建设的主体，也是收益的主体。广大农民群众参与的积极性和参入的主动性得到全面激发和调动，打破了“干部唱戏、村民看戏”的传统局面，营造出干部群众共建新农村的浓厚氛围。

（二）从本村实际出发，高标准制定规划

按照布局合理、设施配套、体现特色、村容整洁的目标，本着规划一步到位、建设分步进行的原则，结合本村实际，从改造环境、完善功能、发展经济入手，聘请东北农大专家组精心制定了《幸福乡长发屯村新农村建设五年发展规划》，绘制了五年人均增收示意图，为全村近期及长远发展提供了科学依据。

（三）从优化产业切入，大力发展城郊特色农业

全村有蔬菜种植户160户，蔬菜种植面积达4，680亩。针对这种特点，因势利导。鼓励引导农户发展特色农业：一是加强抗旱水利设施建设。从分利用现有水源，动员农户新打抗旱机电井120眼，实现喷灌面积2，450亩，灌溉面积75亩，提高了抗旱自救能力，极大的推动了蔬菜规模化、标准化生产。二是建立无公害蔬菜示范园区。成立了无公害蔬菜协会，组织农户按照《无公害蔬菜种植标准》种植蔬菜600亩，并经过检验检疫、质量监督部门的审核认证，在市场统一床位、统一价格、统一标识进行销售，不但填补了市区局面吃不上放心菜的空白，而且价格比普通菜高20%，2006年种植无公害蔬菜的农户同比增收4，000元左右。三是发挥口岸优势，建立了对俄蔬菜出口基地。积极与境外种植大户联系，引进品种，开辟了400亩马铃薯种植出口基地，当年就出口马铃薯40吨，为发展壮大外向型农业、拓宽农民增收渠道迈出了坚挺的一步。四是探索园林美化鲜花种植。2007年长发屯增加铃兰、金钱菊、水仙、鸡冠等10余个花卉品种培植，扩建成300平方米花圃 ，进一步拓宽了城市园林美化与鲜花市场。五是拓宽农民的致富门路，发展特色养殖业。为多渠道增加农民收入，加快致富步伐，长发屯通过考察论证，选中适合地理气候特点、市场发展前景较好的貂子、狐狸等品种进行养殖。在乡政府的大力帮助下，投资20万元建设了占地1万平方米养殖基地，为养殖户搭建了“养殖平台”，并对养殖户在贷款、引种、技术上给予大力扶持。为了提高饲养水平，集中饲养，统一管理，规避市场风险，采取股份合作制的方法，鼓励引导41户农户成立了养殖联合体，进驻了“养

殖平台”，通过集资35万元，购进种貂近1000只、种狐60只。今年又增加了养殖品种，成立了獭兔饲养场，现已有獭兔260只。为长发屯村发展特色养殖促增收开辟了新篇章。六是扩大就业渠道，促进劳动力有序转移。针对长发屯人均占有耕地仅8.4亩的实际，积极寻找农村劳动力转移途径，依托村民吕玉才等境外蔬菜种植大户，对俄劳务输出劳动力100多人；并充分利用该村地处城郊这一地缘优势，积极为剩余劳动力提供就业技能培训和就业信息，向运输业、建筑业、饮食服务等行业转移劳动力120人，通过劳动力转移为长发屯每户每年增加收入1，000多元，实现了农民持续稳步增收的目标。

（四）从改善村屯环境突破，强力打造城郊旅游服务业

长发屯有良好的饮食服务业基础，现有饭店11家，每年都吸引大批市民到此品尝农家菜、享受田园风光。为了把长发屯打造成黑河城郊的旅游胜地，充分发动各方面力量全方位改善村屯环境。一是全面启动基础设施建设。针对群众反映强烈的吃水难、行路难问题，通过积极争取，克服困难进行了改水、改路、改厕所工作。投资110万元，上马了自来水工程，结束了长发屯村村民吃地表水的历史，保证了村民的饮水安全，提高了生活质量；积极向上争取，修筑了四条3公里长的水泥巷道，为村民出行提高了便利，为村屯环境的根本转变打下了坚实基础；投资36万元，为401户村民修建了标准化厕所，改善了卫生条件。二是绿化美化村容村貌。在主要街道水泥路面两侧栽种了塔松1，200棵，栽种鲜花4500株；在全村统一安装了喷刷彩色油漆的木栅栏15，000米；制作安放了标准化的垃圾桶61个，成立了卫生管理组织，制定了卫生管理制度，村屯环境更加优美。三是改造亮化村民住房。采取对农户引导性地投入水泥、红砖等物资或资金的形式，引导农户对房屋进行立面装饰，对庭院进行美化。使120户农户对房屋进行装饰，更换了房盖、门窗，墙面粉刷了彩色油漆，26户土房翻盖砖房，民居面貌焕然一新。截至今年10月份将还有30户房屋立面装饰完工。四是鼓励饮食服务业提档升级。为了改善饭店的卫生环境、服务质量、提高餐饮档次，鼓励支持两户农民各投资近百万元，在村中心位置建设了两座欧式风格的饭店，提升了农村休闲游等级，为该村餐饮业的未来发展树立了导向。

（五）从招商引资着力，壮大集体经济，推进各项事业开展

该村集体积累少，对公益事业投入不足，为扭转这种局面，积极利用该村的地缘和资源优势，通过在新闻媒体上发布招商广告、以友招商等形式，大力发展二、三产业。2006年该村把多年废弃影响村屯环境的大土坑填平，外引投资300万元准备兴建旅游度假村，不但增加了村集体积累，推进各项公益事业开展，为转移富余劳动力创造了条件，而且将带动全村旅游业向前发展。同时，水利水泥制品有限公司等多家企业也看好该村紧临黑龙江大桥桥头区的地理优势，正在积极洽谈合作事宜。

（六）从组织建设抓起，加快构建和谐新农村

一是强化班子建设。努力实践“一制三化”工作机制（党支部领导下的村民自治运动机制、支部工作规范化、村民自治法制化、民主监督程序化），强化了党对农村工作的

领导，加大了监管力度，从根本上解决了“两委”决策程序、“一事一议”、村规民约、村务公开不规范等问题，使村级管理步入民主化法制化轨道。二是倡导文明新风尚。通过深入开展“八荣八耻”教育活动，一方面弘扬了艰苦奋斗、团结互助的优良作风，另一方面也摒弃了许多陈规陋习，全面促进了乡风文明。三是培养造就新型农民。共举办实用技能、市场知识等各种培训和讲座30多期，培训农民2，000余人次，组织村民参加各类劳务技能培训，深入开展法制宣传教育，加大社会治安综合治理力度，加快培养有文化、懂技术、善经营、会管理、思想开放的新型农民。为顺利开展新农村建设提供了智力保障，为加快构建和谐乡村打下了坚实的基础。

四、精心谋划开拓进取积极带领村民搞好村庄建设

东方红村是哈尔滨市香坊区黎明街道办事处所辖村，位于“哈红公路”6.5公里，地处哈市东南郊，与阿城接壤。全村两个自然屯，有村民590户、2230人，中小型企业14家，农业以种植业为主，养殖业为辅，是香坊区无公害秋白菜生产基地、哈尔滨市生态园林村。2006年被市建设局确定为新农村建设示范村，今年初又被市新农村办定为新农村建设典型村。几年来的发展建设，使该村发生了深刻变化，特别是村容村貌发生了翻天覆地的变化，水泥路进了村、枯水区吃上了自来水，街路整齐、卫生清洁，人们安居乐业，全村政治安定、社会稳定。

（一）真抓实干，推进新农村建设的几点做法

在积极营造和创建新农村建设环境过程中，一直遵循因地制宜、积极谋划。特别是2007年初，该村被市新农村办确定为新农村建设的基础上，向生态示范村方向努力，制定了工作方案和工作措施。在宣传发动上突出广泛性，在安排部署上突出整体性，在结合实际上突出针对性，扎实稳妥地做好每项工作，积极推进了新农村建设步伐。

1.修建水泥路。全村街路总计有10.2公里，五年来已完成了8.3公里的高等级硬化水泥路，共投入资金600多万元。其中2007年完成1.1公里。为了如期实现目标，该村千方百计想办法、作决策，去年5月初，在一没启动资金、二没方便条件的情况下，贷款30万元作为预付款，充分利用家乡筑路队、融达路桥公司的乡情关系启动了修路计划，于2007年9月末全部竣工，仅此一项2007年投入资金70多万元。

2.街路改造。为了加强新农村建设，该村规划了一条示范街，对路旁的围墙改造，栽植银中垂柳、花灌木等700余棵，一条街改造已完成整个工程的90%，共投入资金12.7万元。

3.休闲园建设。为丰富新农村建设内容，为百姓提供休闲娱乐场所，该村加强了休闲园的景点建设。一是栽植云杉、杨柳及花冠树1200棵，投资20万元；二是铺设篮球、乒乓球等运动场地820平方米，投资6.6万元；三是制作仿真鹿、鹤，安装景观灯以及凉

亭等投资6.5万元；四是安装健身路径26套，投入资金3.8万元；五是建农民科普文化活动室一栋520平方米，再加上购置图书、活动室用品等总投资55万元。

4.住房改造。该村有7家土草房，再加上20多家年久失修的旧砖房，共计31户村民急需改造住房，预算资金150多万元。发动村民努力筹集资金，在新农村建设过程中力争翻新改造，特别困难的户争取民政部门的补助。此举极大的调动了他们的积极性，没有资金条件的户，也能求亲靠友四处张罗资金建房，截止10月末已有29家搬进了宽敞明亮的新型节能住房。

5.环境卫生治理。为加强村屯卫生的有效治理，经村民代表大会制定了“卫生管理条例”，实行各户门前三包制，即：垃圾袋装制、污水严格管理制，以及严禁乱堆乱放制等。从2007年1月20日以来，发放卫生管理条例580份，清理垃圾80车、200余吨，整治街路障碍6条街、30余户，清障率达95%，庭院环境治理95%，柴草垛出村100%。

（二）积极推进，在新农村建设中所取得的成果

该村的真正变化是从2002年开始的，原来企业没几家，种菜不赚钱、种粮不增收，经济发展滞后；街路不成样，晴天一身土、雨天一脚泥，垃圾到处有；还有那些住房困难、生产生活靠救济的贫困户。村班子下决心要改变这一面貌，要让村子发展起来、生活环境好起来、农民逐步富裕起来。

一是努力拼搏，加强了经济建设

首先是利用地源优势招商办厂，先后招进了激光防伪实力公司、华能、华美和恒信电站备件厂，以及福东型煤厂等企业，给全村经济注入了生机。其次是注重农业产业结构调整，主张增菜减粮、增加经济作物，从单一的种植业向养殖业等多种经营发展。再次就是引导村民发展第三产业，动员村民等剩余劳力从土地中解脱出来，从事运输、建筑劳务以及服务等行业增加农民收入。经过不懈努力，全村经济与日俱增，到2007年末社会总产值已达7602万元，其中农业851万元，工业5760万元，三产991万元，人均收入达到4045元，经济实力呈现逐年增长的好势头。

二是团结奋进，改变了村屯面貌

最大问题是村屯道路问题，因此工作重点是修建高等级道路、达到一劳永逸。现在全村大街小巷都是水泥路，铺设率达81%，极大地方便了村民的生产生活。与此同时，完善13000平方米的农民休闲园和520平方米的农民科普文化室，使村民们有了休闲娱乐、学习和强身健体的场所。现在是街路整齐、交通便利、庭院清洁，形成了村在林中、道在树中、人在景中的良好格局。

三是心系百姓，解决了农民吃水和住房问题

东方红村是有名的枯水区，有史以来打不出地下水。为让村民吃上自来水，投资120万元在10里地以外引水成功，终于使村民吃上自来水。从2002年以来，该

村共帮助32家贫困户建起了新砖房，帮扶建房资金28.6万元，其中环保节能的“草砖房”20栋，新型节能房屋12栋。截止2007年年底，全村住房已经全部实现了砖瓦化。

（三）着眼未来，进一步明确发展方向

一是搞好农民休闲园二期工程建设，完善健身器材安装，继续抓好绿化建设；二是开发于家学房屯商服一条街建设；三是筹建绿色墓地、骨灰堂建设；四是完善三门于家屯示范一条街建设，安装1500延长米路灯，砌筑1500延长米路边沟；五是稳步搞好工农业生产，创办2-3家企业，力争建立村支柱产业。2008年实现工农业总产值8939万元，其中农业产值1007万元，工业产值6912万元，三产实现1020万元，人均收入达到4327元；六是申办省级生态文明村。

总之，该村领导要勇于开拓、不断进取，用十七大精神、邓小平理论和三个代表重要思想武装头脑，以高度的责任感统揽全局，带领全体村民集中精力搞好社会主义新农村建设。让村子变化更大、发展更快、逐步实现“生产发展、生活宽裕、环境整洁、乡风文明、管理民主”的社会主义新农村。

五、统计资料

1. 全国统计资料

1-1 农村经济在国民经济中的地位

单位：%

年份	第一产业增加值占国内生产总值的比重	农村消费品零售额占全社会消费品零售额的比重	农业各税占财政收入的比重	农产品进口额占进口总额的比重	农产品出口额占出口总额的比重
1978	28.4	67.6	2.5		
1980	30.4	65.7	2.4		
1985	28.6	56.5	2.1	12.1	24.5
1990	27.3	53.1	3.0	16.1	17.2
1991	24.7	51.9	2.9	13.7	15.8
1992	22.0	50.2	3.4	12.0	14.5
1993	20.1	42.0	2.9	8.1	13.7
1994	19.9	40.6	4.4	10.8	12.9
1995	20.0	40.0	4.5	9.3	9.4
1996	19.7	39.6	5.0	7.1	8.4
1997	18.3	39.0	4.6	7.0	8.2
1998	17.6	38.9	4.0	7.0	7.5
1999	16.5	38.7	3.7	5.0	6.9
2000	15.1	38.2	3.5	5.0	6.3
2001	14.4	37.4	2.9	4.9	6.0
2002	13.7	36.7	3.8	4.2	5.6
2003	12.8	35.0	4.0	4.6	4.9
2004	13.4	34.1	3.4	5.0	3.9
2005	12.2	32.9	3.0	4.3	3.6
2006	11.3	32.5	2.8	4.0	3.2
2007	11.5	32.3	2.8	4.3	3.0

注：农业各税包括农业税、牧业税、耕地占用税、农业特产税和契税。

1-2 农村人口与就业情况

年 份	乡村户数（万户）	乡村人口（万人）	乡村人口占总人口比重（%）	乡村从业人员数（万人）		
					农 业	非农业
1978	17347	80320	83.4	30638	28456	2182
1980	17673	81096	82.2	31836	29808	2027
1985	19077	84420	79.8	37065	30352	6714
1990	22237	89590	78.4	42010	33336	8673
1991	22566	90525	78.2	43093	34186	8906
1992	22849	91154	77.8	43802	34037	9765
1993	22984	91334	77.1	44256	33258	10998
1994	23165	91526	76.4	44654	32690	11964
1995	23282	91675	75.7	45042	32335	12707
1996	23438	91941	75.1	45288	32260	13028
1997	23406	91525	74.0	45962	32435	13527
1998	23678	91960	73.7	46432	32626	13806
1999	23811	92216	73.3	46897	32912	13985
2000	24149	92820	73.2	47962	32798	15165
2001	24432	93383	73.2	48229	32451	15778
2002	24569	93503	72.8	48527	31991	16536
2003	24793	93751	72.5	48971	31260	17711
2004	24951	94254	72.5	49695	30596	19099
2005	25223	94908	72.6	50387	29976	20412

注：本表乡村人口数指户口在乡村的常住人口，即经常在家或在家居住6个月以上，而且经济和生活与本户连为一体的人口。外出从业人员在外居住的时间虽然在6个月以上，但收入主要带回家中，仍视为家庭常住人口。

1-3 农业生产条件

年 份	农业机械总动力（亿瓦）	农村用电量（亿千瓦时）	有效灌溉面积（千公顷）	化肥施用量（纯量）（万吨）
1990	2871	845	47403	2590
1991	2939	963	47822	2805
1992	3031	1107	48590	2930
1993	3182	1245	48728	3150
1994	3380	1474	48759	3318
1995	3612	1656	49282	3594
1996	3855	1813	50382	3828
1997	4202	1980	51239	3981
1998	4521	2042	52296	4084
1999	4900	2173	53158	4124
2000	5257	2421	53820	4146
2001	5517	2611	54249	4254
2002	5793	2993	54355	4339
2003	6039	3433	54014	4412
2004	6403	3933	54478	4637
2005	6840	4376	55029	4766
2006	7252	4896	55750	4928
2007	7659	5510	56518	5108

1—4 农村电力和农田水利建设情况

指 标	单 位	1990年	1995年	2000年	2006年	2007年
一. 乡村办水电站	个	52387	40699	29962	27493	27664
装机容量	万千瓦	428.8	519.5	698.5	1243.0	1366.6
发电量	亿千瓦小时		134.1	205.0	397.2	402.3
二. 农村用电量	亿千瓦小时	844.5	1655.7	2421.3	4895.8	5509.9
三. 农田水利建设情况						
有效灌溉面积	千公顷	47403.1	49281.2	53820.3	55750.5	56518.3
旱涝保收面积	千公顷	33638.5	36118.8	38336.3	40611.1	41152.8
机电排灌面积	千公顷	27148.3	32205.3	35954.1	36913.4	37761.6
四. 年底万亩以上灌区数	处	5363	5562	5683	5860	5869
五. 灌区有效灌溉面积	万公顷	2123.1	2249.9	2449.3	2641.9	2834.0
水库	座	81527	82915	83260	85249	85412
大型水库	座	366	387	420	482	493
中型水库	座	2499	2593	2704	3000	3110
小型水库	座	78662	79935	80136	81767	81809
水库库容量	亿立方米	4660	4797	5184	5841	6345
大型水库	亿立方米	3397	3493	3842	4379	4836
中型水库	亿立方米	690	719	746	852	883
小型水库	亿立方米	573	585	594	610	625
节水灌溉面积	万公顷			1638.9	2242.6	2348.9
除涝面积	万公顷	1933.7	2006.5	2098.9	2137.6	2141.9
水土流失治理面积	万公顷	5300	6690	8096	9749	9987
治碱面积	万公顷	499.5	543.4	584.1		
堤防长度	万公里	22.0	24.7	27.0	28.1	28.4
堤防保护面积	万公顷	3200.0	3060.9	3960.0	4548.6	4551.8

1-5 农业经济核算

(单位：亿元)

年 份	农林牧渔业总产值	# 农业产值	林业产值	牧业产值	渔业产值	农林牧渔业增加值
1978	1397	1118	48	209	22	1028
1980	1923	1454	81	354	33	1372
1985	3619	2506	189	798	126	2564
1990	7662	4954	330	1967	411	5062
1991	8157	5146	368	2159	483	5342
1992	9085	5588	423	2461	613	5867
1993	10996	6605	494	3014	882	6964
1994	15750	9169	611	4672	1298	9573
1995	20341	11885	710	6045	1701	12136
1996	22354	13540	778	6016	2020	14015
1997	23788	13853	818	6835	2283	14442
1998	24542	14242	851	7026	2423	14818
1999	24519	14106	886	6998	2529	14770
2000	24916	13874	937	7393	2713	14945
2001	26180	14463	939	7963	2815	15781
2002	27391	14932	1034	8455	2971	16537
2003	29692	14870	1240	9539	3138	17382
2004	36239	18138	1327	12174	3606	21413
2005	39451	19613	1426	13311	4016	22420
2006	40811	21522	1611	12084	3971	24040
2007	48893	24658	1862	16125	4458	28627

注：从2003年起，农林牧渔业产值和增加值核算执行新国民经济行业分类标准，包括农林牧渔服务业。

1-6 主要农作物播种面积

(单位:万亩)

年 份	农作物总播种面积	粮 食	油 料	棉 花	糖 料	蔬 菜
1992	149007	110560	11489	6835	1906	7031
1993	147741	110509	11142	4985	1687	8084
1994	148241	109544	12081	5528	1755	8921
1995	149879	110060	13102	5422	1820	9515
1996	152381	112548	12555	4722	1846	10491
1997	153969	112912	12381	4491	1923	11288
1998	155706	113787	12919	4459	1984	12293
1999	156373	113161	13906	3726	1644	13347
2000	156300	108463	15400	4041	1514	15237
2001	155708	106080	14631	4810	1654	16402
2002	154636	103891	14766	4184	1818	17353
2003	152415	99410	14990	5111	1657	17954
2004	153553	101606	14431	5693	1568	17560
2005	155488	104278	14318	5062	1564	17721
2006	152149	104958	11738	5816	1567	16639
2007	153464	105638	11316	5926	1802	17329
平均增长速度 (%)						
1979-2007	0.1	-0.5	2.1	0.7	2.5	5.9
1990-2007	0.3	-0.3	0.4	0.7	0.9	5.8
1998-2007	0.0	-0.7	-0.9	2.8	-1.6	4.4

1-7 主要农产品产量

（单位：万吨）

年 份	粮 食 总产量	油 料	棉 花	水 果	肉 类	水产品
1978	30477	522	217	657		465
1980	32056	769	271	679	1205	450
1985	37911	1578	415	1164	1927	705
1989	40755	1295	379	1832	2629	1152
1990	44624	1613	451	1874	2857	1237
1991	43529	1638	568	2176	3144	1351
1992	44266	1641	451	2440	3431	1557
1993	45649	1804	374	3011	3842	1823
1994	44510	1990	434	3500	4499	2143
1995	46662	2250	477	4215	4076	2517
1996	50454	2211	420	4653	4584	3288
1997	49417	2157	460	5089	5269	3119
1998	51230	2314	450	5453	5724	3383
1999	50839	2601	383	6238	5949	3570
2000	46218	2955	442	6225	6014	3706
2001	45264	2865	532	6629	6106	3796
2002	45706	2897	492	14375	6234	3955
2003	43070	2811	486	14517	6443	4077
2004	46947	3066	632	15341	6609	4247
2005	48402	3077	571	16120	6939	4420
2006	49804	2640	753	17102	7089	4584
2007	50160	2569	762	18136	6866	4748
平均增长速度 （%）						
1979-2006	1.7	5.6	4.4	10.0	—	8.3
1990-2006	1.2	3.8	4.0	10.8	5.8	8.7
1998-2006	0.1	1.7	5.2	7.5	2.7	2.8

注：2002年起，水果产量包括瓜果类产量。

1–8 营林面积和主要林产品产量及增减情况

指　标	单　位	1990年	1995年	2000年	2006年	2007年	2007年为2006年百分比（%）
一．营林情况							
1．当年造林面积	千公顷	5208.5	4967.2	5105.1	3838.8	3907.7	101.8
按造林方式分：							
当年人工造林面积	千公顷	4353.4	4405.4	4345.0	2446.1	2738.5	112.0
当年飞机播种面积	千公顷	855.1	561.8	760.1	271.8	118.7	43.7
按用途分：							
用材林	千公顷	3156.5	1823.3	1218.5	481.6	610.4	126.7
经济林	千公顷	644.5	1740.3	1350.3	403.3	478.4	118.6
防护林	千公顷	1029.7	1243.0	2430.8	2942.6	2790.2	94.8
薪炭林	千公顷	340.1	143.8	82.3	7.8	8.0	102.5
特种用材林	千公顷	37.7	16.5	23.2	3.5	20.8	601.8
2．迹地更新面积	千公顷	671.5	729.7	919.8	408.2	390.9	95.8
3．零星(四旁)植树	万　株	337596.3	326377.6	300504.0	232487.1	245438.0	105.6
4．育苗面积	千公顷	213.5	206.0	278.6	578.0	559.2	96.8
5．幼林抚育作业面积	千公顷	13032.6	15834.2	11825.3	17638.0	16263.2	92.2
6．成林抚育面积	千公顷	4089.9	6563.4	7528.9	8353.3	9790.2	117.2
二．主要林产品产量							
生　漆	吨	2683	2976	5279	20762	12891	62.1
油桐籽	吨	350770	404929	453461	382989	361285	94.3
油茶籽	吨	523313	623128	823224	919947	939096	102.1
乌桕籽	吨	51947	38834	35775	27122	26218	96.7
五倍籽	吨	5783	10084	8678	21696	11963	55.1
棕　片	吨	39860	52955	61082	63033	57276	90.9
松　脂	吨	435244	548133	551057	908784	965618	106.3
竹笋片	吨	83551	174588	339084	470344	529860	112.7
核　桃	吨	149560	230867	309875	475455	629986	132.5
板　栗	吨	115191	247026	598185	1139661	1266510	111.1
紫胶（原胶）	吨	1421	3486	1419	3848	3449	89.6

1-9 林业重点工程历年完成造林面积

(单位：千公顷)

年份	合计	天然林保护工程	退耕还林工程		京津风沙源治理工程	速生丰产用材林基地工程	三北及长江流域等防护林工程
			退耕还林工程合计	其中：退耕地造林			
1986年	1106.73						1106.73
1987年	1064.80						1064.80
1988年	1063.93						1063.93
1989年	1001.80						1001.80
1990年	1662.06						1662.06
1991年	2082.20						2082.20
1992年	2308.00						2308.00
1993年	2602.10				132.80	257.50	2211.80
1994年	2729.59				139.79	223.32	2366.48
1995年	2862.17				168.59	242.87	2450.71
1996年	2669.49				164.95	187.81	2316.73
1997年	2642.61				215.95	193.20	2233.46
1998年	2856.00	290.35			231.58	138.05	2196.02
1999年	2827.70	477.56			211.58	106.10	2032.46
2000年	3345.92	426.37	683.60	328.42	280.27	246.88	1708.80
2001年	3173.29	948.08	890.29	405.44	217.32	88.87	1028.73
2002年	6777.38	856.08	4423.61	2039.77	676.38	45.68	775.63
2003年	8262.78	688.26	6196.13	3085.93	824.43	20.43	533.54
2004年	4802.85	641.45	3217.54	824.90	473.27	22.27	448.32
2005年	3109.10	424.81	1898.36	667.39	408.25	9.49	368.20
2006年	2810.80	774.82	1050.53	218.49	409.54	9.10	566.82
2007年	2681.65	732.88	1056.02	59.46	315.13	3.39	574.22

1-10 农村物价指数

(以上年为100)

年 份	农村居民消费价格指数	农业生产资料价格指数	农产品生产价格总指数
1978			103.9
1980			107.1
1985	107.6	104.8	108.6
1990	104.5	105.5	97.4
1991	102.3	102.9	98.0
1992	104.7	103.7	103.4
1993	113.7	114.1	113.4
1994	123.4	121.6	139.9
1995	117.5	127.4	119.9
1996	107.9	108.4	104.2
1997	102.5	99.5	95.5
1998	99.0	94.5	92.0
1999	98.5	95.8	87.8
2000	99.9	99.1	96.4
2001	100.8	99.1	103.1
2002	99.6	100.5	99.7
2003	101.6	101.4	104.4
2004	104.8	110.6	113.1
2005	102.2	108.3	101.4
2006	101.5	101.5	101.2
2007	105.4	107.7	118.5

注：2000年以前农产品生产价格总指数为农产品收购价格指数。

1–11 农村居民家庭基本情况

指 标	单 位	1990 年	1995 年	2000 年	2006 年	2007 年	2007 年为下列各年%	
							1990 年	2006 年
调查户数	户	66960	67340	68116	68190	68190	101.8	100.0
调查户常住人口	人	321429	301878	286162	276460	274764	85.5	99.4
平均每户常住人口	人	4.80	4.48	4.20	4.05	4.03	83.9	99.5
平均每户劳动力	人	2.92	2.88	2.76	2.83	2.84	97.3	100.4
平均每人经营耕地面积	亩	2.10	2.17	1.98	2.11	2.16	102.9	102.4
平均每人经营山地面积	亩	0.42	0.44	0.28	0.31	0.32	76.2	103.2
平均每户生产性固定资产原值	元	1258.06	2774.27	4673.06	7647.09	8389.84	666.9	109.7
平均每人全年收入								
总收入	元	990.38	2337.87	3146.21	5025.08	5791.12	584.7	115.2
#工资性收入	元	138.80	353.70	702.30	1374.80	1596.22	1150.0	116.1
家庭经营收入	元	815.79	1877.42	2251.28	3309.95	3776.70	463.0	114.1
纯收入	元	686.31	1577.74	2253.42	3587.04	4140.36	603.3	115.4
#工资性收入	元	138.80	353.70	702.30	1374.80	1596.22	1150.0	116.1
家庭经营收入	元	518.55	1125.79	1427.27	1930.96	2193.67	423.0	113.6
现金收入	元	676.67	1595.56	2381.60	4301.93	4958.40	732.8	115.3
#工资性收入	元	136.43	352.88	700.41	1373.80	1595.29	1169.3	116.1
家庭经营收入	元	481.19	1116.73	1498.81	2609.41	2978.28	618.9	114.1
平均每人全年支出								
总支出	元	903.47	2138.33	2652.42	4485.44	5137.68	568.7	114.5
#家庭经营费用支出	元	241.09	621.71	654.27	1242.31	1432.69	594.3	115.3
费税支出	元	38.66	88.65	95.52	10.93	11.93	30.9	109.1
生活消费支出	元	584.63	1310.36	1670.13	2829.02	3223.85	551.4	114.0
财产性和转移性支出	元	18.80	55.28	168.60	263.54	322.03	1712.9	122.2
现金支出	元	639.06	1545.81	2140.37	3931.76	4533.13	709.3	115.3
#家庭经营费用现金支出	元	162.90	454.74	544.49	1104.07	1287.20	790.2	116.6
费税支出	元	33.37	76.96	89.81	10.86	11.66	34.9	107.4
生活消费现金支出	元	374.74	859.43	1284.74	2415.47	2767.12	738.4	114.6
财产性和转移性支出	元	47.59	92.36	157.42	261.73	319.98	672.4	122.3

1—12 农村居民纯收入

(单位：元/人)

年 份	纯收入合计				
		工资性收入	家庭经营纯收入	财产性纯收入	转移性纯收入
1949	43.8				
1952	57.0				
1954	64.1	2.4	56.4		5.3
1956	72.9	45.5	17.0		10.4
1957	73.0	43.4	21.5		8.1
1962	99.1	52.3	38.2		8.7
1963	101.3	54.6	35.7		11.1
1964	102.3	55.1	35.7		11.5
1965	107.2	63.2	33.3		10.7
1976	113.1	78.4	26.2		8.5
1977	117.1	76.1	32.8		8.2
1978	133.6	88.3	35.8		9.5
1979	160.2	100.7	44.0		15.5
1980	191.3	106.4	62.6		22.4
1981	223.4	113.8	84.5		25.1
1982	270.1	142.9	102.8		24.5
1983	309.8	57.5	227.7		24.6
1984	355.3	66.5	261.7		27.2
1985	397.6	72.2	296.0		29.5
1986	423.8	81.6	313.3		28.9
1987	462.6	95.5	345.5		21.6
1988	544.9	117.8	403.2		24.0
1989	601.5	136.5	434.6		30.5
1990	686.3	138.8	518.6		29.0
1991	708.6	151.9	523.6		33.0
1992	784.0	184.4	561.6		38.0
1993	921.6	194.5	678.5	7.0	41.6
1994	1221.0	263.0	881.9	28.6	47.6
1995	1577.7	353.7	1125.8	41.0	57.3
1996	1926.1	450.8	1362.5	42.6	70.2
1997	2090.1	514.6	1472.7	23.6	79.3
1998	2162.0	573.6	1466.0	30.4	92.0
1999	2210.3	630.3	1448.4	31.6	100.2
2000	2253.4	702.3	1427.3	45.0	78.8
2001	2366.4	771.9	1459.6	47.0	87.9
2002	2475.6	840.2	1486.5	50.7	98.2
2003	2622.2	918.4	1541.3	65.8	96.8
2004	2936.4	998.5	1745.8	76.6	115.5
2005	3254.9	1174.5	1844.5	88.5	147.4
2006	3587.0	1374.8	1931.0	100.5	180.8
2007	4140.4	1596.2	2193.7	128.2	222.3

注：1992年以前的转移性收入包括财产性收入。

1-12 续表

(单位: 元/人)

指 标	1990年	1995年	2000年	2006年	2007年	2007年为下列各年%	
						1990年	2006年
一. 总收入	990.38	2337.87	3146.21	5025.08	5791.12	584.7	115.2
工资性收入	138.80	353.70	702.30	1374.80	1596.22	1150.0	116.1
家庭经营收入	815.79	1877.42	2251.28	3309.95	3776.70	463.0	114.1
财产性收入		40.98	45.04	100.50	128.22		127.6
转移性收入	35.79	65.77	147.59	239.82	289.97	810.2	120.9
二. 纯收入	686.31	1577.74	2253.42	3587.04	4140.36	603.3	115.4
(一)工资性收入	138.80	353.70	702.30	1374.80	1596.22	1150.0	116.1
(二)家庭经营纯收入	518.55	1125.79	1427.27	1930.96	2193.67	423.0	113.6
1.第一产业收入	456.04	956.46	1090.67	1521.30	1745.12	382.7	114.7
农业收入	344.59	799.44	833.93	1159.56	1303.76	378.4	112.4
林业收入	7.53	13.52	22.44	54.97	59.19	786.1	107.7
牧业收入	96.81	127.81	207.35	265.58	335.06	346.1	126.2
渔业收入	7.11	15.69	26.95	41.19	47.11	662.6	114.4
2.第二产业收入	21.33	48.16	99.40	121.67	137.57	645.0	113.1
工业收入	9.15	13.63	52.67	68.49	76.92	840.7	112.3
建筑业收入	12.18	34.53	46.73	53.18	60.66	498.0	114.1
3.第三产业收入	41.18	121.17	237.20	287.991	310.98	755.2	108.0
交通、运输和邮电业收入	13.45	27.76	63.63	88.21	94.47	702.4	107.1
批发零售贸易、餐饮业收入	12.69	34.26	78.54	118.15	128.80	1015.0	109.0
社会服务业收入	6.55	17.18	28.09	35.14	38.84	593.0	110.5
文教卫生业收入			6.86	12.50	14.34		114.8
其他家庭经营收入	8.49	41.97	60.08	33.99	34.53	406.7	101.6
三. 财产性和转移性收入	28.96	98.25	123.85	281.28	350.47	1210.2	124.6

1-13　城乡居民家庭人均收入对比

（单位：元／人）

年　份	农村居民人均纯收入	城镇居民人均可支配收入	城乡居民收入对比（以农民人均纯收入为1）	农村居民人均纯收入比上年增长（%）	城镇居民人均可支配收入比上年增长（%）
1978	133.6	343.4	2.6		
1980	191.3	477.6	2.5	16.6	12.7
1985	397.6	739.1	1.9	7.8	1.5
1990	686.3	1510.2	2.2	1.8	8.4
1991	708.6	1700.6	2.4	2.0	7.2
1992	784.0	2026.6	2.6	5.9	9.7
1993	921.6	2577.4	2.8	3.2	9.5
1994	1221.0	3496.2	2.9	5.0	8.5
1995	1577.7	4283.0	2.7	5.3	4.9
1996	1926.1	4838.9	2.5	9.0	3.9
1997	2090.1	5160.3	2.5	4.6	3.4
1998	2162.0	5425.1	2.5	4.3	5.8
1999	2210.3	5854.0	2.7	3.8	9.3
2000	2253.4	6280.0	2.8	2.1	6.4
2001	2366.4	6859.6	2.9	4.2	8.5
2002	2475.6	7703.0	3.1	4.8	13.4
2003	2622.2	8472.0	3.2	4.3	9.0
2004	2936.4	9422.0	3.2	6.8	7.7
2005	3254.9	10493.0	3.2	6.2	9.6
2006	3587.0	11759.5	3.3	7.4	10.4
2007	4140.4	13786.0	3.3	9.5	12.2
平均增长速度　（%）					
1979-2007	7.1	14.1			
1990-2007	5.0	13.9			
1998-2007	5.3	10.9			

注：城乡居民收入增长率为扣除价格因素后的实际增长率，下同．

1-14 农村居民生活消费

（单位：元/人）

年 份	生活消费支出	食品支出	衣着支出	居住支出	家庭设备用品及服务支出	交通和通讯支出	文教娱乐用品及服务支出	医疗保健支出	其他支出	恩格尔系数
1978	116.1	78.6	14.7	12.0						67.71
1980	162.2	100.2	20.0	22.5	4.1	0.6	8.3	3.4	3.2	61.77
1985	317.4	183.4	30.8	57.9	16.2	5.6	12.4	7.7	3.6	57.79
1990	584.6	343.8	45.4	101.4	30.9	8.4	31.4	19.0	4.3	58.80
1991	619.8	357.1	51.1	102.3	35.3	10.3	36.4	22.3	5.0	57.61
1992	659.0	379.3	52.5	104.9	36.7	12.2	43.8	24.2	5.5	57.55
1993	769.7	446.8	55.3	106.8	44.7	17.4	58.4	27.2	13.1	58.06
1994	1016.8	598.5	70.3	142.3	55.5	24.0	75.1	32.1	19.0	58.86
1995	1310.4	768.2	89.8	182.2	68.5	33.8	102.4	42.5	23.1	58.62
1996	1572.1	885.5	113.8	219.1	84.2	47.1	132.5	58.3	31.7	56.34
1997	1617.2	890.3	109.4	233.2	85.4	53.9	148.2	62.5	34.3	55.05
1998	1590.3	849.6	98.1	239.6	81.9	60.7	159.4	68.1	32.9	53.43
1999	1577.4	829.0	92.0	232.7	82.3	68.7	168.3	70.0	34.3	52.56
2000	1670.1	820.5	96.0	258.3	75.5	93.1	186.7	87.6	52.5	49.13
2001	1741.1	830.7	98.7	279.1	77.0	110.0	192.6	96.6	56.4	47.71
2002	1834.3	848.4	105.0	300.2	80.4	128.5	210.3	103.9	57.7	46.25
2003	1943.3	886.0	110.3	308.4	81.7	162.5	235.7	115.8	43.0	45.59
2004	2184.7	1031.9	120.2	324.3	89.2	192.6	247.6	130.6	48.3	47.23
2005	2555.4	1162.2	148.6	370.2	111.4	245.0	295.5	168.1	54.5	45.48
2006	2829.0	1217.0	168.0	469.0	126.6	288.8	305.1	191.5	63.1	43.02
2007	3223.9	1389.0	193.5	573.8	149.13	328.4	305.7	210.2	74.2	43.08

1—15 农村居民主要食品消费量

(单位：千克/人)

年份	粮食	蔬菜	食用油	猪牛羊肉	家禽	禽蛋及制品	水产品	食糖	酒
1978	247.8	141.5	2.0	5.8	0.3	0.8	0.8	0.7	1.2
1980	257.2	127.2	2.5	7.7	0.7	1.2	1.1	1.1	1.9
1985	257.5	131.1	4.0	11.0	1.0	2.1	1.6	1.5	4.4
1990	262.1	134.0	5.2	11.3	1.3	2.4	2.1	1.5	6.1
1991	255.6	127.0	5.7	12.2	1.3	2.7	2.2	1.4	6.4
1992	250.5	129.1	5.9	11.8	1.5	2.9	2.3	1.5	6.6
1993	251.8	107.4	5.7	11.7	1.6	2.9	2.8	1.4	6.5
1994	257.6	107.9	5.7	11.0	1.6	3.0	3.0	1.3	6.0
1995	256.1	104.6	5.8	11.3	1.8	3.2	3.4	1.3	6.5
1996	256.2	106.3	6.1	12.9	1.9	3.4	3.7	1.4	7.1
1997	250.7	107.2	6.2	12.7	2.4	4.1	3.8	1.4	7.1
1998	248.9	109.0	6.1	13.2	2.3	4.1	3.7	1.4	7.0
1999	247.5	108.9	6.2	13.9	2.5	4.3	5.8	1.5	7.0
2000	250.2	106.7	7.1	14.4	2.8	4.8	3.9	1.3	7.0
2001	238.6	109.3	7.0	14.5	2.9	4.7	4.1	1.4	7.1
2002	236.5	110.6	7.5	14.9	2.9	4.7	4.4	1.6	7.5
2003	222.4	107.4	6.3	15.0	3.2	4.8	4.3	1.2	7.7
2004	218.3	106.6	5.3	14.8	3.1	4.6	4.5	1.1	7.8
2005	208.9	102.3	6.0	17.1	3.7	4.7	4.9	1.1	9.6
2006	205.6	100.5	5.8	17.0	3.5	5.0	5.0	1.1	10.0
2007	199.5	99.0	6.0	14.9	3.9	4.7	5.4	1.1	10.2

1-16 农村居民家庭年末主要耐用消费品拥有量

（平均每百户）

指 标	单 位	1990年	1995年	2000年	2006年	2007年	2007年为下列各年%	
							1990年	2006年
洗衣机	台	9.1	16.9	28.6	43.0	45.9	503.7	106.9
电冰箱	台	1.2	5.2	12.3	22.5	26.1	2141.0	116.2
空调机	台			1.3	7.3	8.5		117.3
抽油烟机	台		0.6	2.8	7.0	8.1		115.8
吸尘器	台		0.3	0.4	0.9	1.1		115.2
自行车	辆	118.3	147.0	120.5	98.7	97.7	82.6	99.0
摩托车	辆	0.9	4.9	21.9	44.6	48.5	5451.7	108.8
彩色电视机	台	4.7	16.9	48.7	89.4	94.4	1999.6	105.5
黑白电视机	台	39.7	63.8	53.0	17.5	12.1	30.6	69.6
固定电话	部			26.4	64.1	68.4		106.7
移动电话	部			4.3	62.1	77.8		125.4
照相机	部	0.7	1.4	3.1	4.2	4.3	614.3	102.9
家用计算机	台			0.5	2.7	3.7		134.8

1-17 农村居民家庭新建房屋和居住情况

指 标	单 位	1990年	1995年	2000年	2006年	2007年	2007年为下列各年%	
							1990年	2006年
一．年内新建房屋情况								
年内新建房屋面积	平方米/人	0.82	0.78	0.87	0.84	0.97	118.3	115.5
#砖木结构	平方米/人	0.47	0.37	0.36	0.27	0.29	61.7	107.4
钢筋混凝土结构	平方米/人	0.23	0.33	0.47	0.54	0.64	278.3	118.5
新建房屋造价	元/平方米	92.32	200.30	260.23	392.93	485.11	525.5	123.5
二．年末居住情况								
住房面积	平方米/人	17.83	21.01	24.82	30.65	31.63	177.4	103.2
#砖木结构	平方米/人	9.84	11.91	13.61	14.59	14.79	150.3	101.4
钢筋混凝土结构	平方米/人	1.22	3.10	6.15	11.79	12.55	1028.7	106.4
住房价值	元/平方米	44.60	101.64	187.41	287.76	313.59	703.1	109.0

1-18 农村居民贫困状况

年 份	贫困线（元/人）	贫困发生率（%）	贫困规模（万人）
1978	100	30.7	25000
1985	206	14.8	12500
1990	300	9.4	8500
1992	317	8.8	8000
1994	440	7.7	7000
1995	530	7.1	6540
1997	640	5.4	4962
1998	635	4.6	4210
1999	625	3.7	3412
2000	625	3.4	3209
2001	630	3.2	2927
2002	627	3.0	2820
2003	637	3.1	2900
2004	668	2.8	2610
2005	683	2.5	2365
2006	693	2.3	2148
2007	785	1.6	1479

1-19 农村乡(镇)卫生院、床位和卫生人员

指标	单位	1995年	2000年	2003年	2004年	2005年	2006年	2007年
一.乡(镇)卫生院	个	51797	49229	44279	41626	40907	39975	39876
中心卫生院	个	10098	9631	10031	10003	10025	10178	10396
乡卫生院	个	41699	39598	34248	31623	30882	29797	29480
二. 床位	张	733064	734807	672741	668863	678240	696231	747156
中心卫生院	张	289581	285638	272340	274431	281456	296189	317022
乡卫生院	张	443483	449169	400401	394432	396784	400042	430134
三. 人员	人	1051752	1169826	1057463	1026099	1012006	1E+06	1032921
中心卫生院	人	373601	422753	418502	415707	415474	421625	437323
乡卫生院	人	678151	747073	638961	610392	596532	578487	595598
人员中:								
卫生技术人员	人	918870	1026244	905984	881142	870500	859945	863662

1-20 村卫生室及人员数

(单位:人)

指标	1985	1990	1995	2000	2004	2005	2006	2007
行政村数(万个)	71.7	75.0	73.7	72.7	64.4	62.9	62.5	61.4
设置卫生室的村数占行政村%	87.4	86.2	88.9	89.8	80.7	85.8	88.1	88.7
村卫生室数(万个)	77.8	80.4	80.4	70.9	55.2	58.3	60.9	61.4
村办	30.6	26.6	29.7	30.1	29.8	31.4	33.4	34.0
联营	8.9	8.7	9.1	9.0	2.7	3.9	3.7	3.4
乡卫生院设点	3.0	3.0	3.6	4.7	4.2	3.2	3.5	3.4
私人办	32.4	38.2	35.5	25.5	16.7	18.0	18.7	18.7
其他	3.0	3.9	2.3	1.6	1.9	1.8	1.7	1.9
乡村医生和卫生员数(万人)	129.3	123.2	133.1	131.9	88.3	91.7	95.7	93.2
其中:乡村医生	64.3	77.7	95.6	102.0	82.6	86.4	90.6	88.2
平均每村乡村医生和卫生员(人)	1.8	1.6	1.8	1.8	1.4	1.5	1.5	1.5
每千农业人口乡村医生和卫生员(人)	1.6	1.4	1.5	1.4	1.0	1.1	1.1	1.1
农村接生员(万人)	51.4	47.1	35.9	25.6	…	…	…	…

1-21 农村文化机构

指 标	单 位	1995年	2000年	2003年	2004年	2005年	2006年	2007年
一. 乡镇文化站	个	41633	39348	35138	34879	34593	32706	32976
二. 农村集镇文化中心	个	12484	22171	21621	31864	19866	21831	23995
三. 农村群众业余演出团(队)	个	35429	36151	37659	49080	68641	58409	67998
四. 文化专业户	万户	22.8	18.0	13.9	38.9	39.4	49.9	52.9
五. 民间职业剧团	个	7191	2940	2600	3184	2773	4365	6094

1-22 农村集体办老年收养性福利机构情况

指 标	单 位	1995年	2000年	2003年	2004年	2005年	2006年	2007年
一. 老年收养性福利机构个数	个	23201	25576	24343	26442	29681	31373	39754
工作人员数	人	60651	74142	81263	82016	88745	100481	173290
二. 年末收养人数	人	316713	428108	503506	594417	679037	919649	1718833
#老人	人	296034	412465	485146	573235	658783	891215	1522772

1-23 农村社会救济费和自然灾害救济费

指 标	单 位	1995年	2000年	2003年	2004年	2005年	2006年	2007年
一、农村社会救济费	万元	30425	87321	238222	378803	798604	1477733	1897915
二、自然灾害救济费	万元	234755	352024	529365	511066	625798	790086	798401
生活救济费	万元	170602	274826	398350	320901	375322	432829	452952
灾民抢救转移安置费	万元	18504	30560	110125	35301	49638	45508.1	43135.4
救灾储备	万元	22676	9735	20891	38594	41057	27184.7	17140.9
三、占民政事业费支出总额比重								
农村社会救济费	%	2.9	4.0	4.1	6.6	11.1	16.1	15.6
自然灾害救济费	%	22.7	15.0	10.6	8.9	8.7	8.6	6.6

2.各地区统计资料

2–1 各地区耕地面积及占全国的比重

地 区	耕地面积（总资源）（千公顷）	占全国比重（%）
全国总计	121735.2	100.0
北 京	232.2	0.2
天 津	443.7	0.4
河 北	6315.1	5.2
山 西	4053.4	3.3
内蒙古	7146.3	5.9
辽 宁	4085.2	3.4
吉 林	5535.0	4.5
黑龙江	11838.4	9.7
上 海	259.6	0.2
江 苏	4763.8	3.9
浙 江	1917.5	1.6
安 徽	5728.2	4.7
福 建	1333.1	1.1
江 西	2826.7	2.3
山 东	7507.1	6.2
河 南	7926.0	6.5
湖 北	4663.4	3.8
湖 南	3789.0	3.1
广 东	2847.7	2.3
广 西	4214.7	3.5
海 南	727.5	0.6
重 庆	2239.1	1.8
四 川	5950.1	4.9
贵 州	4487.5	3.7
云 南	6072.4	5.0
西 藏	361.1	0.3
陕 西	4049.0	3.3
甘 肃	4659.8	3.8
青 海	542.2	0.4
宁 夏	1106.3	0.9
新 疆	4114.2	3.4

注：1、未含港、澳、台地区。
2、本表数据来源于国土资源部。

2-2 各地区农业生产条件

地区	农用机械总动力（万千瓦）	农村用电量（亿千瓦时）	农用化肥施用量（万吨）
全国总计	76589.6	5509.9	5107.8
北京	300.5	41.1	14.0
天津	604.9	52.5	25.8
河北	9134.5	430.1	311.9
山西	2440.8	75.9	100.8
内蒙古	2209.3	34.1	140.3
辽宁	1941.7	265.4	127.5
吉林	1678.3	32.6	154.4
黑龙江	2785.3	41.0	175.2
上海	97.7	171.7	14.1
江苏	3392.4	1159.0	342.0
浙江	2331.6	650.0	92.8
安徽	4535.3	82.0	305.0
福建	1063.1	183.4	119.7
江西	2506.3	63.1	132.7
山东	9917.8	408.2	500.3
河南	8718.7	223.4	569.7
湖北	2551.1	87.8	299.9
湖南	3684.4	76.4	219.6
广东	1847.2	937.3	219.6
广西	2127.2	40.3	220.8
海南	328.5	4.7	41.7
重庆	860.3	48.4	84.3
四川	2523.1	123.3	238.2
贵州	1411.7	30.2	82.1
云南	1861.9	48.5	158.3
西藏	329.4	0.6	4.6
陕西	1576.1	102.0	158.8
甘肃	1577.3	36.9	80.1
青海	348.6	3.5	7.6
宁夏	629.8	10.6	34.6
新疆	1274.7	45.8	131.5

2–3 各地区水利设施和除涝、治水、治碱面积

地区	水库数（座）	水库库容量（万立方米）	除涝面积（千公顷）	治碱面积（千公顷）	水土流失治理面积（千公顷）
全国	85412	6345	21419	6032	99871
北京	82	94	150		422
天津	87	27	394	210	44
河北	1063	161	1647	839	6134
山西	740	57	89	211	5639
内蒙古	490	171	277	305	9902
辽宁	955	358	995	305	5997
吉林	1564	315	1020	137	3448
黑龙江	660	156	3295	197	4342
上海			54	29	
江苏	903	184	2785	701	962
浙江	4151	393	495	3	2337
安徽	4797	196	2227	102	2018
福建	2946	151	122	40	1361
江西	9783	288	365		3968
山东	6243	215	2611	945	3971
河南	2338	401	1902	698	4243
湖北	5769	951	1200		4227
湖南	11466	393	480		2748
广东	6874	422	507		1333
广西	4364	309	206	102	1693
海南	995	95	12		31
重庆	2812	54			2027
四川	6717	174	94	0	5708
贵州	2001	86	47		2711
云南	5405	113	240	5	4691
西藏	64	13	22	0	16
陕西	996	71	130	59	9053
甘肃	287	89	12	66	7914
青海	154	300		10	779
宁夏	214	24		92	1818
新疆	492	86	40	974	331

注：治碱面积改为几年统计一次，此页治碱面积为2005年数据。

2-4　2007年各地区农林牧渔业总产值、增加值和中间消耗

（按当年价格计算单位：亿元）

地　区	总产值	农　业	林　业	牧　业	渔　业	增加值
全　国	48893.0	24658.2	1861.6	16124.9	4457.5	28626.9
北　京	272.3	115.5	17.8	122.4	10.2	101.3
天　津	240.7	117.6	2.1	76.9	36.1	110.2
河　北	3075.8	1639.1	52.4	1147.0	85.1	1804.7
山　西	498.4	322.6	17.6	140.2	3.5	269.7
内蒙古	1276.4	620.4	63.7	559.7	10.9	797.4
辽　宁	2128.0	837.5	60.3	830.8	326.1	1133.4
吉　林	1359.8	641.5	48.8	635.3	18.8	783.8
黑龙江	1700.6	971.9	79.0	585.0	25.1	915.4
上　海	256.0	126.7	10.0	58.0	54.2	101.8
江　苏	3064.7	1542.5	58.9	704.4	579.0	1816.2
浙　江	1597.2	735.9	95.5	367.6	369.9	986.0
安　徽	2070.1	1054.0	100.5	637.4	195.0	1200.2
福　建	1692.2	685.3	120.7	340.3	473.3	1002.1
江　西	1426.9	621.3	126.5	435.6	182.2	905.8
山　东	4766.2	2604.1	82.0	1313.0	580.3	2535.5
河　南	3879.9	2254.5	104.8	1326.1	44.5	2217.6
湖　北	2296.8	1152.1	41.9	686.2	310.8	1378.0
湖　南	2632.2	1243.2	144.1	1013.8	154.7	1626.6
广　东	2821.2	1328.7	73.4	775.6	541.9	1695.6
广　西	2026.2	970.5	99.8	710.2	178.3	1241.3
海　南	548.3	224.2	80.5	106.1	121.3	361.1
重　庆	720.7	401.5	25.9	264.5	18.4	482.4
四　川	3377.0	1316.6	87.2	1827.1	85.8	2032.0
贵　州	697.0	392.2	27.8	231.6	9.0	446.4
云　南	1331.7	683.8	156.0	438.4	25.4	837.4
西　藏	79.8	39.5	2.7	34.9	0.1	54.9
陕　西	1002.9	629.3	33.8	274.0	4.2	592.6
甘　肃	686.1	458.7	19.4	131.2	0.9	387.5
青　海	121.3	49.2	2.0	67.0	0.1	83.4
宁　夏	182.9	111.1	5.7	53.3	5.2	97.9
新　疆	1063.5	767.0	20.9	231.5	7.0	628.7

2-5 2007年各地区农作物播种面积

(单位:千公顷)

地区	农作物总播种面积	粮食	油料	棉花	麻类	糖类
全国总计	153463.9	105638.4	11315.8	5926.1	263.2	1801.7
北京	295.0	197.5	7.0	1.7	0.0	
天津	434.0	292.0	1.8	67.5	0.0	
河北	8652.7	6168.2	498.3	680.0	1.5	15.7
山西	3653.2	3028.2	166.8	104.0	0.1	5.8
内蒙古	6761.5	5119.9	532.5	2.6	4.3	30.3
辽宁	3703.9	3127.2	106.8	1.1	0.0	0.7
吉林	4944.0	4334.7	243.2	0.5	0.1	2.8
黑龙江	11898.5	10820.5	176.5	0.0	51.1	78.6
上海	390.7	169.6	16.3	1.4	0.0	0.2
江苏	7407.7	5215.6	540.8	326.9	1.2	1.2
浙江	2462.8	1219.6	151.6	19.0	0.3	9.4
安徽	8853.9	6477.8	864.3	375.9	15.1	5.4
福建	2191.2	1201.0	101.5	0.8	0.1	9.1
江西	5245.1	3525.3	603.5	81.7	7.7	10.8
山东	10724.4	6936.5	802.0	900.0	0.4	0.0
河南	14087.8	9468.0	1497.4	700.0	14.9	3.0
湖北	7030.0	3981.4	1171.7	514.2	25.8	3.6
湖南	7390.7	4531.3	693.7	172.0	56.2	12.7
广东	4363.1	2479.5	310.6	0.0	0.5	147.5
广西	5594.4	2984.0	152.8	2.5	5.7	1012.4
海南	754.3	402.6	32.9	0.0	0.2	63.3
重庆	3134.7	2195.8	192.9	0.2	11.4	2.9
四川	9278.2	6450.0	996.1	21.6	39.8	20.7
贵州	4464.5	2821.8	433.1	1.4	0.9	17.2
云南	5801.9	3994.5	135.9	0.2	5.9	265.5
西藏	232.9	171.8	23.1	0.0	0.0	
陕西	4044.7	3099.8	252.1	89.1	0.7	1.9
甘肃	3759.0	2687.0	278.7	79.3	3.2	5.9
青海	516.7	301.8	150.6	0.0	0.0	0.2
宁夏	1189.8	856.3	51.1	0.0	0.0	0.1
新疆	4202.6	1379.1	130.0	1782.6	16.3	75.0

2–6 2007年各地区农产品生产量

地 区	粮食（万吨）	棉花（吨）	油料（吨）	肉类（万吨）	水产品（吨）
全国总计	50160.3	7623597	25687412	6865.7	47481332
北 京	102.1	1990	21865	47.9	54209
天 津	147.2	93100	4630	33.8	311537
河 北	2841.6	724738	1380931	396.2	906437
山 西	1007.1	115076	134537	58.1	29575
内蒙古	1810.7	3621	794372	205.0	93565
辽 宁	1835.0	2100	263800	348.0	3612708
吉 林	2453.8	500	287000	231.7	151610
黑龙江	3462.9		212824	165.0	342506
上 海	109.2	2510	36178	25.4	320000
江 苏	3132.2	347533	1450756	305.6	4089904
浙 江	728.6	25722	330011	149.6	4151340
安 徽	2901.4	374208	1991987	323.8	1664533
福 建	635.1	667	233012	150.4	5319950
江 西	1904.0	127641	826699	244.7	1806557
山 东	4148.8	1000938	3285976	618.7	7133795
河 南	5245.2	750000	4839822	542.9	456794
湖 北	2185.4	557300	2547508	310.0	2980434
湖 南	2692.2	244200	1101096	422.7	1700888
广 东	1284.7		777222	385.7	6643357
广 西	1396.6	2070	338162	329.0	2460560
海 南	177.5		68432	54.7	1322724
重 庆	1088.0	114	306773	159.3	185260
四 川	3027.0	16731	2042627	564.2	910526
贵 州	1100.9	562	696630	150.6	76798
云 南	1460.7	308	220566	266.1	236587
西 藏	93.9		52262	23.7	528
陕 西	1067.9	89771	391476	96.0	50323
甘 肃	824.0	129424	423637	76.9	11449
青 海	106.2		280175	31.4	1524
宁 夏	323.5	30	77468	22.8	70439
新 疆	867.0	3012744	268978	125.7	87746

注：全国水产品总产量包括中国水产总公司捕捞总量。

2-7 2007年各地区造林面积

(单位:千公顷)

地 区	当年造林面积	零星（四旁）植树(万株)	育苗面积	幼林抚育作业面积	成林抚育面积
全国总计	3907.7	245438	559.2	16263.2	9790.2
北 京	13.3	463	12.7	43.7	43.9
天 津	4.0	106	3.7	67.0	51.3
河 北	235.2	10700	48.0	727.5	409.5
山 西	258.8	10353	30.3	220.4	55.7
内 蒙 古	590.1	4656	7.6	787.0	638.8
辽 宁	87.1	9760	16.9	286.6	134.3
吉 林	19.9	1302	2.8	506.8	217.1
黑 龙 江	93.5	2274	11.3	706.3	298.4
上 海	1.1	556	13.0	41.3	35.3
江 苏	82.6	11767	76.1	297.5	497.9
浙 江	11.6	2422	46.7	61.4	214.9
安 徽	31.9	16555	39.3	1282.0	764.1
福 建	36.0	2012	0.7	272.0	88.1
江 西	157.4	18673	12.6	532.9	158.4
山 东	144.7	17308	89.2	1259.2	1008.4
河 南	51.0	31520	51.3	1868.2	1333.3
湖 北	122.9	9285	21.3	533.2	369.6
湖 南	76.2	11257	11.5	737.9	217.0
广 东	5.8	6520	1.9	218.5	120.4
广 西	135.2	3025	2.0	475.6	291.2
海 南	13.3	3815	0.6	7.1	6.8
重 庆	96.7	7960	5.6	192.7	200.4
四 川	332.3	27402	6.8	662.6	194.6
贵 州	167.4	2872	1.3	343.7	141.3
云 南	319.2	8650	1.9	63.9	39.6
西 藏	31.0	317	0.3		
陕 西	245.8	14012	13.5	551.5	434.0
甘 肃	153.6	5194	11.5	423.0	273.7
青 海	45.2	1238	2.3	67.3	12.0
宁 夏	73.6	923	4.0	838.8	426.9
新 疆	171.3	2389	12.4	2179.6	1083.2

2-8 各地区林业重点工程建设情况

(单位：公顷)

地 区	总 计	天然林保护工程	退耕还林工程			三北及长江流域等防护林工程小计	京津风沙源治理工程	速生丰产林基地建设工程
			合 计	其中：退耕地造林面积	其中：荒山荒地造林面积			
全国合计	2681646	732882	1056020	59457	977335	574219	315132	3393
北 京	10301					1028	9273	
天 津	4016					1521	2495	
河 北	216880		38842	300	33276	76496	100443	1099
山 西	180854	25468	80234		80234	43993	31159	
内 蒙 古	363860	123338	34879	2825	32054	33881	171762	
辽 宁	87062		46459		46459	40603		
吉 林	18181		8150	7123	1027	10031		
黑 龙 江	88965		59805	16738	43067	29160		
上 海	40					40		
江 苏	9846					9846		
浙 江	3857					3857		
安 徽	24915		16557		16557	8358		
福 建	1510					1510		
江 西	60736		53333		53333	7403		
山 东	4275					4275		
河 南	23760	6287				17473		
湖 北	72834	16832	46667		46667	9335		
湖 南	60276		46352	6650	39702	13724		200
广 东	997					997		
广 西	58488		54036	9096	44273	4452		
海 南	6785		5993		5993	792		
重 庆	96650	36650	60000		60000			
四 川	288573	251612	36961		36961			
贵 州	105482	32148	60002		53370	13332		
云 南	116882	66237	43843	9570	34273	4708		2094
西 藏	21319	1119	10000		10000	10200		
陕 西	234244	107455	90050		90050	36739		
甘 肃	141273	33552	75337	449	74888	32384		
青 海	43395	15964	21923	3110	18813	5508		
宁 夏	73568	16220	24690		24690	32658		
新 疆	161822		41907	3596	31648	119915		

注：退耕还林工程中包括军事管理区 80000 公顷荒山荒地造林。

2-9 2007年各地区农村价格指数

（以上年价格为100）

	农村居民消费价格指数	农业生产资料价格指数	化学肥料	农产品生产价格指数	谷 物
全国平均	105.4	107.7	103.4	118.5	109.0
北 京				114.4	116.9
天 津				107.8	111.1
河 北	105.1	106.9	101.6	116.2	112.2
山 西	105.7	106.2	99.9	113.0	112.4
内蒙古	105.2	103.0	101.1	114.9	115.7
辽 宁	107.0	114.2	100.9	116.6	110.9
吉 林	106.1	106.0	102.8	114.0	109.9
黑龙江	105.4	109.4	101.5	119.9	105.8
上 海				110.2	102.8
江 苏	104.8	106.9	102.4	112.6	105.8
浙 江	104.4	107.3	102.9	108.6	104.4
安 徽	105.2	106.8	105.7	114.1	107.9
福 建	105.4	110.3	107.5	112.6	108.6
江 西	105.8	106.6	103.2	115.0	111.7
山 东	105.3	107.1	104.5	114.0	112.9
河 南	105.5	106.1	105.3	117.7	109.9
湖 北	105.1	108.0	101.9	117.0	106.5
湖 南	106.9	113.0	104.3	130.6	111.1
广 东	103.5	105.8	104.5	109.7	106.4
广 西	106.8	114.4	107.3	121.5	115.3
海 南	106.2	107.1	103.3	104.7	106.7
重 庆				121.8	108.2
四 川	106.0	109.0	104.0	120.8	109.6
贵 州	107.4	105.1	103.5	113.0	108.1
云 南	105.9	107.0	104.1	117.5	107.6
西 藏	104.2	101.0	100.1		
					112.4
陕 西	105.1	108.3	102.2	115.4	107.9
甘 肃	106.3	107.1	104.3	111.4	101.6
青 海	107.3	108.1	100.7	119.0	108.1
宁 夏	105.9	112.2	101.3	115.0	110.8
新 疆	107.2	106.2	99.0	114.7	

2-10 各地区农村居民纯收入(按收入来源分)

(单位：元/人)

地区	纯收入	工资性收入	家庭经营纯收入	财产性收入	转移性收入
全国合计	4140.4	1596.2	2193.7	128.2	222.3
北京	9439.6	5605.7	2303.7	803.2	727.0
天津	7010.1	3582.7	2957.3	162.0	308.1
河北	4293.4	1754.3	2249.7	115.8	173.6
山西	3665.7	1521.0	1860.4	135.8	148.5
内蒙古	3953.1	716.9	2786.1	117.1	333.1
辽宁	4773.4	1719.7	2592.2	179.4	282.1
吉林	4191.3	711.3	2830.7	283.4	366.0
黑龙江	4132.3	773.9	2848.9	196.1	313.4
上海	10144.6	7353.4	753.6	690.1	1347.6
江苏	6561.0	3443.0	2566.4	226.8	324.8
浙江	8265.2	4009.7	3479.1	362.7	413.6
安徽	3556.3	1470.1	1820.9	102.0	163.4
福建	5467.1	2099.9	2813.2	146.9	407.1
江西	4044.7	1611.5	2212.7	56.0	164.6
山东	4985.3	1950.8	2700.6	144.3	189.7
河南	3851.6	1267.7	2398.2	52.7	133.0
湖北	3997.5	1454.5	2379.8	37.7	125.5
湖南	3904.2	1712.3	1963.8	39.9	188.1
广东	5624.0	3202.1	1838.6	312.6	270.7
广西	3224.1	1128.8	1973.4	29.1	92.8
海南	3791.4	665.2	2870.4	66.1	189.7
重庆	3509.3	1559.3	1639.8	43.8	266.4
四川	3546.7	1438.7	1863.3	61.1	183.6
贵州	2374.0	846.9	1320.1	46.7	160.4
云南	2634.1	521.6	1910.2	86.4	115.9
西藏	2788.2	635.1	1673.1	173.5	306.5
陕西	2644.7	1036.2	1346.3	73.3	188.9
甘肃	2328.9	716.4	1426.9	23.2	162.4
青海	2683.8	790.9	1477.3	127.9	287.6
宁夏	3180.8	1021.4	1862.1	58.1	239.3
新疆	3183.0	330.8	2625.7	116.5	110.0

2-11 各地区农村居民生活消费支出

（单位：元/人）

指 标	生活消费支出	1.食品支出	2.衣着支出	3.居住支出	4.家庭设备用品及服务支出	5.交通和通讯支出	6.文教娱乐用品及服务支出	7.医疗保健支出	8.其他支出
全国合计	3223.85	1388.99	193.45	573.80	149.13	328.40	305.66	210.24	74.19
北 京	6399.27	2132.51	513.44	1023.21	340.15	778.52	870.12	629.56	111.75
天 津	3538.31	1367.75	286.33	674.81	126.74	400.11	312.07	306.19	64.30
河 北	2786.77	1025.72	185.68	627.98	140.45	318.19	243.30	188.06	57.40
山 西	2682.57	1033.68	260.88	392.78	120.86	268.75	370.97	170.85	63.81
内蒙古	3256.15	1280.05	228.40	473.98	117.64	375.58	423.75	281.46	75.29
辽 宁	3368.16	1334.18	281.19	513.11	142.07	361.77	362.78	265.01	108.05
吉 林	3065.44	1240.93	227.96	399.11	120.95	337.46	339.77	311.37	87.89
黑龙江	3117.44	1077.34	254.01	691.02	104.99	335.28	312.32	272.49	69.98
上 海	8844.88	3259.48	475.51	2097.21	451.40	883.71	857.47	571.06	249.04
江 苏	4786.15	1968.88	251.29	752.73	228.51	543.97	642.52	263.85	134.41
浙 江	6801.60	2430.60	405.32	1498.50	338.80	782.98	750.69	452.44	142.26
安 徽	2754.04	1192.57	166.31	479.46	144.23	258.29	283.17	177.04	52.98
福 建	4053.47	1870.32	235.61	660.55	184.21	465.40	356.26	174.12	107.00
江 西	2994.49	1492.02	147.71	474.49	121.54	277.15	252.78	167.71	61.08
山 东	3621.57	1369.20	224.18	682.13	195.99	422.36	424.89	230.84	71.98
河 南	2676.41	1017.43	189.71	615.62	136.37	269.46	212.36	173.19	62.26
湖 北	3090.00	1479.04	168.64	434.91	166.25	281.12	284.13	178.77	97.13
湖 南	3377.38	1675.16	161.79	508.33	152.60	278.78	293.89	219.95	86.88
广 东	4202.32	2087.58	162.33	763.01	163.85	443.24	254.94	199.31	128.06
广 西	2747.47	1378.78	86.90	554.14	112.24	245.97	172.45	149.01	47.98
海 南	2556.56	1430.31	86.26	305.90	93.26	248.08	223.98	95.55	73.23
重 庆	2526.70	1376.00	136.34	263.73	138.34	208.69	195.97	168.57	39.06
四 川	2747.27	1435.52	156.65	366.45	142.64	241.49	177.19	174.75	52.56
贵 州	1913.71	998.39	99.44	329.64	70.93	154.52	147.31	79.31	34.16
云 南	2637.18	1226.69	112.52	586.07	107.15	216.67	181.73	167.92	38.43
西 藏	2217.62	1079.83	245.00	418.83	133.26	156.57	65.39	50.00	68.74
陕 西	2559.59	941.81	161.08	512.40	106.80	254.74	304.54	222.51	55.71
甘 肃	2017.21	944.14	112.20	295.23	91.40	186.17	208.90	149.82	29.36
青 海	2446.50	1069.04	191.80	359.74	122.17	292.10	135.13	229.28	47.23
宁 夏	2528.76	1019.35	184.26	450.55	109.27	265.76	192.00	239.40	68.17
新 疆	2350.58	939.03	218.18	445.02	91.45	234.70	166.27	210.69	45.25

2-12 2007年各地区主要指标排序

地区	粮食总产量（万吨）		棉花总产量（吨）		油料总产量（吨）	
	绝对数	位次	绝对数	位次	绝对数	位次
全国总计	50160.3		7623597		25687412	
北京	102.1	30	1990	20	21865	30
天津	147.2	27	93100	12	4630	31
河北	2841.6	7	724738	4	1380931	7
山西	1007.1	20	115076	11	134537	25
内蒙古	1810.7	13	3621	16	794372	10
辽宁	1835.0	12	2100	18	263800	21
吉林	2453.8	9	500	23	287000	18
黑龙江	3462.9	3	0		212824	24
上海	109.2	28	2510	17	36178	29
江苏	3132.2	4	347533	7	1450756	6
浙江	728.6	23	25722	14	330011	16
安徽	2901.4	6	374208	6	1991987	5
福建	635.1	24	667	21	233012	22
江西	1904.0	11	127641	10	826699	9
山东	4148.8	2	1000938	2	3285976	2
河南	5245.2	1	750000	3	4839822	1
湖北	2185.4	10	557300	5	2547508	3
湖南	2692.2	8	244200	8	1101096	8
广东	1284.7	16	0		777222	11
广西	1396.6	15	2070	19	338162	15
海南	177.6	26	0		68432	27
重庆	1088.0	18	114	25	306773	17
四川	3027.0	5	16731	15	2042627	4
贵州	1100.9	17	562	22	696630	12
云南	1460.7	14	308	24	220566	23
西藏	93.9	31	0		52262	28
陕西	1067.9	19	89771	13	391476	14
甘肃	824.0	22	129424	9	423637	13
青海	106.2	29	0		280175	19
宁夏	323.5	25	30	26	77468	26
新疆	867.0	21	3012744	1	268978	20

2-12 续表

地区	肉类总产量（万吨）		水产品产量（吨）		农民人均纯收入（元/人）	
	绝对数	位次	绝对数	位次	绝对数	位次
全国总计	6865.7		47475212		4140.4	
北京	47.9	26	54209	26	9439.6	2
天津	33.8	27	311536	18	7010.1	4
河北	396.2	5	906437	14	4293.4	10
山西	58.1	24	29574	28	3665.7	19
内蒙古	205.0	15	93565	22	3953.1	15
辽宁	348.0	7	3612708	6	4773.4	9
吉林	231.7	14	151610	21	4191.3	11
黑龙江	165.0	16	342506	16	4132.3	12
上海	25.4	29	320000	17	10144.6	1
江苏	305.6	11	4089904	5	6561.0	5
浙江	149.6	20	4151341	4	8265.1	3
安徽	323.8	9	1664533	11	3556.3	20
福建	150.4	19	5319950	3	5467.1	7
江西	244.7	13	1806557	9	4044.7	13
山东	618.7	1	7133795	1	4985.3	8
河南	542.9	3	456794	15	3851.6	17
湖北	310.0	10	2980434	7	3997.5	14
湖南	422.7	4	1700888	10	3904.2	16
广东	385.7	6	6643357	2	5624.0	6
广西	329.0	8	2460559	8	3224.1	23
海南	54.7	25	1322724	12	3791.4	18
重庆	159.3	17	185260	20	3509.3	22
四川	564.2	2	910526	13	3546.7	21
贵州	150.6	18	76798	24	2374.0	30
云南	266.1	12	236587	19	2634.1	29
西藏	23.7	30	528	31	2788.2	26
陕西	96.0	22	50323	27	2644.7	28
甘肃	76.9	23	11449	29	2328.9	31
青海	31.4	28	1524	30	2683.8	27
宁夏	22.8	31	70439	25	3180.8	25
新疆	125.7	21	87745	23	3183.0	24

注：1.西藏农民人均纯收入数据为西藏自治区统计局数据。
2.全国水产品总产量包括中国水产总公司捕捞总量。

2-13 按地区分组的农村基本情况

(2007年)

	全　国	东部地区	中部地区	西部地区	东北地区
耕地面积(总资源，千公顷)	121776	26395	28992	44938	21451
农业机械总动力(万千瓦)	76589.6	29018.3	24436.7	16729.3	6405.3
粮食产量(万吨)	50160.3	13306.9	15935.3	13166.4	7751.7
棉花产量(万吨)	762.4	219.7	216.8	325.5	0.3
油料产量(万吨)	2548.9	758.9	1124.4	589.3	76.4
肉类产量(万吨)	6865.7	2168.0	1902.2	2050.8	744.7
水产品产量(万吨)	4747.5	3025.3	863.9	418.5	410.7
农林牧渔业总产值(亿元)	48893.0	18334.6	12804.4	12565.6	5188.4
农林牧渔业增加值(亿元)	28627.0	10514.6	7597.9	7681.9	2832.6

注：本表耕地数据来源于《第二次全国农业普查主要数据公报（第六号）》。

2–14 按地区分组的农村居民家庭基本情况

指 标	单 位	全国合计	东部地区	中部地区	西部地区	东北地区
一. 常住人口	人/户	4.0	3.9	4.1	4.3	3.5
整、半劳动力	人/户	2.8	2.8	2.9	2.9	2.6
平均每个劳动力负担人口	人	1.4	1.4	1.4	1.5	1.3
整、半劳动力占常住人口比重	%	70.6	71.3	72.1	67.8	74.9
二. 年末生产性固定资产原值	元/户	8389.8	9342.1	5973.1	8527.7	12228.1
三. 年内新建住房面积	平方米/人	0.97	1.01	1.21	0.86	0.51
#砖木结构	平方米/人	0.29	0.32	0.27	0.26	0.39
钢筋混凝土结构	平方米/人	0.64	0.67	0.93	0.49	0.10
楼房	平方米/人	0.63	0.64	0.95	0.49	0.02
年末住房面积	平方米/人	31.6	37.0	33.6	27.1	22.7
#砖木结构	平方米/人	14.8	17.5	16.1	10.6	18.2
钢筋混凝土结构	平方米/人	12.55	17.80	15.71	7.64	1.64
四. 总收入	元/人	5791.1	7626.9	5161.2	4544.9	7392.7
纯收入	元/人	4140.4	5855.0	3844.4	3028.4	4348.3
现金收入	元/人	4958.4	6996.0	4278.7	3606.4	6400.9
五. 总支出	元/人	5137.7	6301.5	4423.0	4282.6	7026.5
#家庭经营费用支出	元/人	1432.7	1510.1	1134.7	1332.6	2717.2
购置生产性固定资产支出	元/人	147.2	109.2	95.1	178.1	358.9
税费支出	元/人	11.9	16.8	12.0	7.9	10.0
生活消费支出	元/人	3223.9	4281.0	2937.5	2526.9	3180.3
现金支出	元/人	4533.1	5892.0	3838.7	3469.9	6509.5
六. 主要食品消费量						
粮食	千克/人	199.5	190.6	211.5	202.4	177.3
蔬菜	千克/人	99.0	87.1	112.4	91.5	132.7
食用油	千克/人	6.0	6.5	6.0	4.9	8.6
肉禽及其制品	千克/人	20.5	21.4	16.2	24.3	15.7

2–15 2007年各地区农村卫生基本情况

地区	乡镇卫生院（个）	床位（张）	卫生人员数（人）	设置卫生室的村占总村数%	每千农业人口乡村医生和卫生员数（人）
全国总计	39876	747156	1032921	88.7	1.06
北 京	150	3323	6716	71.7	1.27
天 津	180	2366	4948	49.3	1.23
河 北	1962	42759	44497	100.0	1.57
山 西	1727	21500	28092	87.1	1.36
内蒙古	1616	13170	19435	100.0	1.14
辽 宁	1008	21916	24194	100.0	1.20
吉 林	791	13243	25459	99.9	0.94
黑龙江	920	12675	21418	100.0	1.13
上 海	6	360	406	86.2	1.21
江 苏	1352	52187	74063	72.2	1.02
浙 江	1857	18626	42399	47.9	0.37
安 徽	1842	41122	54571	100.0	0.85
福 建	853	16938	20237	100.0	1.27
江 西	1531	21748	33126	100.0	1.08
山 东	1677	64019	82839	71.1	1.87
河 南	2084	58493	86088	100.0	1.34
湖 北	1160	33143	65087	92.2	1.03
湖 南	2325	45903	65717	88.3	0.67
广 东	1336	39167	73294	100.0	0.82
广 西	1266	27212	37781	100.0	0.86
海 南	309	5000	8238	79.5	0.46
重 庆	1049	19877	26309	100.0	0.91
四 川	4834	65838	73549	100.0	0.92
贵 州	1453	19162	19290	100.0	0.75
云 南	1397	27412	23884	100.0	0.94
西 藏	666	2207	1873	59.5	0.98
陕 西	1701	22339	29169	89.0	1.21
甘 肃	1333	15955	16684	84.8	0.79
青 海	381	2323	2769	85.7	1.18
宁 夏	242	1615	3439	100.0	0.97
新 疆	868	15558	17350	77.8	0.64

2–16 2007年各地区农村老年人供养情况

(单位：个、人)

地 区	农村五保供养单位数	年末在院人数	女 性	老 人
全国总计	34684	1492713	344874	1302277
北 京	164	9009	3072	8321
天 津	137	2721	579	2593
河 北	1162	35021	4219	33486
山 西	653	8932	1040	8336
内蒙古	679	24742	2176	21722
辽 宁	854	36793	7250	32099
吉 林	606	33633	7027	30437
黑龙江	561	30331	3845	29457
上 海	252	21739	11838	20058
江 苏	1437	103188	29071	99738
浙 江	1166	70885	15941	69977
安 徽	1664	52752	10918	42740
福 建	509	6361	1686	6005
江 西	1290	182575	35427	130099
山 东	1814	189413	48996	187193
河 南	2294	120185	28384	116522
湖 北	2115	155163	40408	142311
湖 南	1533	60349	12550	58510
广 东	1761	48782	10373	35694
广 西	6595	66038	13112	60715
海 南	182	1663	947	1619
重 庆	1735	46578	9351	42480
四 川	2249	120515	34587	69567
贵 州	797	8157	1600	7686
云 南	513	9908	2067	7158
西 藏	148	1183	652	1162
陕 西	639	17043	1995	14610
甘 肃	530	6853	1348	5901
青 海	141	2201	970	1676
宁 夏	100	6026	1236	5162
新 疆	404	13974	2209	9243

2–17 2007年各地区农村社会救济费和自然灾害救济费

(单位:万元)

地区	农村社会救济			自然灾害生活救助
		农村最低生活保障线救济费	农村居民最低生活保障人数(人)	
全国合计	1897915.3	1090763.6	35663346.0	798401.1
部本级				5378.7
北京	11465.1	7291.8	77818.0	1294.8
天津	7661.4	3499.7	43762.0	739.8
河北	64014.2	31182.7	1557572.0	24656.9
山西	51511.4	30634.6	845055.0	27279.2
内蒙古	49517.1	37841.4	905906.0	19733.2
辽宁	60889.8	38552.2	894536.0	24495.9
吉林	38791.8	25293.7	776237.0	17191.8
黑龙江	57706.0	32877.8	884517.0	22566.5
上海	20190.5	10847.3	118309.0	3800.0
江苏	122663.8	63082.2	1140402.0	17800.7
浙江	112411.7	53531.8	527959.0	19664.4
安徽	104994.1	51849.2	1419546.0	55228.8
福建	62174.3	41300.8	673461.0	23729.8
江西	95326.7	51768.2	1499992.0	31697.1
山东	107218.2	53246.4	1722001.0	28161.4
河南	139293.1	80151.0	2570774.0	43436.2
湖北	68527.9	38404.8	1404930.0	33170.2
湖南	73620.9	31696.2	1428683.0	43149.9
广东	114319.2	72069.2	1383003.0	33487.9
广西	44283.8	23444.9	1815330.0	29560.0
海南	10401.0	6515.2	176484.0	5757.0
重庆	42242.7	18391.7	718537.0	29247.3
四川	118475.7	50290.5	2227180.0	64624.5
贵州	69833.4	51743.9	2564448.0	28143.7
云南	101171.2	80344.1	2501478.0	52236.9
西藏	7729.7	5130.8	230000.0	4912.1
陕西	54605.5	39713.7	1950953.0	33796.9
甘肃	40542.1	26374.1	1723657.0	22974.5
青海	13282.3	9581.3	345000.0	8569.2
宁夏	7765.8	5390.3	237029.0	10914.0
新疆	25284.9	18722.1	1298787	31001.8

6 六、附 录

农村全面小康测评方法及指标说明

农村全面小康的测评采用综合评分法。它的基本思想是按每个指标规定的最高值与最低值确定全距，然后计算每个指标的实现程度，最后将单个指标实现程度与其权数相乘并加总，得综合分值。

一、计算各指标的实现程度

计算各指标的实现程度需要先对评价指标数值进行标准化处理，即把性质、量纲各异的指标转化为可以进行综合的相对数。其具体步骤是：

1、确定各评价指标的上下限

进行标准化处理首先需要确定各个评价指标的“优”、“劣”上下限，也即各个指标的最大值 X_{max} 和最小值 X_{min}。我们规定各指标的全面小康值为目标值，由于总体小康是全面小康的基础和起点，规定总体小康值（见附表 2）为起点值。

在具体计算中，对正向指标以农村全面小康社会的标准值为 X_{max}，以总体小康值为 X_{min}；对逆向指标以农村全面小康社会的标准值为 X_{min}，总体小康值为 X_{max}。在农村全面小康指标体系中，只有第一产业劳动力比重、农村居民恩格尔系数和万元农业 GDP 用水量三个指标为逆向指标，农村居民基尼系数为适度指标，其余指标均为正向指标。

2、计算各指标的实现程度

（1）对正向指标（常用耕地变动幅度除外），实现程度计算如下：

$$f(Xi)=\begin{cases}100 & Xi \geqslant X_{max} \\ \dfrac{Xi-X_{min}}{X_{max}-X_{min}}\times 100 & X_{min} < Xi < X_{max} \\ 0 & Xi \leqslant X_{min}\end{cases}$$

式中：f（Xi）—第 i 个指标实现程度

Xi —第 i 个指标评价年的实际数值

X max —第 i 个指标的上限值，也即最大值

X min —第 i 个指标的下限值，也即最小值

（2）对逆向指标，实现程度计算如下：

$$f(Xi)=\begin{cases}100 & Xi \leqslant X_{min} \\ \dfrac{X_{max}-Xi}{X_{max}-X_{min}}\times 100 & X_{min} < Xi < X_{max} \\ 0 & Xi \geqslant X_{max}\end{cases}$$

（3）对适度指标农村居民基尼系数，国际上明确规定，0.6 以上是差距偏大，0.2 以下是高度均等，差距偏大和高度均等都不好。具体计算如下：

实际值 X 在全面小康标准值 0.3-0.4 之间，实现程度为 100；实际值 X 在 0.4-0.6 之间，实现程度计算公式为（(0.6-X）/0.2）× 100；实际值 X 在 0.2-0.3 之间，实现程度计算公式为（(X-0.2）/0.1）× 100；实际值 X 大于 0.6 或者小于 0.2，实现程度为 0。

（4）由于国家实行最严格的耕地保护制度，常用耕地变动幅度实现程度计算如下：

$$f(Xi)=\begin{cases}100 & Xi \geqslant 0.3 \\ \dfrac{Xi}{0.3}\times 100 & -0.3 < Xi < 0.3 \\ -100 & Xi \leqslant -0.3\end{cases}$$

二、计算各目标层的实现程度

一个区域（省、市、县）的全面小康社会总体目标实现程度是指这一区域全面建设小康社会评价指标体系的各个评价指标综合作用而形成的全面小康社会的实际水平。各子目标的全面小康社会实现程度是指构成各子目标的各个指标综合作用而形成的实际水平。

这里我们采用加法合成法计算农村全面建设小康社会的总体实现程度及各个子目标的实现程度。按照评价指标体系中各个指标的排列序号和权数（见附表 2），农村全面小康社会总体实现程度的计算公式为：

$$F=\sum_{i=1}^{18} f(xi)\times bi$$

各子目标全面小康社会实现程度的计算公式为：

$$F(A)=\sum_{i=1}^{3}f(xi)\times bi\Big/\sum_{i=1}^{3}bi$$

$$F(B)=\sum_{i=4}^{7}f(xi)\times bi\Big/\sum_{i=4}^{7}bi$$

$$F(C)=\sum_{i=8}^{9}f(xi)\times bi\Big/\sum_{i=8}^{9}bi$$

$$F(D)=\sum_{i=10}^{13}f(xi)\times bi\Big/\sum_{i=10}^{13}bi$$

$$F(E)=\sum_{i=14}^{15}f(xi)\times bi\Big/\sum_{i=14}^{15}bi$$

$$F(F)=\sum_{i=16}^{18}f(xi)\times bi\Big/\sum_{i=16}^{18}bi$$

式中：

F——农村全面小康社会总体实现程度

F（A）——农村全面小康社会中经济发展水平目标的实现程度

F（B）——农村全面小康社会中社会发展水平目标的实现程度

F（C）——农村全面小康社会中人口素质目标的实现程度

F（D）——农村全面小康社会中生活质量水平目标的实现程度

F（E）——农村全面小康社会中民主法制水平目标的实现程度

F（F）——农村全面小康社会中资源环境水平目标的实现程度

f(xi)——第 i 个评价指标的实现程度

bi——第 i 个评价指标在整个评价指标体系中所占的权重，各指标的权重在附表 2 中，计算时需要将百分数换算成小数。

三、指标解释及指标实际值的计算

1．农村居民人均可支配收入：指每个农村常住人口总收入扣除各项费用支出和转移性支出后，实际可以用于最终消费、投资和储蓄的收入。可支配收入是农村居民在国民收入分配中的最终所得。根据近年农村住户调查资料测算，农民人均纯收入比可支配收入高 40 元左右。

2．第一产业劳动力比重：是指一个国家或地区第一产业（农林牧渔业）从业人员在全社会从业人员中所占的比重。计算公式为：第一产业劳动力比重 =（第一产业从业人员 / 全部从业人员）× 100%。

3．农村小城镇人口比重：指年末居住在农村小城镇镇区的人口占县（市）年末总人口的比重。小城镇是指按国务院规定的镇的标准并经省级人民政府批准设立的由县一级管理的镇，包括县（含县级市）政府驻地镇（即城关镇）和县以下农村建制镇两部分。计算公式为：农村小城镇人口比重 =[全部建制镇（含城关镇）镇区人口 / 县（市）年末总人口] × 100%。

4．农村合作医疗覆盖率：指参加农村合作医疗的人口占农村总人口的比重。农村合作医疗是我国农村医疗保险的重要形式，它通过农民自愿筹资，国家和集体扶持，建立乡、村级医疗卫生点（站），医疗费用由国家、集体和农民共同负担，以解决农民看病难、就医难问题。计算公式为：农村合作医疗覆盖率 =（参加农村合作医疗的人口 / 农村总人口）× 100%。

5、农村养老保险覆盖率：指农村参加社会养老保险的人数占农村人口总数的比重。计算公式为：农村养老保险覆盖率 =（农村参加社会养老保险的人数 / 农村人口总数）× 100%。

6．万人农业科研人员数：指每万个农村居民所拥有的农业科研人员数量。这里的农业科研人员指从事农林牧渔生产或与这些生产有关的科研人员。计算公式为：万人农业科研人员数 =（农村农业科研人员总量 / 农村总人口）× 10000。

7．农村居民基尼系数：农村居民基尼系数是反映农村居民收入分配差异程度的指标。它的经济含义是：在全部居民收入中用于不平均分配的百分比。基尼系数最小等于0，表示收入分配绝对平均；最大等于1，表示收入分配绝对不平均；实际的基尼系数介于0和1之间。基尼系数计算公式为：

$$G_i=\sum Y_i+2\sum W_i\ (1-V_i)-1G$$

式中，G_i为基尼系数； W_i为人口比重； Y_i为收入比重 ； V_i为收入累计比重。

8．农村人口平均受教育年限：指农村6岁及6岁以上人口平均受教育年限。人口平均受教育年限按小学6年、初中9年、高中和中专12年以及大专以上16年计算。计算公式为：农村人口平均受教育年限 = 小学人口比重 × 6+ 初中人口比重 × 9+ 高中及中专人口比重 × 12+ 大专及大专以上人口比重 × 16。

9．农村人口平均预期寿命：指某一时期一个人口群体预期平均存活的年龄（岁），也称为出生时预期寿命。平均预期寿命是一项综合反映人民生活水平和医疗条件的指标，通常收入水平高的国家，人民生活和医疗条件好，人均预期寿命相对较高；而经济落后的国家，生活条件和医疗条件差，人均预期寿命则低。

10．恩格尔系数：指食物支出占生活消费总支出的比重。计算公式为：恩格尔系数 = 食物支出 / 生活消费总支出。恩格尔系数越大，表示生活越贫困；反之，表示生活越富裕。根据国际经验，恩格尔系数0.6以上为贫困，0.5-0.6为温饱，0.4-0.5为小康，0.3-0.4为富裕，0.3以下为最富裕。

11．农村居民居住质量指数：是反映农村居民居住条件好坏的指标。由人均住房面积、住房结构、饮用水状况、使用清洁能源、卫生厕所配套状况以及居室外道路条件等6个方面加权计算得到的综合评价指数。参照附表1中的居住质量标准和权数计算，农村居民居住质量指数 =0.1 × A+0.1 ×（B+C）+0.25 × D +0.15 × E+0.25 × F+0.15 ×（G+H）。

12．农民文化娱乐消费支出比重：指农村居民用于文化和娱乐方面的消费支出占全部生活消费支出的比重。计算公式为：农民文化娱乐消费支出比重 =［（农民文教娱乐支出 - 学杂费支出）/ 生活消费总支出）］× 100%。

13．农民生活信息化程度：用来反映农民对信息产品的消费能力和信息获取能力的综合指标。由彩色电视机普及率、电话普及率和计算机普及率三个指标加权而成，三者的权重分别为 20%、40% 和 40%。其中，彩色电视机普及率是指拥有彩色电视机农户数占总农户数的比率；电话普及率是指拥有固定电话或移动电话农户数占总农户数的比率；计算机普及率是指拥有台式或手提式计算机农户数占总农户数的比率。农民生活信息化程度 =0.2 × 彩色电视机普及率 +0.4 × 电话普及率 +0.4 × 计算机普及率。

14．农民对村政务公开满意程度：指在村民自治中对村政务公开满意或基本满意的成年（18 周岁以上，下同）公民占农村成年居民总数的比重。用来反映基层民主政治和农民民主权利的主观指标。该指标的数值需要通过对农民民意的专题调查取得。

15．农民对社会安全满意程度：指对社会安全满意或基本满意的农村成年居民占农村成年居民总数的比重。它是用来反映社会法制健全和治安情况的主观指标。该指标的数据需要通过对农民民意的专题调查取得。

16．常用耕地面积变动幅度：是指常用耕地与基期相比的变动比率。当常用耕地面积增加时，比率为正值；当常用耕地面积减少时，比率为负值。计算公式：常用耕地变动 =（常用耕地变动面积 / 常用耕地基期面积）× 100%。

常用耕地是指耕地总资源中条件较好，专门种植农作物并经常进行耕种、能够正常收获的土地。包括当年实际耕种的熟地；弃耕、休耕不满三年，随时可以复耕的地；开荒利用三年以上的地。不包括临时种植农作物，坡度在 25 度以上的陡坡地；在河套、湖畔、库区临时开发的成片或零星土地；也不包括已列为国家和省（区、市）退耕计划但仍在临时耕种的土地。

17．森林覆盖率：指一个国家或地区森林面积占土地面积的百分比。在计算森林覆盖率时，森林面积包括郁闭度 0.2 以上的乔木林地面积和竹林地面积，以及国家特别规定的灌木林地面积、农田林网以及四旁（村旁、路旁、水旁、宅旁）林木的覆盖面积。森林覆盖率是反映森林资源的丰富程度和生态平衡状况的重要指标。计算公式为：森林覆盖率（%）=（森林面积 / 土地总面积）× 100%。

18．万元农业 GDP 用水量：指每实现 1 万元农业增加值的农业用水量。计算公式为：万元农业 GDP 用水量 = 农业用水量（吨）/ 农业增加值（万元）。农业用水包括农田灌溉用水和林牧渔生产用水。这里所用的水是指淡水资源，包括地表水、地下水和其他水，但不包括直接下到田地里的雨水。农业增加值是以现价计算的农（种植）业、林业、畜牧业和渔业增加值。

附表1　农村居民居住质量指数

农村居民居住质量标准		权数（%）	满足居住标准的农村居民户数占总户数的比重（%）
1．住房面积	人均住房面积＞25平米	10	A
	人均住房面积＜25平米	0	
	3．无	0	
2．住房结构	钢筋混凝土结构	5	B
	砖木结构	5	C
	其他	0	
3．饮用水状况	1．自来水	25	D
	2．其他卫生水	0	
	3．河塘湖等非卫生水	0	
4．清洁能源	燃气和电	15	E
	煤炭	0	
	柴草及其他	0	
5．卫生厕所	1．水冲式	25	F
	2．旱厕（城镇为非水冲式）	0	
	3．无	0	
6．室外道路状况	水泥或柏油状路	10	G
	石头或石板等硬质路	5	H
	其他	0	

附表2　农村全面小康社会的标准值和权数

子目标	序号	指标名称	单位	权数（%）	总体小康值	全面小康标准
经济发展	1	农村居民人均可支配收入	元/人	20	2200	＞6000
	2	第一产业劳动力比重	%	5	50	＜30
	3	农村小城镇人口比重	%	4	16	＞35
社会发展	4	农村合作医疗覆盖率	%	8	10	＞90
	5	农村养老保险覆盖率	%	4	1.8	＞60
	6	万人农业科技人员数	人	4	1	＞4
	7	农村居民基尼系数	-	4	0.35	0.3-0.4
人口素质	8	农村人口平均受教育年限	年	12	7.4	＞9
	9	农村人口平均预期寿命	年	3	69.5	＞75
生活质量	10	农村居民恩格尔系数	%	4	49	＜40
	11	农民居住质量指数	%	11	18	＞75
	12	农民文化娱乐支出比重	%	3	2.5	＞7
	13	农民生活信息化程度	%	5	28	＞60
民主法制	14	农民对村政务公开的满意度	%	3	55	＞85
	15	农民对社会安全满意度	%	3	60	＞85
资源环境	16	常用耕地增长率	%	3	-0.3	＞0
	17	森林覆盖率	%	2	16.5	＞23
	18	万元农业GDP用水量	立方米	2	2600	＜1500